D1039041

# L'ENSAUVAGEMENT

*Le retour de la barbarie au XXI$^{e}$ siècle*

DU MÊME AUTEUR

L'HÉRITAGE NUCLÉAIRE, Editions Complexe, « Espace international », Bruxelles, 1997.

LA GUERRE PARFAITE, Editions Flammarion, Paris, 1998.

POLITIQUE DU CHAOS, Editions du Seuil, « La République des idées », Paris, 2002.

THÉRÈSE DELPECH

# L'ENSAUVAGEMENT

*Le retour de la barbarie au $XXI^{e}$ siècle*

BERNARD GRASSET
PARIS

*Ouvrage publié sous la direction de*
PERRINE SIMON-NAHUM

« Il faut briser en nous la mer gelée. »

FRANZ KAFKA.

# Prologue

> « L'histoire moderne est semblable à un sourd qui répondrait à une question que personne ne lui pose. »
>
> TOLSTOÏ, *Guerre et Paix*.

L'accélération de l'histoire dont nous sommes les héritiers a commencé il y a un peu plus de deux siècles. Depuis lors, l'humanité semble lancée dans une folle épopée dont elle comprend de moins en moins le cours. Avec le talent des Russes pour le drame historique, l'auteur de *Guerre et Paix* est celui qui, de tous les écrivains, en a donné l'image la plus convulsive. Quand Léon Tolstoï évoque les campagnes de Napoléon soixante ans après leur déroulement, il ne partage pas le romantisme avec lequel ses compatriotes aiment à parler de l'Empereur. De cette chevauchée fantastique à travers l'Europe qui a fait rêver tant de grands esprits, il ne retient qu'une effroyable tuerie : « Pour des raisons qui nous sont connues ou qui demeurent cachées, les Français commencent à s'égorger entre eux. Cet événement s'accompagne de sa justification, le bien de la France, la liberté, l'égalité. On cesse de s'égorger, et c'est l'unité du pouvoir et la résistance à l'Europe qui sont avancées. Puis des masses humaines marchent d'Occident en Orient en tuant leurs semblables. L'on parle alors de la gloire de la France et de la bassesse de l'Angleterre. Mais l'histoire montre que ces justifications n'ont aucun sens. Elles se contredisent toutes, comme le montre le massacre de millions de Russes pour l'humiliation de l'Angleterre [1]. » Tolstoï n'avait aucun moyen de se représenter les massacres qui ont été commis après sa mort, dans son propre pays ou loin de la terre russe. Il n'a pas davantage pu entendre les explications démentes qui ont été fournies pour en rendre compte. Si tel avait été le cas, on peut imaginer à la lecture de ce texte le sentiment d'horreur qui l'aurait saisi. Mais il est remarquable qu'il attribue à la Révolution française et aux campagnes napoléoniennes qui l'ont suivie un rôle que l'on réserve le plus souvent dans les livres d'histoire à la guerre de 1914 : l'ensauvagement des Européens [2].

---

1. Léon Tolstoï, *La Guerre et la Paix*, Gallimard, Folio Classique, 1972, p. 666.

2. Il rejoint en cela Balzac, qui pense que les horreurs de la Révolution ont marqué les esprits davantage que les hommes du début du XIX^e siècle n'étaient prêts à le reconnaître. Quant à Napoléon, Freud le percevait aussi non comme le héros des temps nouveaux, mais comme un forcené qui avait mis le feu à l'Europe. Le père de la psychanalyse aurait d'ailleurs pu garder à l'endroit de l'Empereur un grief tout personnel, car le Code Napoléon interdit le « métier de deviner et pronostiquer, ou d'expliquer les songes ».

Dans ce récit original des bouleversements de l'histoire de l'Europe au début du XIXe siècle, nul doute que l'écrivain ne songe aussi à une plus vaste tragédie, où l'on ne trouve pas seulement la barbarie des guerres, la force des idéologies et l'avènement des masses, mais peut-être surtout l'opposition de l'homme à l'histoire, des événements à leur intelligence, et de la politique à l'éthique. Ce dont il témoigne, c'est qu'on ne voit le plus souvent dans l'histoire qu'un affreux mélange, même avec le bénéfice d'un demi-siècle de distance. A peine a-t-on le temps d'observer ce qui se passe ou de se remémorer le passé – on s'égorge, on cesse de s'égorger, des masses humaines se déplacent, on massacre à nouveau – tandis que les événements se succèdent comme autant de rappels douloureux du malentendu qui règne entre l'homme et l'histoire. Ce décalage entre les prévisions, les anticipations, les attentes des hommes et la masse de faits auxquels personne n'aurait songé mais que l'histoire ne cesse de charrier, toutes les époques historiques peuvent l'illustrer. L'histoire semble répondre à des questions que l'homme n'a pas eu le temps de lui poser tandis qu'il s'agite de son côté pour comprendre le cours des choses. Les justifications qu'il apporte peuvent servir des causes spécifiques, le plaisir des princes, la raison de l'Etat, la grandeur de la liberté, mais que nous apprennentelles vraiment sur « l'Histoire avec sa grande hache [1] » ? Ne tentent-elles pas plutôt d'organiser tant bien que mal quelque chose qui échappe au maître et possesseur de la nature tout en exerçant sur le cours de son existence la plus puissante des influences ?

Il n'y a là rien de spécifique au monde moderne puisqu'il s'agit de l'énigme historique. L'histoire, la véritable histoire, est imprévisible, et c'est bien ce qui explique l'attirance que l'on éprouve dans les chancelleries pour la *stabilité*, maître mot des relations internationales, surtout dans les périodes où les événements alimentent la crainte de l'imprévu. Et s'il est vrai que le sens de cette énigme nous échappe, reconnaître du moins qu'elle existe a sûrement de l'importance. Sans interrogation sur le sens de la présence humaine dans l'histoire et sur la responsabilité des hommes dans son déroulement, la pensée perdrait un de ses plus grands thèmes. Si l'énigme est partagée par les différents âges que l'humanité traverse, la modernité a tout de même bouleversé des données essentielles, dont Tolstoï était déjà conscient au moment où il écrit la plus importante de ses œuvres. La pulsation du temps n'est plus la même, et son rythme prend parfois de telles accélérations que les deux interlocuteurs – l'homme et l'histoire – sont de plus en plus *décalés* l'un par rapport à l'autre. Ce décalage est aujourd'hui

1. L'expression est de Georges Perec, *La Vie mode d'emploi*, Hachette, 1978.

devenu si frappant qu'il pourrait fournir une des définitions de l'esprit du temps. Et comme il faut à présent y ajouter un changement d'échelle spatiale où ce qui commande notre sort semble s'étendre à la totalité de la planète en le faisant résonner sur les plus lointains rivages, il n'est pas étonnant que le dialogue soit plein d'incohérences. Comment circonscrire les conséquences de ce que l'on engage ? Comment éviter que le monde entier ne se mêle de ce que nous décidons sur nos territoires ? Et faut-il s'étonner que l'homme ait perdu la capacité de comprendre ce qui se passe autour de lui, alors que tout paraît enchevêtré de façon inextricable ? Faut-il s'indigner qu'il soit la proie d'une sorte de confusion mentale et morale, et que le chaos des idées et des mœurs semble pire encore que celui des événements [1] ?

La conviction que la pensée a des difficultés croissantes à saisir le sens du bruit de l'histoire, plus proche d'une assourdissante cacophonie que d'une mélodie dont l'oreille humaine pourrait suivre le cours, reçoit un écho troublant dans le jugement d'un esprit très différent de l'écrivain russe, mais comme lui perturbé par le désordre du monde. Il s'agit de Paul Valéry, dans un passage désormais classique : « L'imprévu lui-même est en voie de transformation et l'imprévu moderne est presque illimité. L'imagination défaille devant

1. De ce point de vue, *1984* de George Orwell est une œuvre réaliste : « Le mensonge est la vérité. La vérité est le mensonge. »

lui... Au lieu de jouer avec le destin comme autrefois une honnête partie de cartes, connaissant les conventions du jeu, connaissant le nombre des cartes et des figures, nous nous trouvons désormais dans la situation d'un joueur qui s'apercevrait avec stupeur que la main de son partenaire lui donne des figures jamais vues et que les règles du jeu sont modifiées à chaque coup [1]. » L'histoire ne progresse plus de façon continue. Elle ne progresse plus même par bonds. Elle semble avoir quitté tout schéma intelligible et être désormais sortie de ses gonds. Voilà un texte que la génération de ceux qui ont vécu le 11 septembre 2001, et qui est portée à croire que les événements manifestent une imagination qui les dépasse, ferait volontiers sien. Les bouleversements spectaculaires, les retournements soudains, tels sont les thèmes de notre époque [2].

Nos ancêtres du début du siècle dernier étaient, eux aussi, conscients d'un dangereux décalage entre l'homme et la réalité historique. La possibilité de brusques tempêtes ne leur était pas étrangère. Ils s'en étonnaient comme nous nous en étonnons et en souffraient comme nous en souffrons. Comment ne pas les comprendre ? Seule une série presque impensable d'absurdités,

---

1. Paul Valéry, *Regards sur le monde actuel*, in *Œuvres*, Gallimard, Bibliothèque de la Pléiade, tome II, 1960.
2. Ce serait là pour certains l'explication du refus dans la jeunesse de la démarche progressive et peu spectaculaire suivie depuis l'origine par l'Union européenne.

à Vienne, à Saint-Pétersbourg, à Berlin, à Paris enfin, avait pu mettre à feu et à sang l'ensemble de l'Europe ainsi qu'une bonne partie du monde, après le meurtre du neveu de l'empereur d'Autriche par un nationaliste serbe. Des assassinats politiques, il y en avait eu tant d'autres [1] ! Ce que cette guerre a révélé pour la première fois, et c'est pourquoi elle garde dans les livres d'histoire le nom de *Grande Guerre,* c'est l'impossibilité nouvelle pour les puissances majeures de circonscrire la plus importante des décisions politiques – celle qui consiste à initier un conflit – à l'échelle non de deux ou trois nations, mais même d'un continent. Il n'est plus question de contenir la machine une fois qu'elle est lancée : tous les continents seront touchés [2]. C'est déjà la mondialisation de la violence ; nous lui connaissons à présent des développements inédits. Un siècle plus tard, au moment où l'interconnexion des hommes et des choses n'a jamais été aussi grande, ceux qui croient encore que quelque bonne fée les préservera d'un conflit majeur dans la lointaine Asie, si par malheur il éclatait, devraient songer à 1914. Nous avons entraîné le monde dans nos guerres. Il nous entraînera dans les siennes.

---

1. Un des meilleurs historiens de la Première Guerre mondiale, John Keegan, a écrit un chapitre convaincant sur ce point dans son livre *The First World War*, Londres, Pimlico, 1998.

2. Voir aussi sur le même thème, mais pour la Seconde Guerre mondiale, un recueil d'articles anonymes, écrits à Londres par des Français en exil entre novembre 1940 et 1943, et rassemblés sous le titre : *La Guerre des cinq continents*, Londres, Hamish Hamilton, 1943.

L'imprévu n'est plus un concept exotique comme il l'était encore il y a cent ans. Il est devenu notre élément, le signe distinctif des relations stratégiques de notre époque, avec la rapidité de nos vecteurs, la puissance de feu de nos armes, les nouveautés de nos technologies, l'instantanéité de l'information et les nouvelles formes de terrorisme. L'histoire récente, que jalonnent de terribles explosions, des catastrophes naturelles [1] et de grands massacres, a montré à quel point les surprises pouvaient être dévastatrices. Leur irruption n'est peut-être là que pour rappeler à intervalles réguliers une tragédie historique que l'on aimerait oublier. Ce mélange de violence et de soudaineté, d'instabilité et de désordre, affecte nos âmes autant que nos esprits. Le décalage croissant entre l'homme et l'histoire comporte pour cette raison un risque de type ontologique : il met en péril le rapport qui relie la conscience humaine au temps. L'ancrage dans le passé, la transmission des valeurs, la continuité des générations, ce qui relie les hommes entre eux, tout cela est menacé par l'immédiateté dans laquelle nous vivons et par le chaos qui nous entoure. Tant l'impatience du présent que la dévitalisation du passé transforment le temps en un vecteur d'agitation et d'angoisse. D'autant que les métamorphoses introduites par

1. Le tremblement de terre de décembre 2004 qui a fait 300 000 morts en quelques heures, d'Indonésie à la côte somalienne, a donné un contrepoint naturel macabre à la violence humaine.

les révolutions technologiques ont un rythme beaucoup trop rapide pour que l'esprit humain puisse en suivre le cours. Celui-ci est donc souvent réduit à un rôle de spectateur, qui n'attend plus rien de l'histoire – sinon de durer.

Mais quand on ne demande à l'histoire rien d'autre que de durer, il ne faut pas se plaindre si elle fournit parfois des réponses brutales. La faille est aussi à chercher du côté de l'acteur. C'est très exactement la fin du propos de Paul Valéry : « Il ne peut même pas jeter les cartes au nez de son adversaire. Pourquoi ? C'est que, plus il le dévisage, plus il se reconnaît en lui !... Le monde moderne se façonne à l'image de l'esprit de l'homme [1]. » La surdité de l'histoire est aussi celle de l'homme que seules de formidables explosions parviennent à faire frémir. Ce qui nous fait horreur dans le cycle de cruauté gratuite que présentent les écrans de télévision, avec la mise en scène d'otages égorgés comme des animaux ou la profanation des morts dans les cimetières, c'est la façon dont la terreur et la barbarie pénètrent dans tous les foyers au moyen de l'image, mais c'est aussi que ces rituels expriment une sorte de « norme » visualisée de l'extrême violence qui règne dans le monde [2] et dont on se demande où

---

1. Paul Valéry, *Regards sur le monde actuel*, in *Œuvres*, Gallimard, Bibliothèque de la Pléiade, tome II, 1960.

2. Un exercice insensé a été conduit sur Internet à l'été 2004 par un Américain, Benjamin Vanderford, qui avait décidé de reproduire une fausse exécution sur le modèle de celles, réelles, perpétrées en Irak par al-Zarkaoui : « Je voulais montrer à quel

elle peut bien conduire. C'est surtout que seuls de grands crimes parviennent désormais à nous émouvoir. Le retour du crime-spectacle éveille un malaise d'autant plus grand qu'il se produit non sur les places publiques comme au temps de Voltaire, mais dans le confort des salons. Le décalage est insupportable, comme l'est aussi la banalisation de la violence. Thucydide, qui demeure la référence la plus précieuse de tous ceux qui réfléchissent sur l'histoire, prétend que certaines périodes expriment une forme d'exaspération des passions humaines. Si tel est bien le cas, notre temps est l'une de ces périodes, comme le furent les années 30 au siècle dernier, où la condamnation de l'humanisme et de l'intellectualisme s'est souvent faite au nom de tout ce qui réfrénait les passions humaines en leur imposant des normes.

Certains prétendent, comme aurait pu le faire Jean-Baptiste Clamence dans *La Chute* de Camus, qu'il n'y a guère de différence entre les meurtriers qui tuent des innocents en filmant leurs supplice et ceux qui se trouvent dans leurs foyers en spectateurs impuissants [1]. La violence idéologique et sociale qui caractérise la crise du monde contem-

point il est facile de truquer ce genre de vidéo. » Le film a été réalisé en 45 minutes avec du faux sang, et la mise en scène de décapitation, reprise sur un site Internet, fit le tour du monde. Quand le FBI l'a interrogé, l'auteur ne comprit pas ce qu'on lui reprochait...

1. Voir Peter Brooks, *Troubling Confessions*, University of Chicago Press, 2000.

porain serait partout. C'est une façon commode d'exonérer le crime et de le justifier. Il rappelle de vieilles rengaines qui ont eu leur heure de gloire et que l'on aimerait voir remiser. Mais il faut aussi reconnaître que si la reconfiguration du monde est à présent surtout le fait du terrorisme et des réactions qu'il provoque, c'est probablement parce que les valeurs qui auraient pu le contenir avant qu'il ne prenne des dimensions aussi spectaculaires sont très affaiblies ou tout à fait impuissantes. C'est aussi parce qu'aucune communauté politique n'a tenté de relever le formidable défi que représentait la sortie d'un siècle féroce. La mémoire et l'imagination n'étaient pas au rendez-vous. Et après quarante ans d'une guerre qui n'avait jamais éclaté, la volonté n'y était pas davantage. De la formule célèbre de Raymond Aron : « guerre improbable, paix impossible », on a choisi de retenir la première partie sans s'interroger sur le sens de la seconde, qui indiquait pourtant à quel point la paix était – pour l'essentiel – une illusion. Au sortir de cette aventure, les élites des pays d'Europe orientale comprenaient mieux que leurs voisins de l'Ouest qu'il fallait rebâtir le continent européen plus radicalement qu'avec les critères définis à Copenhague en 1993 pour l'adhésion à l'Union européenne. Elles l'ont parfois exprimé dans de beaux textes sur le sens de l'Europe, et c'est là que les « valeurs européennes » donnaient le sentiment, quand elles étaient évoquées après la chute du rideau de fer, d'avoir encore quelque force et quelque vérité [1]. Mais le pouvoir n'était pas de ce côté.

On a donc cru pouvoir reprendre la grande avenue de la paix, de la sécurité collective et du développement harmonieux des sociétés après une interruption aberrante où l'on trouvait pêle-mêle les crimes des totalitarismes, la lâcheté du monde libre et l'affrontement des *blocs*. Là était l'aberration, car l'*interruption* dont il était question faisait partie de l'histoire collective et ne pouvait être évacuée aussi simplement par ceux qui préféraient « prendre le sang pour du vin [2] ». Il aurait suffi de lire quelques lignes de Varlam Chalamov ou d'Andrei Siniavski pour comprendre qu'on ne s'en tirerait pas à si bon compte, le siècle passé étant allé trop loin dans la souffrance humaine et dans la destruction de l'humanité. Celles-ci par exemple : « Au camp, on m'a raconté un mythe : comment des zeks soviétiques ont donné de leurs nouvelles et révélé ainsi au monde pour la première fois les secrets du bagne stalinien... Peu de temps après la guerre, quelque part au fin fond de la taïga, non loin de l'océan, de nombreux détenus, pleins de désespoir, se coupèrent les mains à la hache pour se débarrasser d'un travail inhumain. On mit les doigts et

1. C'est le cas du discours prononcé par Vaclav Havel, alors président de la Tchécoslovaquie, le 15 mai 1996.

2. Voir *La Peau de chagrin* d'Honoré de Balzac, où Moreau de l'Oise, fils d'un dantoniste monté sur l'échafaud, interpelle avec ces mots un républicain lors d'un banquet.

les mains coupées entre les pièces de bois, dans les chargements d'un excellent bois de construction, cerclés de fils de fer et destinés à l'exportation. Pressées d'échanger l'or vert contre les devises, les autorités n'y prirent pas garde. Et le précieux chargement vogua jusqu'en Grande-Bretagne... Mais voilà qu'on défait le chargement. Qu'y trouve-t-on ? Des mains coupées. On en défait un second, un troisième : toujours et encore de la chair humaine entre les pièces de bois... Mais c'est qu'ils se coupaient vraiment les mains. Par désespoir [1]. »

Après la Première et la Seconde Guerre mondiale, l'ampleur des destructions et le bouleversement des relations internationales ont imposé aux grandes puissances une réflexion radicale pour remettre le monde sur ses pieds. Il faut lire le récit que Margaret MacMillan fait de la Conférence de Paris en 1919 pour mesurer le temps, l'énergie et l'intelligence que les vainqueurs ont consacrés à la reconstruction de l'Europe [2]. Que cet effort ait finalement échoué et qu'un second conflit, plus terrible encore que le premier, se soit déchaîné vingt ans plus tard, ne doit pas entamer l'admiration que l'on ressent, à des titres très divers, pour les trois grands protagonistes de la

1. A. Siniavski, « Matériau à débiter », introduction à Varlam Chalamov, *Récits de la Kolyma*, Fayard, 1986, p. 5. La partie la plus sinistre de cette histoire est l'indifférence de ceux qui ouvrent les chargements à leur arrivée en Grande-Bretagne.

2. Margaret MacMillan, *Paris 1919*, New York, Random House, 2002.

Conférence : Wilson, Lloyd George et Clemenceau. Après la Seconde Guerre mondiale, il y eut les grandes conventions de Genève sur le droit de la guerre et c'est au nom de la « conscience des peuples » que le tribunal de Nuremberg a rendu ses jugements. Rien de tel ne s'est produit après l'effondrement pacifique de l'Union soviétique, en grande partie parce que la guerre froide a été une question d'experts et d'espions, non de peuples. Les romans de John Le Carré compteront donc parmi les meilleurs témoignages de cet affrontement. Comme le remarque Peter Hennessy [1], la guerre froide a renversé le processus observé par Clausewitz au XIX^e^ siècle, selon lequel les guerres cessaient d'être l'affaire de professionnels pour devenir celle des peuples. Les acteurs principaux de cette guerre ont été les stratèges nucléaires et les spécialistes du renseignement [2]. La destruction mutuelle assurée, la riposte graduée, la dissuasion élargie, Check Point Charlie, les échanges de prisonniers sur le pont de Potsdam, voilà ce qui a rythmé la guerre froide. Celle-ci ne fut en aucune façon une troisième guerre mondiale. Il faut pour le pré-

1. Peter Hennessy, *The Secret State, Whitehall and the Cold War*, Allen Lane, The Penguin Press, 2002, p. 2.

2. Michael Herman, ancien Secrétaire du Joint Intelligence Committee britannique, a affirmé que « la guerre froide était essentiellement un conflit du renseignement... Jamais auparavant en temps de paix les relations des adversaires n'avaient été aussi profondément influencées par les analyses du renseignement. Jamais auparavant la collecte d'information et sa protection par rapport à l'adversaire n'avaient joué un tel rôle dans une rivalité internationale ».

tendre avoir perdu tout souvenir de ce qu'ont été les guerres de 1914-1918 et de 1939-1945 et manquer singulièrement d'information sur ce qu'aurait été un authentique conflit mondial en lieu et place de la guerre froide. La déclassification [1] de nombreux documents des années 1960 et 1970 permet pourtant aujourd'hui d'avoir une idée de la violence sans limites que cette guerre aurait libérée si elle avait vu le jour.

Le fait qu'elle n'ait pas eu lieu n'a pas permis la prise de conscience des peuples qui avait joué un si grand rôle dans la reconstruction des affaires internationales après les deux guerres mondiales. A la fin des années 1980, le flot des réfugiés et la destruction du plus célèbre des murs contemporains ont éveillé de fortes émotions, tout particulièrement dans les pays qui avaient le plus souffert de la division. Mais ils n'ont pas touché les profondeurs de la conscience humaine comme l'avait fait quarante ans plus tôt la découverte des camps et des ruines qui couvraient l'Europe. Certes, de l'autre côté de ce que l'on appelait « le rideau de fer », les malheurs collectifs et privés avaient été trop nombreux pour qu'il soit possible d'oublier rapidement la dureté des temps. La dévastation et les crimes de quarante ans de guerre froide, même s'ils ne sont évoqués publiquement que par des associations sans grande

1. Il s'agit de documents secrets qui ont été rendu publics dans les dernières décennies.

audience, Mémorial en Russie par exemple [1], demeurent présents dans tous les foyers. Leurs effets ne se limitent pas à la criminalisation de la société russe, biélorusse, ukrainienne [2], à celle des républiques d'Asie centrale, au comportement sauvage de Moscou en Tchétchénie, ou à la corruption massive de la bureaucratie chinoise. Les traumatismes qu'ils ont produits dans les sociétés les plus directement brutalisées comme dans celles qui en ont pris connaissance, ont eu pour effet principal d'habituer les consciences à la violence et à la cruauté exercées de façon massive. Ce que la guerre de 1914-1918 avait engagé dans les tranchées a été poursuivi avec les déportations, les camps et les massacres des populations civiles. Ces forces de destruction une fois libérées dans toute leur sauvagerie ne peuvent être simplement refoulées à la fin de la guerre froide. Elles continueront d'avoir des effets sur l'avenir des peuples et des relations internationales dans les prochaines décennies, comme les vagues tardives d'une grande tempête.

Il a fallu en France tout le XIX^e^ siècle pour se remettre des violences de la Révolution française,

1. Créée en octobre 1989, cette association tente de préserver les témoignages des survivants des camps, des traces physiques que ceux-ci ont laissés sur tout le territoire de l'ex-URSS, et d'évaluer les conséquences des politiques passées sur la vie présente de la Russie. C'est Mémorial qui a rendu publiques les atrocités commises par le MVD dans le village de Samashki en 1995.

2. Pendant la campagne électorale, montrant ses traits défigurés par la dioxine, Viktor Ioutchenko a eu cette phrase : « Vous aimez mon visage ? C'est celui de l'Ukraine. »

mais il ne viendrait à l'esprit de personne de les comparer à celles dont les sociétés russe, chinoise ou cambodgienne ont été les victimes au siècle dernier. Comme il n'y a eu nulle part de *catharsis* à la fin des années 80, le passé continue de gronder dans les consciences. Le travail de mémoire et de deuil n'ayant jamais été fait pour les dizaines de millions de victimes des Etats [1], les fantômes des disparus ne nous ont pas quittés. Ceci est aussi vrai des pays occidentaux, puisqu'il s'agit d'une tragédie collective de l'humanité, et que l'Ouest a en outre souvent participé directement aux crimes. Ce fut déjà le cas avant le début de la guerre froide quand les Russes qui avaient rejoint l'armée allemande, souvent par désespoir, furent livrés à Staline par les Alliés. Le soutien d'effoyables dictatures ou de l'apartheid au nom de la lutte contre le communisme peut être rangé dans la même catégorie. La société civile occidentale a aussi sa part de responsabilité : *Les Habits neufs du président Mao* de Simon Leys, un des premiers livres à dénoncer la barbarie maoïste, a été brûlé à l'université de Vincennes.

---

1. R.J. Rummel a mis en évidence, dans son ouvrage *Death by Government* (New Brunswick, Transaction Books, 1986), qu'entre 1900 et 1986, les Etats avaient tué 170 millions d'hommes, un chiffre supérieur à celui causé par les guerres entre 1900 et 1995 (110 000 millions). Ces données sont reprises dans un texte de 1999 : « The Failure of Politics : The Future of Violence and War », préparé par un chercheur américain, Barry Weinberg, pour une conférence à Saint-Pétersbourg sur l'avenir de la guerre.

C'est bien le monde dans son ensemble qui est encore déboussolé par les turbulences du XX^e siècle. Un des principaux signes de ce désordre intérieur est le scepticisme sur la capacité de l'esprit à transformer les choses qui a succédé à la grande période des *expérimentations* historiques, au sens faustien de ce terme. On parle souvent du déclin du courage dans les sociétés contemporaines, mais il serait plus juste de dire que l'époque est *découragée.* Le chaos intellectuel et spirituel partout perceptible a ses racines dans la fébrilité de sociétés sans repères [1], dans l'ennui qui en résulte, dans la destruction de l'espoir en l'avenir, mais surtout dans la ruine de la confiance en l'esprit. Il s'agit là d'une réalité mondiale, qui affecte tout autant les anciennes sociétés communistes, où le nationalisme tente de prendre la place du marxisme-léninisme ou du maoïsme, que les sociétés occidentales, où l'hédonisme commence à trouver ses limites. Le seul message clair lancé par l'immense foule bigarrée qui s'est rendue à Rome en avril 2005 pour les funérailles de Jean-Paul II est celui de la famine spirituelle. Ce pape avait saisi le trait distinctif de l'humanité à l'aube du XXI^e siècle, dans toutes les régions du

1. Selon une étude réalisée par Euro RDCG dont les résultats ont été rendus publics en octobre 2004, la société française apparaît dominée par le doute, la peur, la violence, le ressentiment et la victimisation. Parmi ceux qui ont participé à l'étude, certains ont utilisé l'expression de « nouvel obscurantisme » pour définir une société qui se défie de tout et ne croit plus à rien ni à personne.

monde, touchant ainsi dans les consciences une corde qui ne demandait qu'à vibrer.

Le 26 octobre 1932, chez Maxime Gorki, qui s'est prêté à beaucoup de mises en scène, Staline déclarait aux écrivains rassemblés autour de la table : « Plus encore que de machines, de tanks et d'avions, nous avons besoin des âmes humaines [1]. » On objectera que la maîtrise des âmes est le cœur de l'affaire totalitaire et que dans les régimes libéraux justement, il ne saurait en être question. Certes. Est-ce une raison pour réduire la politique, comme on le fait depuis la fin de la confrontation idéologique entre l'Est et l'Ouest, à traiter des seuls problèmes économiques et sociaux ? Malgré tous les discours sur les *valeurs* de l'Europe, qui figurent à présent dans le préambule du projet de constitution européenne, que voit-on dans les avions des chefs d'Etat quand ils se déplacent à l'étranger, sinon des représentants de valeurs boursières ? A quoi mesure-t-on le succès d'un voyage officiel si ce n'est au montant des contrats signés ? Cette limitation de la politique, qui transforme nos gouvernants en voyageurs de commerce, en dit long sur la dégradation d'une fonction pourtant appelée à assumer des responsabilités de plus en plus lourdes. Certes, les hommes politiques se

1. Simon Sebag Montefiore, *Stalin. The Court of the Red Tsar*, Knopf, 2004, p.96. Cette anecdote est l'occasion de souligner l'humour involontaire de Vorochilov, qui s'exclame après l'appel de Staline aux intellectuels : « Tout de même, les tanks c'est important ! »

contentent de refléter une évolution plus générale, mais ils se montrent incapables de s'élever au-dessus d'un phénomène de masse, comme doivent le faire ceux qui comptent dans l'histoire.

Dans ces conditions, il n'est pas étonnant que la lutte qui révèle le mieux les faiblesses des sociétés occidentales contre ses adversaires ne soit ni militaire, ni policière, ni judiciaire, mais intellectuelle et morale. La force spécifique qui vient de la conviction est dans l'autre camp. Et ce n'est pas un hasard non plus si le fait que l'on puisse mourir pour des idées revienne sous la forme monstrueuse d'attentats suicides contre des civils à travers le monde. Ils posent aux sociétés qui en sont les victimes des questions cruciales : quelles idées méritent encore que nos sociétés post-héroïques prennent des risques pour les défendre ? Comment juger des affaires d'un monde où tout est relatif ? Où la tragédie et la mort sont éliminées du champ des consciences ? Les attentats suicides frappent non seulement parce que la mort nous revient *sous cette forme* mais parce qu'elle revient *tout court*.

En 1915 déjà, dans ses *Considérations sur la guerre et la mort*, Freud explique comment les sociétés européennes avaient évacué la mort avant qu'elle ne leur soit rendue sous le masque terrifiant de la Première Guerre mondiale. L'effarement des soldats en permission qui découvrent que la vie continue comme si l'enfer des tranchées n'existait pas montre à quel point le déni de réalité était alors puissant. Voici en effet les images qui défilaient dans leur tête quand ils se retrouvaient dans les salons ou dans les campagnes : « Nous voyons des gens à qui le crâne a été enlevé, continuer de vivre ; nous voyons courir des soldats dont les deux pieds ont été fauchés ; sur leurs moignons éclatés, ils se traînent jusqu'au prochain trou d'obus ; un soldat de première classe rampe sur ses mains pendant deux kilomètres en traînant derrière lui ses genoux brisés ; un autre se rend au poste de secours, tandis que ses entrailles coulent par-dessus ses mains qui les retiennent ; nous voyons des gens sans bouche, sans mâchoire inférieure, sans figure ; nous rencontrons quelqu'un qui, pendant deux heures, tient serrée avec les dents l'artère de son bras, pour ne pas perdre tout son sang ; le soleil se lève, la nuit arrive, les obus sifflent ; la vie s'arrête [1]. » Aujourd'hui encore, l'évacuation de la mort des sociétés occidentales est ce que retiennent le mieux leurs adversaires les plus féroces. « Vous qui aimez la vie, sachez que nous ne craignons pas la mort » : tel est le message qui leur donne, pensent-ils, le plus décisif des avantages. Ils n'ont pas tort.

La conclusion de ces propos liminaires est simple : s'il n'est plus possible de suivre le fil du

---

1. Erich-Maria Remarque, *A l'Ouest rien de nouveau*, Stock. L'auteur décrit la déshumanisation d'une bande de garçons allemands de vingt ans. Celle des jeunes Français qui se trouvaient dans les tranchées d'en face n'était pas très différente.

dialogue entre l'homme et l'histoire, c'est que les deux interlocuteurs sont non seulement décalés mais profondément perturbés. C'est un dialogue de sourds comme on en surprend entre intimes, quand l'angoisse interdit d'entendre autre chose que les voix intérieures. Ils continuent à parler, à la recherche d'un sens qui leur échappe et qui ne peut que leur échapper, parce qu'ils ne savent plus distinguer le juste de l'injuste, le beau du laid, ou le bien du mal. Seul leur parvient un brouhaha confus que rien ne permet d'organiser. La barbarie de l'action est précédée par celle de l'esprit, qu'elle contribue aussi à renforcer en un jeu de miroirs sans limites. Pour la politique, le résultat n'est que trop apparent : l'idée que les actes de quelques hommes peuvent avoir des conséquences comparables aux catastrophes naturelles ou aux grandes épidémies pour des millions d'autres hommes n'est plus comprise comme elle l'a été et comme elle devrait toujours l'être. C'est pourtant là ce qui continue de faire sa grandeur. La politique ne pourra donc pas être réhabilitée sans une réflexion éthique. Sans elle de surcroît, nous n'aurons ni la force de prévenir les épreuves que le siècle nous prépare, ni surtout d'y faire face si par malheur nous ne savons pas les éviter. Tel est le sujet de ce livre.

Le temps ne manque jamais d'imagination. Celle dont témoignent les événements récents est trop sombre pour ce que nous avons de fort.

Rapprocher la politique de l'éthique est un devoir envers les vivants. Mais c'est aussi un devoir envers les morts. Faut-il qu'un photographe chinois nous le rappelle, en évoquant une scène d'exécution qui a eu lieu en 1968 près de Harbin ? « Le 5 avril 1968, au cours de la Fête des morts, je photographiai l'exécution de sept hommes et d'une femme... On fit monter les huit condamnés, deux par deux, sur des plates-formes de camions et on les conduisit à travers la ville jusque dans la campagne au nord-ouest de Harbin. Là, on les aligna, les mains liées derrière le dos dans l'enceinte désolée du cimetière de Huang Shan, et on les força à s'agenouiller. Ils furent tous tués d'une balle dans la nuque. Personne ne m'avait demandé de faire des gros plans de leurs corps, mais j'en pris néanmoins l'initiative... Quand j'agrandis les photos des exécutés dans la faible lueur rouge de la chambre noire, je leur parlais à voix basse. Je leur dis : "Si vos âmes sont hantées, je vous en prie, ne me hantez pas moi aussi. J'essaie simplement de vous aider. J'ai fait des photographies de vous parce que je voulais immortaliser l'Histoire. [...] Je veux que les gens sachent qu'on vous a bafoués." [1] »

1. Li Zhinsheng, *Le Petit Livre rouge d'un photographe chinois*, Phaidon, 2003, pp. 139-140.

PREMIÈRE PARTIE

# LE TÉLESCOPE

« Nous sommes au lendemain de quelque chose. Sommes-nous à la veille de quelque chose ? »

CHARLES MORICE, 1905.

CHAPITRE I

# La responsabilité politique

> « Aucune époque n'a disposé d'une telle puissance, ni porté une telle responsabilité. »
>
> HANS JONAS.

On trouve chez Schopenhauer, qui a consacré une partie importante de son œuvre aux relations de la politique et de l'éthique, une expérience proposée aux hommes politiques : qu'ils se projettent plusieurs décennies dans l'avenir et, de là où ils se trouvent alors, qu'ils s'emparent d'un télescope pour juger leur action présente. Cette vision *à rebours* doit leur permettre de mesurer les conséquences de leurs actes sur le long terme et de reconnaître que l'action politique doit être conduite non seulement en faveur de la génération présente – une exigence déjà trop forte pour beaucoup –

mais aussi de celles qui vont suivre [1]. Pour rendre justice aux générations à venir, il faut pouvoir s'identifier à elles et non se contenter de les évoquer de façon rituelle. Se mettre à leur place, avec un télescope imaginaire tourné vers le passé, est la meilleure façon d'avoir envers elles la sympathie [2] que l'on éprouve pour ses contemporains.

La difficulté de l'exercice tient d'abord à la tyrannie de l'actualité en politique, où l'avenir est utilisé de façon surtout rhétorique : malgré ce que pourraient suggérer les discours sur l'évolution du climat ou les drames du développement [3], on constate un désintérêt croissant pour les questions politiques à long terme, au profit des questions économiques et sociales du jour. Elle vient aussi des multiples conséquences potentielles d'une décision donnée dans un environnement futur dont on ignore presque tout. Au sens strict, il n'y a ni *causes* ni *effets* dans le développement de l'histoire. Bertrand Russell en donne une illustration facétieuse dans sa critique du matérialisme dialectique, en proposant de démontrer que la révolution industrielle est une conséquence de la

1. Martin Wright, dont les principales œuvres ont été publiées dans les années 1960 et 1970, soutient que les communautés politiques ont des obligations morales à l'égard de leurs citoyens, de la société des nations et de l'humanité au sens large. Grotius et Kant n'auraient pas renié cette conception.

2. Schopenhauer dirait plutôt la compassion.

3. Le magazine anglais *The Economist* a eu une excellente formule sur ce dernier sujet en évoquant les pays « that care, but do not share ».

sécheresse en Asie centrale ou que les Etats-Unis doivent leur indépendance au mariage d'Henry VIII avec Ann Boleyn [1]. C'est par approximation que les historiens parlent de causes immédiates ou lointaines, pour mettre un peu d'ordre dans le chaos historique.

Ce qui était difficile hier l'est encore davantage aujourd'hui. Le mélange des variables de l'action humaine qu'introduit la mondialisation a considérablement compliqué les exercices de prévision. Les phénomènes politiques ont à présent des interconnexions presque infinies. Et s'il est vrai qu'aucune période ne peut s'identifier conceptuellement sur le moment mais seulement *après coup,* parfois même bien longtemps après, à plus forte raison ne peut-on définir celle qui la suivra. Il n'y a pas lieu nécessairement de s'en plaindre, car la contingence, dont on a toujours tendance à sous-estimer l'influence, est aussi la réintroduction de la liberté dans l'histoire [2], mais l'intelligence de

1. Voici le raisonnement suivi, qui peut amuser le lecteur : la révolution industrielle est due à la science moderne, qui est due à Galilée, qui dérive de Copernic, qui vient de la Renaissance, qui est due à la prise de Constantinople, liée elle-même à la migration des Turcs, conséquence de la sécheresse en Asie centrale. Quant aux conséquences des amours d'Henry VIII, les voici : s'il n'était pas tombé amoureux d'Ann Boleyn, l'Angleterre n'aurait pas rompu avec la papauté et n'aurait pas remis en cause le don que le pape fit des Amériques à l'Espagne et au Portugal.

2. C'est un exercice salutaire, comme le rappelle Johan Huizinga, que de reconnaître dans le passé et dans le présent les différents éléments qui auraient permis – ou qui permettront – d'autres trajectoires.

l'histoire contemporaine en souffre. A quel moment a-t-on enfin trouvé le bon angle, la bonne perspective, la bonne distance ? Pascal avait déjà posé cette question essentielle pour l'exercice du jugement historique.

Si les conditions de l'entreprise proposée par Schopenhauer paraissent si fragiles cependant, c'est aussi pour une autre raison, plus directement éthique, puisqu'il est question *en son cœur même* de la sympathie que l'on est censé éprouver pour ses contemporains. Là se trouve pour notre philosophe la racine de l'éthique : la souffrance de nos semblables nous touche. Est-ce bien vrai cependant ? Après y avoir cru un temps lors de la tragédie des Balkans et surtout en 1999, au moment des désastres du Kosovo qui faisaient chaque jour la une des journaux télévisés [1], on peut se poser à nouveau la question. On ne parlait alors que d'intervention humanitaire et des limites de la souveraineté des Etats – du moins quand ces derniers, bafouant le plus élémentaire de leurs devoirs, protéger leurs citoyens, entreprenaient d'en massacrer une partie. C'était un revirement de taille des pays occidentaux, poussés par leurs opinions publiques, si l'on songe à l'attitude observée pendant la guerre froide, mélange

1. Voir Roberto Toscano, « The Ethics of Modern Diplomacy », in *Ethics and International Affairs*, United Nations University Press, 2001, où l'auteur montre que les relations de l'éthique et de la guerre ont été renouvelées par la crise du Kosovo.

d'indifférence et de sentiment d'impuissance. Le conflit interne à la Charte des Nations unies entre la protection des droits de l'homme et la défense de la souveraineté des Etats [1], qui protège l'action des gouvernements envers leur peuple, a donné lieu à la fin du siècle dernier à d'innombrables commentaires. Les réactions de Moscou et de Pékin ont été vives : où allait-on sur cette pente dangereuse ? Mais les pays occidentaux les plus souverainistes, la France par exemple, se sont posé la même question. Le débat a cependant suscité des positions courageuses du Secrétaire général de l'ONU, Kofi Annan, en faveur d'un devoir d'intervention – ou d'une *responsabilité de protéger* [2] – qui a gagné en légitimité. C'était il y a seulement six ans. Depuis, les esprits et les gouvernements semblent revenus à l'indifférence et à l'impuissance [3], sauf quand ils font face à de grandes catastrophes naturelles relayées par une couverture permanente des médias, comme ce fut le cas pour le terrible tsunami de Noël 2004, qui a

1. Le champion toutes catégories de cette thèse demeure la Chine.

2. C'est le titre d'un excellent rapport publié en 2002 sur le sujet des conditions et de l'obligation du droit d'intervention.

3. Compte tenu de ce contexte peu favorable, il est remarquable que le Groupe d'experts de haut niveau nommé par le Secrétaire général des Nations unies en 2003, et composé en grande partie de personnalités ayant exercé des responsabilités officielles dans des pays très représentatifs de la diversité du monde actuel, ait remis en décembre 2004 un rapport où la responsabilité de protéger les populations civiles soit reconnue de façon non ambiguë.

fait plus de 300 000 morts. Jan Egeland [1], qui a coordonné l'aide à l'Asie au sein de l'ONU, a pour cette raison constamment rappelé « les vingt crises oubliées », de l'Ouganda à la Corée du Nord [2].

En effet. Les tragédies qui se déroulent en Afrique, où deux millions d'habitants du Darfour ont dû quitter leurs villages (300 000 d'entre eux sont morts de faim et de maladie) tandis que 100 000 civils ont été massacrés par des milices [3], le génocide perpétré en toute impunité par l'armée russe en Tchétchénie depuis 1999 [4], les Chinois qui pourrissent dans des hôpitaux psychiatriques pour cause de dissidence, les expériences chimiques subies par des familles entières dans les camps spéciaux de la Corée du Nord [5], toutes ces horreurs suscitent peu de compassion – et moins encore d'action. Ce ne sont pas les

---

1. Ce Norvégien est surtout connu dans son pays pour son rôle dans les accords d'Oslo de 1993.

2. Les Nations unies ont reçu davantage en une semaine pour les victimes du tsunami que pendant toute l'année 2004 pour le Darfour et la République démocratique du Congo.

3. Les associations humanitaires sont incitées au départ et les journalistes sont dans l'impossibilité d'exercer leur métier.

4. Il faut lire le livre d'Anna Politkovskaïa, *Tchéchénie. Le déshonneur russe*, Buchet Chastel, 2004 pour mesurer les horreurs que les Européens tolèrent pour ménager un rapprochement avec Vladimir Poutine.

5. Un film de la BBC a fait connaître ces pratiques monstrueuses, dont la justification serait la préparation d'un conflit avec la Corée du Sud et le calcul des quantités nécessaires d'agents chimiques pour venir à bout de la population de Séoul. Rien n'a été entrepris pour les faire cesser.

informations qui manquent pourtant, mais les malheurs du monde sont si nombreux, qu'il faut bien semble-t-il, comme le disait Chamfort, « que le cœur se brise ou qu'il se bronze [1] ». On se demande seulement parfois si ce choix a été fait ou si l'indifférence ne l'a pas précédé. Si tel est bien le cas, à quoi bon demander à ceux qui ne portent qu'un regard distrait sur les événements dramatiques qui se produisent sous leurs yeux de se projeter dans les vingt prochaines années pour y puiser quelque norme de prudence capable de protéger les individus qui viendront après eux [2] ?

Pourtant, même quand on les souhaiterait plus vives, ce ne sont pas les *émotions* qui font le plus cruellement défaut et ce qui précède n'est en rien un appel à une politique des émotions. Celles-ci sont éphémères, font de piètres guides pour le jugement, et ne produisent le plus souvent que du désordre. « Bleeding hearts and bloody mess » titrait très justement un article britannique consacré au chaos du monde. C'est la pensée politique ou, pour reprendre l'image du télescope, la vision politique qui serait nécessaire pour prévenir les catastrophes. C'est elle qui peut prévoir qu'une

1. « Si ton cœur se change en pierre, ton cerveau se transforme en froid mécanisme à penser et ton œil en simple appareil photographique, tu ne reviendras pas davantage vers eux » (Z. Gradowdki, *Rouleaux d'Auschwitz*, I [1944], traduction M. Pfeffer, pp. 24-25).

2. Voir Andrew Linklater, « The problem of harm in world politics », *International Affairs*, 78, 2 (2002), pp. 319-338.

politique privilégiant systématiquement les régimes par rapport aux peuples qu'ils gouvernent conduira à des violences dont il faudra un jour faire les frais. C'est elle qui devrait encourager la fermeté à l'égard de Vladimir Poutine au nom même de la relation stratégique que l'on souhaite établir avec la Russie. C'est elle enfin qui pourrait déconseiller la reprise des ventes d'armes à la Chine au moment précis où la tension entre Pékin, le Japon et Taïwan augmente de façon si manifeste [1]. Les qualités de jugement et de caractère ont toujours été les plus importantes en politique. Elles le demeurent. Mais les émotions doivent aussi avoir leur part dans les jugements stratégiques. Les esprits les plus éclairés et les tempéraments les mieux trempés ne devraient pas se permettre d'oublier les « frères humains qui après nous vivront », dont François Villon espérait la miséricorde dans la *Ballade des pendus*. Car ils hériteront de nos actes – et de nos erreurs – à un moment où ceux-ci peuvent avoir des conséquences immenses. A la différence de la majorité des générations qui nous ont précédés, nous pouvons désormais mettre en scène ce que Carl Jung appelle une *fin du monde*.

L'histoire du siècle passé a montré la facilité avec laquelle des bouleversements historiques

---

1. En juin 2005, le projet a été remis à plus tard – 2006 sans doute – à cause non d'une meilleure compréhension de ce qui se passe dans la région, mais de l'intensité de la pression américaine et notamment du Congrès.

d'une violence inouïe pouvaient succéder sans crier gare à la plus belle des époques. Comme dans une tragédie grecque, le crime a engendré le crime dans la maison Europe et celle-ci a par deux fois incendié le reste du monde. Des leçons de prudence en ont été tirées pour la réconciliation des nations européennes. Mais ce qui se joue à présent, c'est la capacité de l'Europe à assumer des responsabilités internationales dans un monde profondément troublé. Et de ce point de vue, les leçons *internes* dont il vient d'être question sont insuffisantes. Car l'éruption historique sans précédent dont tout le XX^e^ siècle est issu n'évoque pas seulement la folie de l'Europe, ni celle des passions nationales. Elle témoigne d'une aventure plus vaste qui concerne l'humanité dans son ensemble : le surgissement de tempêtes dont on feint trop longtemps d'ignorer les signes à l'horizon et dont plus personne ne peut contrôler le cours une fois qu'elle se sont déchaînées. Cette accélération soudaine de l'histoire, quand elle se produit, signe la défaite de l'action politique, qui doit alors se contenter de courir après les événements avant de sombrer avec eux. Si l'Europe a un message à transmettre au monde, c'est bien celui-là.

En 1905, avec la guerre russo-japonaise, la première révolution russe et la crise de Tanger, de nombreux signaux commençaient à virer au rouge, mais seuls quelques observateurs perspicaces ont alors vu venir l'orage. Neuf ans plus tard, en 1914, la tension était à son comble, mais l'histoire n'était pas encore écrite. A cette date, des erreurs majeures ont été nécessaires dans plus d'une capitale européenne pour que la machine infernale se mette en route. Vingt-cinq ans plus tard, les victoires militaires d'Hitler ont été précédées de six ans de victoires pacifiques. Celles-ci ont été remportées sans tirer le moindre coup de canon, alors que les puissances démocratiques refusaient de voir ce qui s'imposait à tous les regards. La guerre a commencé avec le réarmement de 1933, la lutte contre le traité de Versailles et le principe de la sécurité collective. Le retrait de la SDN puis celui de la Conférence du désarmement par les trois puissances de l'Axe (l'Allemagne, le Japon et l'Italie) ont été des étapes importantes dans un conflit qui appliquait ce qu'Hitler lui-même appelait une stratégie élargie (*erweiterte Strategie*). Les bombes sont venues plus tard. Avant elles, l'absorption de l'Autriche, celle de la Tchécoslovaquie puis le pacte avec Staline, qui permit d'éviter la collusion Est-Ouest de la Première Guerre mondiale, furent autant de batailles gagnées sans rencontrer de résistance.

Après la guerre, dans une lettre adressée à Raymond Aron, Carl Schmitt citera une phrase de Clausewitz avec un commentaire de Lénine. Le premier déclare : « Le conquérant aime toujours la paix ; il entre volontiers tranquillement dans notre pays », et Lénine note en marge « grandiose, aha ! ». C'est une séquence pleine d'instruction pour d'autres parties du monde contemporain, tout particulièrement l'Asie orientale, où la situation fait souvent penser aux rivalités européennes du siècle dernier. Là-bas aussi, les nuages qui s'amoncellent à l'horizon sont déjà perceptibles. Et les coups de force juridiques ou diplomatiques de la Chine sont légion, elle qui prétend à une « montée en puissance pacifique ». Cela n'empêche pas les Européens d'envoyer à Pékin les plus mauvais signaux, qu'il s'agisse de la multipolarité, des ventes d'armes ou de lâches avertissements adressés à Taïwan, plutôt qu'à la Chine.

Les consciences inquiètes de ce début de siècle ressemblent peu à celles qui vivaient cent ans plus tôt, dont on souligne volontiers l'insouciance. En un sens, elles paraissent mieux préparées à anticiper des temps difficiles que ne l'étaient nos aïeux. Mais elles semblent comme *écrasées* par le poids du passé, craignant toute espèce de changement de peur qu'il ne ramène des troubles. Même la campagne sur le projet de constitution en France a montré de façon inquiétante que le refus du risque dominait tout autre sentiment. Tandis que les partisans du oui assuraient que rien n'allait changer, ceux du non dénonçaient tous les changements. Dans une interprétation charitable, l'inquiétude actuelle vient probablement tout autant du poids du siècle passé que de l'anticipation de nouvelles épreuves [1]. Carl Jung prétendait que le

1. L'interprétation moins charitable insistera sur le caractère blasé de sociétés recroquevillées sur leurs privilèges et incapa-

rideau de fer, hérissé de mitrailleuses et de barbelés, parcourait l'âme de l'homme moderne, que celui-ci habite en deçà ou au-delà de la frontière entre les deux mondes. L'Europe est enfin réunie, mais l'élargissement n'a pas été vécu comme une victoire. L'unité de la conscience européenne n'est pas encore faite, comme si elle évoluait beaucoup moins vite que les événements. Surtout, l'inconscient ignore le temps et les mauvais souvenirs y sont encore tapis. Dans des circonstances où la maîtrise du destin des nations et des individus paraît de plus en plus fragile, il n'y a rien d'étonnant à ce qu'un sentiment de vulnérabilité domine, surtout quand on ne peut plus ignorer la sauvagerie dont l'histoire est capable.

Au XX^e siècle, une des causes principales de cette régression a été la dynamique de *la passion égalitaire* dont Tocqueville a été le meilleur analyste : « Les nations de nos jours ne sauraient faire que dans leur sein les conditions ne soient pas égales ; mais il dépend d'elles que l'égalité les conduise à la servitude ou à la liberté, aux lumières ou à la barbarie, à la prospérité ou aux misères [1]. » Si le XX^e siècle a fait de l'expérimentation politique et sociale à grande échelle, c'est souvent en portant le message de « l'égalité des conditions » jusqu'aux plus extrêmes consé-

---

bles de comprendre les bouleversements qui se produisent sous leurs yeux.

1. Alexis de Tocqueville, *De la démocratie en Amérique*, Gallimard, Folio Histoire, 1961, tome II, p. 455.

quences de la tyrannie moderne. C'est en son nom que certains des plus grands crimes ont été commis en Russie, en Chine, en Corée du Nord ou au Cambodge. La rapidité avec laquelle la liberté lui a été sacrifiée, l'ampleur des souffrances humaines qui lui ont été consenties, la complicité d'une partie du « monde libre », figurent parmi les grands désastres humains. Les historiens ont beau produire livre après livre, ils ne parviennent souvent qu'à épaissir le mystère [1]. Seuls les romanciers ont approché de suffisamment près l'étrangeté radicale de ces crimes pour nous les rendre sensibles, en utilisant parfois les ressources extrêmes de la fiction. On ne peut pour cette raison lire *1984* de George Orwell sans un sentiment d'horreur concrète que les livres d'histoire sont impuissants à communiquer.

A l'exception de petites nations ubuesques comme la Corée du Nord, qui continuent à cultiver les délires du totalitarisme pour le malheur de leur peuple, le problème que posait Tocqueville a pris une nouvelle allure avec la mondialisation. Grâce à elle, le message égalitaire a gagné l'ensemble de la planète, avec moins d'espoir encore de remplir ses promesses

---

1. C'est encore le cas de l'ouvrage de Simon Sebag Montefiore, *Stalin. The Court of the Red Tsar*, Knopf, 2004, où l'auteur mêle dès les premiers chapitres l'intimité de l'entourage de Staline à la grande famine qui sévit dans les campagnes au début des années 1930.

qu'à l'échelle nationale ou locale. L'envie et le ressentiment ne peuvent déjà trouver d'issue au sein d'aucune société [1]. Dans un monde globalisé, ces passions demeurent féroces, mais leurs possibilités d'expression sont exacerbées, et leur satisfaction plus utopique encore. D'autant qu'au moment où les comparaisons se multiplient, les inégalités ont elles-mêmes tendance à augmenter. Les effets des révolutions industrielles successives creusent des écarts si considérables entre les nations, les régions et les peuples que même des investissements décisifs – qui ne se font pas – associés à une forte politique de scolarisation – qui ne se fait pas davantage – pourraient difficilement les réduire de façon significative. C'est ainsi que la passion égalitaire a pris une ampleur planétaire que les technologies de l'information contribuent à aiguiser. Sa puissance ne peut plus désormais être contenue à l'intérieur d'aucune frontière et le monde contemporain est en conséquence un monde mécontent. Les comparaisons y sont permanentes, tandis que le processus d'égalisation des conditions demeure ce qu'il a toujours été : limité dans l'espace comme il est fini dans le temps [2].

---

1. Jakob Burckhardt percevait déjà au XVIII^e^ siècle, à l'âge optimiste des Lumières, le germe d'un malaise fatal : la recherche constante et universelle d'un bonheur inaccessible qui s'est vite transformée en un désir tout aussi général de fortune et de pouvoir.

2. On souligne souvent que la mondialisation exacerbe les phénomènes identitaires, ce qui est vrai, mais on remarque moins souvent qu'elle fournit à chaque village, même le plus

Ceci autorise les esprits fertiles à imaginer plus de bouleversements que les livres d'histoire ne peuvent en contenir, surtout dans un monde pressé, dont la population jeune des pays les plus démunis est peu tolérante aux injustices. Le choc des civilisations dont il est tant question n'est peut-être que l'expression d'un désir d'égalité universel [1] que rien ne permettra d'exaucer et qui ne produira pour cette raison que frustration et violence. Sur ce terreau croît le monstre de la *domination occidentale*, caméléon présent à chaque recoin de l'histoire moderne, et le mythe de l'empire américain, qui a des racines moins profondes mais qui éveille d'aussi fortes passions. L'Amérique ne dispose en fait ni des institutions, ni surtout de l'ambition impériale, contrairement aux puissances européennes des deux derniers siècles. Il suffit pour s'en convaincre de relire les nombreux textes sur la répugnance des Américains à s'engager dans les conflits ou à demeurer sur les terres où ils ont remporté des victoires militaires. Mais ces données ne changent rien à l'image impériale.

La puissance, surtout quand elle se présente sous une forme aussi impressionnante que la

reculé, des instruments de comparaison avec le reste du monde qui n'existaient pas auparavant et sur quoi la dynamique égalitaire peut prendre appui. Voir Daniel Cohen, *La Mondialisation et ses ennemis*, Grasset, 2003.

1. Le désir d'égalité peut aller de pair avec une revendication identitaire accrue, qui constitue une réponse à l'uniformisation des cultures introduite par certains aspects de la globalisation.

puissance américaine, produit toujours les effets décrits dans *La Comédie humaine*, qu'il s'agisse d'une société particulière ou de l'ensemble du globe : envie, compétition, ressentiment. La paix dans le monde supposerait l'impossible satisfaction de ces passions collectives. C'est donc toujours dans la dynamique de l'égalisation des conditions que se trouve la racine de grands désordres à venir. Il n'y a là aucune lamentation sur la mondialisation, plutôt la reconnaissance que les passions démocratiques étant devenues universelles, même si les régimes ne le sont guère [1], cette universalisation est porteuse de mouvements révolutionnaires d'un nouveau type, dont le terrorisme n'est qu'une manifestation. On peut craindre, à la lumière de l'expérience récente, que ces révolutions n'appartiennent au type des « révolutions désordonnées, furieuses, impuissantes, qui détruisent tout sans rien produire », dont parle aussi Balzac dans ses romans.

Il faut y ajouter un second phénomène qui concerne les Etats tout autant que les peuples. Cer-

1. La progression des régimes démocratiques est réelle, après les vagues qui ont touché l'Europe au XIX^e siècle, le monde post-colonial après la Seconde Guerre mondiale, l'Europe centrale et orientale après 1991, et les progrès réalisés en Amérique du Sud, en Asie, et même en Afrique. De 1974 à 1998, on serait passé d'un pourcentage de 20 % de pays démocratiques dans le monde à 61 %. (Ces statistiques tireraient bénéfice d'analyses plus fines. La Russie par exemple figure parmi les démocraties.) A présent, le mouvement touche une partie de l'Asie centrale et du Moyen-Orient.

tains pays estiment que l'histoire ne leur a jamais donné ce qui leur était dû. La stabilité que les sociétés européennes vénèrent n'est pas du tout ce qu'ils ont en tête. S'imaginer qu'ils se satisferont d'une vague réforme du Conseil de sécurité [1] ou de discours sur les beautés de la multipolarité tient du romantisme diplomatique. Ce qu'ils veulent, ce ne sont pas des postes ou des discours, mais une authentique redistribution du pouvoir. Si l'Iran a acquis des missiles balistiques et de croisière de 2 000 à 3 000 km de portée et cherche à se doter de l'arme nucléaire malgré ses engagements internationaux, c'est en grande partie à des fins d'hégémonie régionale. Si l'Inde a procédé à des essais nucléaires en 1998, c'était pour peser davantage sur les affaires mondiales autant que pour assurer sa défense. Elle ne manque d'ailleurs pas d'atouts intellectuels, économiques et politiques dans la poursuite de cet objectif, et n'aura pas à payer le prix d'une sortie du communisme comme devra le faire la Chine. De toutes les nations, celle-ci est la plus désireuse de transformer à son profit les rapports de force au XXIe siècle et c'est aussi celle qui aura le moins de scrupules sur les moyens employés pour y parvenir. La Chine n'a jamais oublié la façon dont les puissances européennes l'ont dépecée depuis le XIXe siècle [2]. La revanche à

---

1. Celle-ci est à nouveau hors de portée en 2005 et le sommet de New York sur la réforme de l'ONU restera un des échecs majeurs de l'institution.

2. La guerre de l'opium s'est déroulée de 1839 à 1842.

prendre sur l'histoire guide sa politique étrangère comme la conservation du pouvoir par le parti communiste guide sa politique intérieure. Son objectif, c'est de devenir la puissance rivale de l'Amérique, avant de la dépasser si possible. Elle se pense déjà comme la première puissance mondiale.

Certes, la remise en cause du statu quo international par de nouvelles puissances est naturelle à une époque de transition historique comme celle que l'on connaît depuis la fin de la guerre froide. Ce phénomène conduit régulièrement le Conseil de sécurité – en vain jusqu'à présent – à évoquer son élargissement pour retrouver une forme de légitimité perdue. Pour le gérer correctement cependant, en évitant les dérapages les plus dangereux, il faudrait commencer par accepter l'idée même de changement et ne pas y voir un adversaire systématique. Des talents politiques au moins comparables à ceux qui ont permis de préserver la paix pendant quarante années d'affrontement idéologique seraient aussi indispensables : un mélange de dialogue, de fermeté et de détermination. Ceux-ci ne semblent apparaître que dans les périodes où la tension internationale est à son comble, comme ce fut le cas tout au long de la guerre froide, en dépit de la célèbre *détente*. Si l'on se contente de préserver ses privilèges sans tenir compte des évolutions historiques, c'est en vain que l'on cherchera les qualités d'intelligence et de caractère indispensables pour accompagner les bouleversements qui se produisent sous nos yeux.

Ainsi donc, ce que montre le télescope avec clarté, c'est à la fois le mécontentement de sociétés qui n'obtiennent rien de leurs gouvernements, et accusent des *volontés malfaisantes* extérieures où l'Occident figure en première place, et l'apparition de nouvelles puissances sur la scène mondiale. Le souvenir toujours présent de la colonisation et de l'humiliation qu'elle continue de générer dans les consciences est un élément d'autant plus crucial de l'accusation que l'Amérique – et Israël – jouent un rôle de substitut de la puissance colonisatrice pour toute une partie du monde. Tous deux ont remplacé dans l'imaginaire des peuples les véritables colonisateurs – c'est-à-dire les Européens. Le fait que les Etats-Unis, contrairement à l'Europe, n'aient pas de passé colonial [1], n'est pas intégré à leur profit car le soutien de Washington à Israël est vécu comme le soutien à une expérience de type colonial. C'est la raison pour laquelle une Amérique soucieuse de justice et de développement et une reprise du processus de paix au Moyen-Orient sont des facteurs de stabilité mondiale à la fois réels et symboliques, même si les ennemis les plus radicaux des Etats-Unis et d'Israël n'en seront pas affectés. C'est aussi pourquoi la *dignité* du peuple palestinien a valeur de symbole dans de si nombreuses parties du monde.

1. On ne peut guère comparer l'expérience des Philippines à celle des empires coloniaux français et britannique.

La volonté de revanche d'Etats sur l'Occident qui a, de leur point de vue, trop longtemps fait connaître sa loi au reste du monde est une question d'une autre nature. Le désir de rééquilibrage stratégique est fort. Les pays qui portent ce message, qu'il s'agisse de l'Inde, de la Chine ou de l'Iran, feront écouter leur voix. Le problème est moins de contenir leurs ambitions que leur donner une forme qui ne trouble pas la paix régionale et mondiale. Au XX^e^ siècle, c'est exactement ce que l'on n'a pas su faire avec la montée de l'Allemagne. On connaît les conséquences de cette faute. Il est donc dangereux d'ignorer ces deux phénomènes ou de feindre de ne pas en comprendre les implications.

Une autre cause du retour à la sauvagerie a été le décalage croissant entre les progrès de la science et de la technologie et l'absence d'un progrès comparable dans le domaine éthique. L'instabilité du monde contemporain provient pour une grande part de la dépendance de plus en plus grande dans laquelle les hommes se trouvent par rapport aux technologies, alors que le psychisme humain reste ce qu'il a toujours été, éminemment vulnérable, et que les valeurs morales ont perdu leur solidité. Le pouvoir de l'homme augmente de façon considérable, tandis que les finalités de l'action sont de plus en plus confuses et que l'équilibre psychique est constamment menacé par de trop nombreuses sollicitations. C'est un sujet sur lequel Carl Jung s'est beaucoup exprimé, comparant son époque à celle des premiers temps de la chrétienté : « Comme au début de l'ère chrétienne se pose aujourd'hui à nouveau le problème de l'arriération morale dont est frappée l'humanité en général, et qui se révèle être tragiquement inadéquate au développement moderne, scientifique, technique et social. L'enjeu est maintenant devenu trop lourd et trop de choses dépendent manifestement de la complexion psychologique de l'homme [1]. » Les moyens de destruction disponibles associés aux forces psychiques de destruction peuvent justifier l'inquiétude de cercles beaucoup plus larges que ceux des psychanalystes. Au siècle dernier déjà, le décalage entre les moyens dont les hommes disposaient et leur condition intellectuelle et morale a fourni une illustration de la façon dont l'industrialisation a été mise à profit à des fins de destruction. L'industrialisation des méthodes a révolutionné la guerre dès 1914 comme elle a permis l'avènement des formes les plus monstrueuses de l'organisation des sociétés et des camps dès 1918.

Une des spécialistes du système concentrationnaire, Anne Applebaum [2], explique comment l'industrie pénitentiaire se met en place à la fin de la Première Guerre mondiale avec les camps d'internement de prisonniers qui se multiplient

1. Carl Jung, *Présent et avenir*, Buchet Chastel, 1995, p.104.
2. Voir Anne Applebaum, *Goulag, une histoire*, Grasset, 2005.

sur tout le territoire européen [1]. La gestion des camps de concentration est de nature industrielle chez les nazis comme chez les Soviétiques. Sans cette caractéristique, de telles quantités de prisonniers n'auraient jamais pu être prises en charge, ni plus tard exterminées. Les uns comme les autres utilisent les méthodes de guerre industrielle mises au point pendant la guerre de 1914-1918. Et à partir de 1937 le stalinisme dispose d'un système meurtrier calqué sur le plan quinquennal : il s'agissait essentiellement de remplir des quotas. Le 30 juillet 1937, Yejov propose au Politburo l'ordre n° 00447 selon lequel les régions recevraient dès le mois d'août des quotas pour deux catégories d'individus : ceux qui devaient être tués et ceux qui étaient condamnés à la déportation. La suggestion initiale était d'en proposer 72 950 pour la catégorie 1 et 259 450 pour la catégorie 2. Les familles de l'une et de l'autre devaient être déportées. Les quotas sont vite remplis par les régions qui demandent de nouvelles autorisations à Moscou. Finalement, l'ordre n° 00447 donna lieu à 767 397 arrestations et à 386 798 exécutions ! Un mois plus tard, l'ordre n° 00485 ordonnait la liquidation des opposants polonais et des espions et légitima 350 000 arrestations dont 247 157 exécutions. Les régions avaient mis en place une authentique compétition pour remplir les quotas. La machine

1. La véritable origine historique des camps de concentration est à chercher en Afrique du Sud, à la fin du XIXe siècle, lors de la guerre des Boers.

à tuer connaissait d'autant moins de limites qu'elle ne portait pas sur des crimes réels [1]. Un des grands problèmes de la Russie – et plus encore de la Chine – est que, contrairement aux camps de concentration hitlériens, les leurs n'ont jamais été libérés et qu'il n'y a eu aucun tribunal de Nuremberg pour juger les crimes commis.

Le lien du crime politique et des possibilités ouvertes par les méthodes industrielles a souvent été dénoncé à la fin de la Seconde Guerre mondiale. Ce fut le cas de l'évêque de Clermont-Ferrand, qui venait d'être libéré d'un camp de concentration nazi : « Les institutions criminelles, dont nous avons été témoin et victime, portent en elles tous les fléaux de la barbarie et de la servitude antiques, auxquelles elles ajoutent une systématisation et une méthode nouvelles, susceptibles d'agrandir le malheur humain de toute l'étendue des possibilités scientifiques modernes [2]. » Pour évoquer les documents nazis ou staliniens sur la bureaucratie de la mort, les récits les plus justes sont parfois de nature métaphorique, comme ce texte des *Derniers Jours de l'humanité* de Karl Kraus, dont le sujet est la transformation d'un arbre en journal : « Désirant

1. Une des plaisanteries favorites de Staline était l'histoire d'un adolescent torturé pour qu'il avoue qu'il avait écrit *Eugène Onéguine*. Il meurt sous la torture et ses parents reçoivent la visite du NKVD, qui leur dit : « Félicitations ! votre fils a écrit *Eugène Onéguine* ! »

2. Cité par Edgar Faure, procureur général adjoint au tribunal de Nuremberg. Michel Dobkine, *Extraits des actes du procès de Nuremberg*, Paris, Romillat, 1992.

établir le temps exact pour qu'un arbre qui se dresse dans la forêt se transforme en journal, le patron d'une papeterie a eu l'idée de procéder à une expérience fort intéressante. A 7 h 35, il fit abattre trois arbres dans le bois voisin et, après écorçage, les fit transformer à l'usine de pâte à papier. La transformation des trois troncs d'arbre en cellulose de bois liquide fut si rapide que, dès 9 h 39, le premier rouleau de papier d'impression sortit de la machine. Ce rouleau fut emmené immédiatement à l'imprimerie d'un journal à quatre kilomètres de là, et dès 11 heures du matin, le journal se vendait dans la rue [1]. »

On se croit volontiers prémuni contre un retour à cette pensée abstraite où les hommes sont traités comme des choses. L'influence croissante du virtuel sur la psychologie moderne ouvre pourtant de nouveaux champs à la négation de l'individu et à sa transformation en simple objet de calcul. Il est également difficile de croire que le *malheur humain* puisse être encore amplifié du fait de l'utilisation des technologies, mais c'est ne pas tenir compte des applications redoutables que peuvent avoir les technologies contemporaines, tout particulièrement dans le domaine biologique. Quelques mois après l'empoisonnement de Viktor Ioutchenko avec un type de dioxine très toxique, un ancien membre du GRU soviétique a révélé

1. Karl Kraus, *Les Derniers Jours de l'humanité*, Paris, Agone, 2005, p. 647.

l'existence d'un laboratoire du KGB spécialisé dans la création de nouvelles formules biologiques susceptibles de tuer sans pouvoir être identifiées par les médecins [1]. Mais ce n'est là qu'une toute petite partie de l'histoire. La découverte du génome humain ouvre des possibilités de modification du comportement ou d'atteinte du système immunitaire inconnues au siècle passé. Comme le souligne Karl Kraus, chaque époque a l'épidémie qu'elle mérite. La nôtre pourrait être littérale plutôt que symbolique. Enfin, la mondialisation de la violence change aussi sensiblement la donne [2] : le terrorisme international transforme le rapport de la technologie à la destruction en tirant les conséquences de la privatisation de la violence qui permet à des individus de disposer de capacités autrefois réservées aux Etats. Plus encore qu'une tragédie nationale, le 11 septembre exprime la brutalité d'une époque et la négation du prix de la vie humaine. Dans cette mesure, il appartient au monde entier autant qu'à l'Amérique.

Si l'on s'interroge sur les causes de la violence, on ne peut manquer d'y voir l'expression d'un déséquilibre qui tient au décalage entre les évolutions technologiques et les évolutions socio-politiques. Une des grandes constantes des

---

1. Boris Volodarsky, « The KGB's Poison Factory », *Wall Street Journal*, 7 avril 2005.

2. Sur les dangers contemporains des technologies, voir Lloyd J. Dumas, *Lethal Arrogance*, New York, St Martin's Press, 1999.

ouvrages consacrés à l'histoire allemande des XIX^e^ et XX^e^ siècles pour tenter d'expliquer le III^e^ Reich a été de mettre en lumière la rapidité avec laquelle l'industrialisation s'est faite dans un pays qui n'y était en rien préparé. Le rythme de l'industrialisation aurait été d'autant plus destructeur que celle-ci s'est produite à un moment où l'Allemagne ne possédait ni l'équilibre politique ni l'unité culturelle des autres pays de l'Europe occidentale. Cette rencontre de la modernité technologique et de l'arriération politique et sociale – soulignée à de nombreuses reprises par Karl Marx – a brutalement métamorphosé la vie des Allemands.

Les juges du tribunal de Nuremberg y ont fait référence en 1945 en cherchant les racines de la nouvelle idéologie politique qui était apparue soudain en Allemagne : « La mystique communautaire raciale est née de la crise spirituelle et morale traversée au XIX^e^ siècle par l'Allemagne, renouvelée brusquement dans sa structure économique et sociale par une industrialisation particulièrement rapide... Tandis que s'affaiblissaient la vie intérieure et spirituelle, une cruelle incertitude travaillait les esprits, incertitude admirablement définie par ce terme de "ratslosigkeit", qu'on ne peut traduire en français, mais qui correspond à notre expression populaire "on ne sait plus à quel saint se vouer", cruauté spirituelle du XIX^e^ siècle que tant d'Allemands ont décrite avec une tragique puissance d'évocation. Un vide béant s'ouvre dans les âmes désaxées par la recherche de nouvelles valeurs [1]. » Le phénomène présente de nombreuses illustrations dans le monde contemporain. Une partie importante de la violence actuelle y trouve même son explication.

Pour rendre compte de la régression qui a eu lieu au siècle dernier, il faut donc ouvrir un troisième cercle en évoquant ce que Franz Kafka a identifié avec minutie dans son œuvre : le monde soudain déserté par l'idée du divin, qui met au jour des fonds insoupçonnés en l'homme. La fin de la religion et la mort du Père ont laissé un vide immense dans la civilisation occidentale dont les penseurs et les artistes des XIXe et XXe siècles ont tous été conscients. George Steiner va jusqu'à dire que toute l'histoire politique et philosophique de l'Occident des cent cinquante dernières années peut se comprendre comme une série d'efforts pour combler le vide central laissé par l'érosion de la théologie. On continue à bâtir la muraille de Chine dont l'empereur a disparu. On continue à produire des lois en l'absence de législateur. Les substituts qui ont poussé sur ce terreau sont vite apparus plus destructeurs pour l'humanité et la civilisation que ne l'avaient été les religions [2]. Celles-ci étaient du

---

1. Intervention de François de Menthon, procureur général français au tribunal de Nuremberg, *op. cit.*, p. 44.

2. Voir la remarque de Simon Sebag Montefiore, *op. cit.*, page 86 : « La plupart des bolcheviks avaient eu une formation religieuse. Ils détestaient le judéo-christianisme, mais l'orthodoxie de leurs parents fut remplacée par quelque chose de plus rigide encore, une amoralité systématique. »

moins retenues par l'idée d'un pouvoir supérieur, de la corruption de l'humanité et des limites de la raison humaine. Avec la fin de ces croyances, qui constituaient autant de barrières pour l'action, sont apparues des tyrannies sans bornes, capables de tous les crimes. Et elles ont toujours été accompagnées de leur lot d'explications.

Après avoir vécu la faillite des expérimentations politiques, « l'illimitée promesse d'avenir » dont parlait André Gide a cessé d'exercer sa fascination. Mais le désir de trouver des explications simples aux problèmes compliqués demeure. Il continue de produire des aberrations dont l'intégrisme islamique est une illustration. Les connaisseurs de l'Islam ont souligné la déviation monstrueuse qu'il représentait [1]. Mais toute société a son lot de sottises, qui trouvent des échos d'autant plus complaisants que les « terribles simplificateurs » du jour sont légion et que la crédulité est une des caractéristiques les plus troublantes de l'ère de l'information. Après la faillite des explications globales, l'instauration du royaume de la justice continue, lui aussi, de captiver l'esprit humain, mais les moyens d'y

1. Voir en particulier Abdelwahab Meddeb, *La Maladie de l'Islam*, Le Seuil, 2002, où l'auteur explique que la tradition avait préservé l'accès au texte du Coran et à la tradition prophétique, mais que la lecture sauvage par de semi-lettrés a eu des effets désastreux pour la religion comme pour la politique. On pourrait faire une critique aussi féroce de certaines interprétations de la Bible présentées par des fondamentalistes chrétiens, notamment aux Etats-Unis.

parvenir paraissent plus que jamais hors de portée. Une plus grande justice demanderait à la fois de vrais sacrifices des pays riches et un courage politique hors pair des élites des pays pauvres. Les déclarations fracassantes sur la taxation mondiale des produits de la globalisation ont un effet rhétorique qui ne trompe personne. Cette taxe a surtout l'immense mérite politique de n'être payée par aucun électeur. Quand on sait que les pays donateurs ne sont pas capables de remplir leur promesse de réserver 0,7 % de leur PNB à l'aide au développement (la France ne donne que 0,5 %), on s'interroge sur tous les grands discours. En outre, l'aide au développement telle qu'elle est pratiquée depuis cinquante ans, où l'Afrique subsaharienne a bénéficié de plus de 1 000 milliards de dollars tout en s'appauvrissant, est souvent, comme la remise de la dette, un encouragement à la mauvaise gestion et à la corruption. La clé du développement reste la formation intellectuelle et la capacité d'innovation. Ni l'une ni l'autre ne sont encouragées dans les pays dont les régimes autoritaires ou corrompus comprennent les risques d'une meilleure éducation de leur population. Le faire serait donc prendre enfin le parti des peuples contre les gouvernements, au lieu de prolonger un pacte faustien avec des régimes souvent exécrés, dont on n'a encore jamais sérieusement exigé de réformes. L'Afrique a été une priorité des réunions du G8 à Gênes en 2001, à Kananaskis en 2002, à Evian en 2003 et à Sea Island en 2004 avant de figurer comme un des deux principaux thèmes de la réunion qui s'est tenue cette année sur le territoire britannique. Les conférences sur la pauvreté dans le monde, qui ont tendance à devenir une industrie, ne donneront aucun résultat sans l'abaissement des barrières tarifaires, la création d'élites locales, l'amélioration des systèmes de santé et d'éducation, enfin surtout sans une lutte acharnée contre la corruption et le non-respect du droit.

CHAPITRE II

# *Le principe de plaisir*

« Celui qui aspire à une vie paisible s'est trompé en naissant au XX^e^ siècle. »

LÉON TROTSKI.

Et au XXI^e^ – à votre avis ? L'inquiétude et l'angoisse ont rarement été aussi perceptibles, illustrant peut-être cette conviction de Freud que la *maladie des nerfs* avait remplacé le mal dans le monde contemporain. Les écrivains en témoignent, la consommation de tranquillisants et la fréquentation des psychiatres dans les pays européens – tout particulièrement en France semble-t-il – également. Tout se passe pourtant comme si la vie paisible des Européens bénéficiait d'une sorte de garantie d'éternité. Les turbulences du XX^e^ siècle, qui n'ont presque jamais oublié l'Europe sur leur passage, se perdent déjà pour les jeunes générations dans un passé si lointain qu'elles n'ont plus de sens existentiel, malgré toutes les « cérémonies du souvenir » où les épreuves des morts sont évoquées dans les discours. A plus forte raison n'ont-elles plus de représentations de périodes plus lointaines où leurs ancêtres se demandaient chaque année si leurs cultures ne seraient pas ravagées par des soldats et des pillards ou si leurs enfants ne seraient pas massacrés avant d'être parvenus à l'âge adulte. Ces souvenirs seraient utiles pour comprendre la vie de beaucoup de leurs contemporains : c'est en effet la description de la vie quotidienne d'une grande partie de l'Afrique. Mais ils pourraient aussi rappeler qu'un terme brutal peut être mis à la prospérité, l'hédonisme et la tranquillité de la péninsule européenne.

Le déni de réalité est un mécanisme psychologique dont les bénéfices ont toujours été appréciés, mais il a aujourd'hui des possibilités presque infinies. Dans la relation des consciences contemporaines au monde, le virtuel joue un rôle croissant. Avec l'expansion de la sphère du loisir et les possibilités ouvertes dans tous les domaines par les nouvelles technologies, les sociétés occidentales y trouvent volontiers refuge. Il introduit, comme le fait aussi l'abstraction, la possibilité de nier les aspects les plus menaçants de la réalité. En valorisant le virtuel, un grand nombre d'innovations dévalorisent simultanément le réel. C'est une bonne préparation aux activités les plus violentes. Dans un ouvrage récent, qui porte le titre brutal *Generation Kill*[1], l'auteur montre que les jeunes gens qui se sont battus en Irak avaient parfois tendance à reconnaître sur le champ de bataille des scénarios de jeux vidéo. Ils trouvaient que c'était « cool ». Cette invasion non de la simulation, qui fait partie de toute formation militaire moderne, mais du *jeu* en pleine situation de guerre, où la question de la vie et de la mort peut être posée à chaque instant, n'est pas surprenante pour ceux qui connaissent les distractions des adolescents – et d'un grand nombre d'adultes. Mais elle a de quoi inquiéter ceux qui ont la responsabilité de la conduite de la guerre et commandent des individus ainsi formés ou déformés par le virtuel. Elle peut aussi émouvoir ceux qui s'intéressent à l'évolution de la conscience morale et qui découvrent que la vie et la mort ont perdu leur réalité[2].

Quand on l'écarte, le réel finit toujours par se venger, et son retour est souvent le fait des catas-

---

1. Evan Wright, *Generation Kill : Devil Dogs, Iceman, Captain America, and the New Face of American War*, Putnam, 2004. Voir p. 5 le récit d'un Marine du nom de Trombley qui croit reconnaître le jeu « Grand Theft Auto : Vice City » lors d'une embuscade. L'auteur souligne que dans cette génération, certains sont plus familiers des jeux vidéo et d'internet que de leurs propres parents.

2. Quelque 60 % des Américains, plus de 145 millions de personnes, jouent aux jeux vidéo, avec un âge moyen de 28 ans. En 2004, les ventes de consoles et de logiciels de jeux ont atteint plus de 6 milliards de dollars, chiffre qui devrait encore augmenter en 2005. Après une période où les jeux mettaient en scène des personnages de fiction, on assiste à un triomphe de jeux réalistes, en particulier sur les situations de conflit.

trophes. George Orwell avait déjà tiré de ce thème une de ses plus belles pages, en 1939, quand il raconte son retour en Angleterre après la guerre d'Espagne : « Ici, c'était toujours l'Angleterre de mon enfance : des talus de voie ferrée enfouis sous l'exubérance des fleurs sauvages, des prairies profondes où de grands et luisants chevaux broutent et méditent, de lents cours d'eau frangés de saules, les vertes rondeurs des ormes, les pieds-d'alouette dans les jardins des villas – et puis ce fut la morne intensité paisible des environs de Londres, les berges du fleuve boueux, les rues familières, les affiches parlant de matches de cricket et de noces royales, les hommes en chapeau melon, les pigeons de Trafalgar Square, les autobus rouges, les agents de police bleus – tout cela plongé dans le profond, profond, profond sommeil d'Angleterre, dont parfois j'ai peur que nous ne nous réveillions qu'arrachés à lui par le rugissement des bombes [1]. » Quelques années plus tard, c'est en effet ce qui s'est produit.

La négation des catastrophes a dans le monde occidental une longue tradition. Il n'a pour ainsi dire rien vu venir : ni la révolution russe, ni la révolution chinoise, ni les deux guerres mondiales, ni l'extermination des juifs, ni la révolution culturelle chinoise, ni la tragédie cambodgienne, ni la chute des cent étages du World Trade Cen-

1. George Orwell, *Hommage à la Catalogne*, tout dernier paragraphe de l'ouvrage.

ter [1]. S'il ne tenait qu'à lui, les troubles qui agitent la planète seraient volontiers rejetés à la périphérie, même quand il reconnaît que la distinction entre l'intérieur et l'extérieur n'a plus grand sens. Ceci est surtout vrai sur la *ligne de front*. Par tradition, ceux qui se trouvent sur cette ligne sont aussi ceux qui refusent le plus violemment de reconnaître le danger : c'était par exemple le cas de l'Allemagne pendant la guerre froide. Nul doute que le risque d'usage nucléaire et chimique par les forces du Pacte de Varsovie n'ait été nulle part plus élevé qu'en Allemagne. On a retrouvé après le départ des troupes soviétiques des cartes où les principales villes allemandes étaient entourées de deux cercles : le premier délimitait les effets des armes chimiques, le second ceux des armes nucléaires.

Mais c'est aussi pourquoi la tentation de nier la menace soviétique n'a nulle part donné lieu à plus de passion rhétorique et d'imagination que sur la terre allemande : l'Allemagne était la ligne de front. Ce fut plus largement le cas de l'Europe tout entière : Isaiah Berlin, qui a passé l'essentiel de son existence en Angleterre, prétend que les événements de 1918 ont « hanté » la conscience américaine alors qu'en Europe l'atmosphère exaltée de l'immédiate après-guerre s'est vite dissi-

1. On pourrait ajouter que la France n'a pas vu venir le désastre de la Côte d'Ivoire, pourtant inscrit dans des accords inapplicables et que personne ne s'est d'ailleurs donné la peine de chercher à faire appliquer.

pée. Vingt ans plus tard, la tragédie recommençait. Dans notre histoire littéraire, le meilleur analyste de ce phénomène d'oubli est sans doute Honoré de Balzac, qui décrit, dans la période post-révolutionnaire, la façon dont le tissu social se recompose après les catastrophes : « les sanglantes saturnales de la Terreur » sont vite oblitérées. C'est ce que produit le sens du danger chez les individus qui se trouvent sur la *ligne de front*.

La résistance farouche que rencontre en Europe l'expression « guerre contre le terrorisme » est souvent justifiée par un argument simple et apparemment sans appel : le terrorisme étant un mode d'action, comment lui faire la guerre ? Si telle était la vraie raison cependant, gageons que le concept ne soulèverait pas tant de passion. Un autre argument, plus sérieux, est qu'il faut éviter de donner trop d'importance à l'adversaire en reconnaissant qu'il peut gagner, comme c'est le cas dans toute guerre. Mais comme on ne choisit pas toujours ses adversaires, que celui-ci a déclaré une guerre sans merci au monde occidental, et qu'il envisage son action dans la durée, il peut effectivement infliger à nos sociétés de sérieux revers et déstabiliser un monde déjà affecté par d'autres déséquilibres. Le cœur du problème vient de l'utilisation du mot *guerre*, qui impose à la fois de reconnaître son retour dans nos sociétés, ce qui est déplaisant, mais qui suppose de surcroît que l'on agisse sans se contenter d'opérations de police comme celles que l'on avait lancées dans les années 1970 contre Action directe, la Rote Armee Fraktion ou les Brigades rouges. C'est d'ailleurs ce qui se produit dans les faits puisque la France est un des rares pays à avoir participé à des bombardements aériens aux côtés des Américains lors de l'opération Anaconda au printemps 2002 et qu'elle conserve 200 hommes issus des forces spéciales pour des opérations à la frontière afghano-pakistanaise. Enfin, dans toute l'histoire du terrorisme, on ne trouve pas avant septembre 2001 de résolutions du Conseil de sécurité prises sous le chapitre VII de la Charte, affirmant le droit à la légitime défense de la victime. Il y a bien là la reconnaissance d'une sorte de guerre, qui prend des formes innombrables, comme l'a toujours soutenu Clausewitz.

Des facteurs psychologiques expliquent la résistance de beaucoup d'Européens à la réalité de ce nouveau conflit : historiquement, la guerre a pesé beaucoup plus lourdement sur eux que sur l'Amérique, car ils ont connu un grand conflit par génération depuis le XVIIe siècle. Et le désir de paix est en lui-même un des plus nobles sentiments humains. A condition toutefois qu'il ne s'agisse pas d'un désir de paix à tout prix, qui prend alors un autre nom, et que la guerre ne soit pas présentée comme « la pire des choses ». Faire la guerre à Hitler en 1936 n'aurait pas été une si mauvaise idée : cela aurait sans doute permis d'éviter cinquante millions de morts. Comme le dit Karl Kraus, qu'on ne peut soupçonner de passion militariste : « Plus grande que la honte de la guerre est celle des hommes qui ne veulent plus rien en savoir [1]. » D'où vient donc ce romantisme niais qui veut que l'histoire prenne soudain un cours paisible ? Comment ne pas penser qu'une résistance aussi forte vient de la conviction que les temps à venir seront durs, *surtout peut-être en Europe*, qui doit faire face à des problèmes internes d'intégration beaucoup plus sérieux que les Etats-Unis [2], à un moment où la poursuite de l'immigration est devenue une nécessité économique ? La crainte de la désagrégation interne des sociétés européennes joue un rôle majeur dans le déni de la réalité terroriste.

De fait, des événements troublants se produisent sur leur sol. L'assassinat de Theo van Gogh à Amsterdam le 2 novembre 2004 montre qu'elles auront de sérieuses difficultés à maintenir – ou plutôt à instaurer – un pacte social avec les immigrés qui sont sur leur sol et entendent y rester. Il a été poignardé dans une des villes les plus calmes d'Europe, puis achevé à coups de revolver et égorgé d'une oreille à l'autre. Pour faire bonne mesure, un message de menaces a ensuite été planté bien en évidence sur son cadavre avec un couteau. Après l'attentat du 11 mars 2004 à Madrid, l'idéal de non-violence des sociétés euro-

1. C'est aussi une des leçons d'Hermann Broch dans son roman *Les Irresponsables*.

2. Voir Emmanuel Brenner, *Les Territoires perdus de la République*, Mille et Une Nuits, 2002.

péennes s'est trouvé à nouveau brutalement remis en cause au sein d'une des nations où il était le plus manifeste. Le meurtrier, un jeune Marocain de 26 ans, avait été accueilli à la mosquée Al-Tawhid, un foyer fondamentaliste comme il y en a tant en Europe. Plus de 300 000 immigrés marocains vivent aux Pays-Bas [1] et les représailles anti-islamiques qui ont eu lieu au début du mois de novembre 2004 – attentat à la bombe contre une école islamique, profanation d'une mosquée, tentatives d'incendie... – montrent assez que l'événement marque une rupture. Au même moment, le Conseil de l'immigration marocaine, qui travaille à l'intégration des Marocains aux Pays-Bas, a fait l'objet de menaces de la part des fondamentalistes musulmans. Le traumatisme du pays et sa difficulté à comprendre ce qui s'est produit ont été exprimés de façon pathétique par l'argumentation persistante sur l'esprit de tolérance néerlandais, comme si cette caractéristique n'était pas précisément une des *causes* du crime.

Quelques mois après l'assassinat du réalisateur hollandais, c'est en France qu'un appel a été lancé en mars 2005 contre le « racisme anti-Blancs » par des personnalités de tous bords politiques, mais majoritairement de gauche, après des manifestations lycéennes où des « ratonnades anti-Français » avaient eu lieu. Dans une jeunesse immigrée dont la violence est d'autant plus

---

1. Les Pays-Bas comptent 900 000 musulmans, dont 300 000 Marocains.

grande que le pouvoir d'expression est plus limité, la francophobie et la judéophobie se sont trouvées confondues en une même pelote de haine. Des événements comparables ont eu lieu en Amérique dans les années 1970. Mais l'Europe n'a pas la même expérience historique. Du coup, la crainte de sociétés fragmentées, en voie de tribalisation, a commencé à se répandre en dehors des cercles des politiques et des sociologues, qui connaissent cette dérive depuis des années. Comment intégrer des jeunes qui n'aiment pas la France dans une France qui ne s'aime pas [1] ? C'est bien ainsi que la question doit être posée.

Dans toute l'Europe, à l'exception de pays où il n'y a pas d'immigration comme en Finlande, on retrouve la même interrogation angoissée, et les politiques publiques qui sont censées y répondre se font toujours attendre. Les quatre attentats suicides de juillet 2005 à Londres, perpétrés par de jeunes Britanniques d'origine pakistanaise, lui ont donné une intensité toute particulière. Le modèle communautariste est en crise ouverte. Mais n'est-ce pas aussi le cas du modèle républicain ?

Qu'il s'agisse des menaces externes ou internes, souvent difficiles à distinguer, il faudrait cesser de sacrifier le principe de réalité. Pour léguer à nos successeurs un monde *possible*, où les décisions politiques ne seront pas vides de

1. C'est une formulation d'Alain Finkielkraut dans un article paru dans *Libération*, le 26 mars 2005.

sens parce que le désordre aura atteint un seuil tel que plus rien ne pourra arrêter les événements, comme ce fut le cas en 1914 ou en 1937, le principe de plaisir doit être perçu pour ce qu'il est vraiment : il cherche à substituer un état agréable à un état pénible, et son objectif ultime, guidé par l'entropie, est la stabilité complète. Ce qui conduit Freud à conclure qu'il est au service des instincts de mort[1]. La crainte maladive de l'innovation politique ou sociale comme le refus du changement stratégique doivent être vus à cette lumière. Les pays des droits acquis, qui ne se battent que pour défendre des positions conservatrices, finiront par être balayés. La réalité historique contemporaine, plus instable qu'elle ne l'a été depuis des décennies, et porteuse de grands changements, est si profondément décalée par rapport à la volonté de repos des sociétés développées, que la prise de celles-ci sur les événements deviendra de plus en plus précaire. A force de vouloir être leurrés, on finit en effet par l'être et le goût pour le virtuel, qui a des ressemblances inquiétantes avec la schizophrénie, risque de provoquer à terme une altération profonde du sens de la réalité qui interdira toute compréhension des forces en présence dans le monde.

Retrouver le sens de la réalité ne peut se faire sans un effort de mémoire, ne serait-ce que pour éviter de commettre, sans s'en apercevoir, de

1. Freud a publié *Au-delà du principe de plaisir* en 1920.

fatales erreurs déjà commises : attendre que les crises aient atteint un degré de détérioration majeure avant d'intervenir, ne pas prêter une attention suffisante aux signes avant-coureurs, vouer l'ONU à l'impuissance – comme la SDN avant elle – par crainte de prendre les mesures collectives qui s'imposent, observer sans broncher le retour à Moscou d'un régime qui réhabilite Staline. Certes, la mémoire ne suffit pas à prendre les décisions qui s'imposent : comme le prétend un proverbe chinois, l'expérience est une lanterne que l'on porte dans le dos. Mais elle impose l'épreuve de la réalité et permet de lutter contre les fictions qui peuplent l'imaginaire politique et stratégique. Elle rappelle notamment que la paix et la liberté sont des acquis fragiles, dont on ne peut jamais garantir la permanence. Il est sans doute absurde de chercher à conjurer le retour des mêmes événements, car au sens strict l'histoire ne se répète pas, mais tenter d'éviter le retour de tempêtes de *même* ampleur est un objectif raisonnable. Un des penseurs les plus lucides du siècle passé a lancé un avertissement à ce sujet : « Si la leçon globale du XX^e^ siècle ne sert pas de vaccin, l'immense ouragan pourrait bien se renouveler dans sa totalité [1]. » Le mépris du passé condamne à la répétition et porte en lui les germes de l'intolérance et du despotisme.

---

1. A ceux qui accuseraient Alexandre Soljenitsyne de faire ici preuve d'un pessimisme excessif, il pourrait répondre que les pessimistes ont fait davantage pour la paix du monde que les promoteurs de l'avenir radieux.

L'ultime conséquence de l'expérience moderne, l'anéantissement de dizaines de millions d'êtres humains du fait des guerres et des révolutions, a *déjà* eu lieu. La découverte des moyens de l'annihilation morale et physique de la race humaine a *déjà* été faite. Les armes qui ont été découvertes, comme la barbarie morale qui a été explorée, n'ont pu être enfouies dans quelque désert où elles échapperaient désormais au savoir-faire et à la conscience des nouvelles générations. Au contraire, ces expériences ont été mondialisées, souvent de notre fait [1], et les armes prolifèrent avec la diffusion des connaissances et des technologies. La monarchie française du XVIII^e siècle a contribué à distribuer les instruments de pouvoir qui allaient permettre sa perte, et les sociétés occidentales ne cessent de répandre dans le monde des capacités technologiques qu'elles étaient seules à détenir il y a encore quelques décennies. Quant à la barbarie morale que l'histoire européenne a dévoilée, elle joue un rôle majeur dans le refus des sociétés qui ne connaissent ni la paix, ni la prospérité, ni surtout la liberté de prendre l'Europe pour modèle. Si notre raison et nos discours refusent ce constat,

---

1. Il ne s'agit pas seulement ici de l'origine européenne des deux guerres mondiales, ou de celle des doctrines – marxisme, nationalisme... – qui ont justifié tant de massacres. Il y a aussi la formation intellectuelle fournie en Europe aux grandes figures des Khmers rouges et à celles de la révolution iranienne de 1979.

notre cœur ne le nie pas. Il ne peut ignorer que des changements profonds sont en cours et que l'Europe pourrait en faire les frais. Il suffit d'observer l'humeur de nos contemporains, qui ont le sentiment que *quelque chose* n'est pas achevé, et qu'il est menaçant. Le terrorisme concentre ces peurs, et contribue à expliquer la réaction de déni que l'on trouve à son endroit en Europe, plus qu'en Amérique, où le poids des souvenirs est moins lourd.

Il y a une autre façon de justifier un effort de mémoire, celle dont parle le photographe chinois : préserver l'histoire des morts qui ont été « bafoués ». La mémoire est une protection contre les risques de l'abstraction et de l'expérimentation politique. Elle est aussi ce qui permet aux générations successives de partager la condition humaine dans ses dimensions les plus dures. Le beau-père du photographe était un médecin réputé. Pendant la révolution culturelle, il fut dénoncé comme « autorité universitaire réactionnaire » et en mourut : « Une nuit, les rebelles le plantèrent devant un fourneau à charbon jusqu'à ce qu'il dégouline de sueur, puis ils le forcèrent à se mettre en sous-vêtements et l'envoyèrent dehors dans la neige jusqu'à ce qu'il soit presque gelé. Le lendemain, il se pendit. » Son histoire a été préservée pour être conservée dans le souvenir. Pendant les pires années de la terreur stalinienne, quand les femmes faisaient la queue devant les prisons pendant des heures pour prendre des nouvelles de leur fils ou de leur mari, l'une d'elles a demandé un jour à Anna Akhmatova si elle serait capable de décrire ce qu'elles enduraient. Et la poétesse russe, comprenant aussitôt ce qui était en jeu, a décidé d'en entreprendre la tâche. Pour ceux qui ont disparu dans les cellules ou dans les camps, une des pires tortures a souvent été le sentiment que leur existence était déjà anéantie, qu'ils étaient déjà morts, et que leurs souffrances demeureraient à jamais inutiles et inconnues.

On peut enfin proposer une dernière raison, qui n'est jamais évoquée, de faire retour sur le siècle passé : la fin de la pièce ouverte en 1914 a peut-être été fixée un peu vite au moment de la chute de l'URSS. Non parce que la Russie peut encore réserver des surprises à ceux qui vantent le partenariat stratégique avec Moscou : pour l'heure, ces surprises sont surtout désastreuses pour les Russes eux-mêmes, en raison de la politique réactionnaire du Kremlin et de la corruption des élites. Mais la scène de cette pièce était le monde, non l'Europe, et il n'y a pas encore eu de dénouement dans la partie asiatique. L'univers qui nous est familier est une partie de plus en plus réduite du monde réel : des deux guerres mondiales, on ne retient que l'histoire occidentale ; puis vient le début de la guerre froide en 1947 [1], le partage de

1. L'expression « guerre froide », une vraie trouvaille, apparaît sous la plume du journaliste Walter Lippman en 1947.

l'Europe, la mort de Staline en 1953, la crise des missiles de Cuba en 1962, la chute du mur de Berlin en 1989, et le tour est joué.

Dans une autre partie du globe, c'est une autre lecture qui prévaut avec l'occupation japonaise, l'avance des troupes soviétiques en Extrême-Orient, la révolution chinoise, le repli du Kuomintang à Taïwan, puis la guerre de Corée. Dans cette immense région, on ne connaît pas encore le dénouement du grand drame qui a commencé au siècle dernier. A tant parler du *siècle court,* une expression élégante mais inexacte qui trace les frontières du XX^e^ siècle entre 1914 et 1989, on limite la planète à notre monde et on s'interdit de comprendre les défis stratégiques les plus importants de notre époque, qui ne sont plus en Europe. La question de savoir si la guerre froide était un substitut de la guerre ou une préparation à la guerre totale a été pour certains observateurs la plus importante des questions stratégiques. Est-elle devenue caduque avec la fin de l'URSS ? On ne croit plus qu'aux conflits intra-ethniques [1] ou transnationaux, comme si les événements de ces dix dernières années avaient ouvert une période polémologique toute nouvelle. Les historiens savent pourtant que les grandes guerres, utilisant toutes les armes disponibles dans les arsenaux, sont une possibilité permanente, aussi longtemps

1. L'historien britannique John Keegan parle des conflits des *have not* contre les *have not*, que l'on pourrait traduire par conflits des « dépossédés ».

qu'il y a des Etats, des rapports de force et que le gouvernement universel demeure une utopie aussi sympathique qu'absurde. La troisième guerre mondiale – que l'on nomme aussi la guerre froide – n'a en fait *jamais eu lieu.* Qui peut prétendre cependant qu'elle *n'aura jamais lieu*? L'Asie sera au XXIe siècle ce que l'Europe a été au XXe siècle : l'épicentre des affaires stratégiques et non seulement celui des affaires tout court. Comme le soulignait un personnage officiel à Singapour dans un entretien privé, on trouvera toujours des individus pour investir, mais la guerre et la paix sont des choses trop sérieuses pour qu'on les laisse au hasard.

Qu'il soit nécessaire de le rappeler montre à quel point l'Europe est devenue « provinciale », avec le charme de la province, mais aussi avec ce que celle-ci a de décalé par rapport à la rumeur du monde. Ce provincialisme résulte de la perte des empires coloniaux de l'Europe, qui a resserré sa vision de la planète, et de son incapacité à assurer sa sécurité pendant une cinquantaine d'années. Il s'y ajoute un égocentrisme solide et une volonté de cultiver son jardin. Dès le milieu du XIXe siècle, Marx avait compris que les activités industrielles de l'Angleterre ou de la France pouvaient détruire les moyens d'existence de communautés entières en Inde ou en Chine. En est-il résulté un sens nouveau de la responsabilité morale envers de lointains contemporains ? On se le demande plus d'un siècle plus tard, alors qu'on commence seulement à prendre des mesures pour ne pas trop pénaliser les pays producteurs de coton. Pour le reste, on parle plus qu'on ne partage. La vision du monde que les sociétés bourgeoises européennes affectionnent est si conservatrice qu'il leur est presque impossible de discerner ce qui leur est étranger. Elles croient à un univers sans surprise, à la victoire du passé sur l'avenir, du proche sur le lointain, et du connu sur l'inconnu.

En 1905, alors que la première révolution secouait l'empire du tsar, la France, oubliant sa propre expérience révolutionnaire, relançait tranquillement l'emprunt russe. Cet apport financier permit à la Russie de connaître un redressement économique et industriel si réel en une dizaine d'années que l'état-major allemand, et tout particulièrement von Moltke, était arrivé en 1914 à la conclusion qu'une attaque préventive était nécessaire contre le tsar pour éviter une domination russe tenue sinon pour inévitable sur l'Europe en général et l'Allemagne en particulier. Selon les documents retrouvés dans les années 1990 sur cette période, Sarajevo aurait fourni un prétexte. L'empereur, qui souhaitait arrêter la machine de la guerre, aurait été débordé par sa propre armée [1]. Un

1. Un ouvrage récent – et passionnant – sur les causes de la Première Guerre mondiale : *Europe's Last Summer. Who started the great war in 1914 ?*, de David Fromkin, Knopf, 2004 (*Le Dernier Eté de l'Europe*, Grasset, 2004), soutient que l'état-major allemand avait décidé une guerre préventive contre la Russie avant l'assassinat de l'archiduc François-Ferdinand à Sarajevo, et que l'empereur a été mis devant le fait accompli.

siècle plus tard, le chancelier allemand fait preuve d'un aveuglement presque inimaginable en Extrême-Orient. En 2004, alors que Taïwan est un des rares problèmes stratégiques qui puisse provoquer une guerre mondiale aussi sûrement que l'Alsace-Lorraine au début du siècle dernier, Gerhardt Schröder a déclaré à Pékin que la Chine pouvait faire ce qu'elle voulait vis-à-vis de Taipei. Aucun dirigeant étranger n'était encore allé aussi loin dans la complaisance. En mars 2005, alors que l'opinion publique allemande et son propre parti sont hostiles à la levée de l'embargo sur les armes à destination de la Chine, il persévère. Certes, ses préoccupations asiatiques ne sont pas au premier chef de nature sécuritaire : il songe surtout à l'économie allemande, et en Chine, on l'appelle « Monsieur Auto [1] ». Même avec une perspective aussi limitée cependant, comment ne pas comprendre en 2005, avec des tensions régionales qui font la une des journaux, que les échanges ne pourraient résister à

1. Quand le chancelier était encore ministre-président de Basse-Saxe, la patrie de Volkswagen, il s'était transformé en intrépide voyageur de commerce en Chine. Depuis son accession à la tête de l'Etat allemand, il se rend chaque année dans ce pays et il faut reconnaître que les résultats économiques sont impressionnants : l'Allemagne est le premier investisseur en Chine, surtout dans le domaine de la chimie et dans le secteur automobile. Les patrons de l'économie allemande – et beaucoup de PME également – l'accompagnent régulièrement dans ses voyages à Pékin, qui font l'objet de réflexions approfondies sur la façon de pénétrer le marché. Depuis le rétablissement des relations diplomatiques en 1972, le volume des exportations allemandes vers la Chine a été multiplié par 70. On comprend dans ces conditions qu'il ne reste pas beaucoup de temps à consacrer aux risques stratégiques.

un conflit dans la région et qu'ils seraient même les premiers touchés ? Le principe de plaisir triomphe aussi dans le monde des affaires.

## CHAPITRE III

# *L'ensauvagement*

« Monstres – On n'en voit plus. »

FLAUBERT, *Dictionnaire des idées reçues*.

Une sauvage indifférence aux êtres humains, telle est la plus importante régression du XXe siècle. Quatre années dans les tranchées de la Grande Guerre ont produit des êtres « las, déprimés, sans racine et sans espoirs [1] ». Dans certains cas, le comportement des soldats traduisait leur déshumanisation de façon effrayante, comme dans ce récit d'Erich Maria Remarque où un combattant allemand a si peur de sortir de sa tranchée qu'il « se presse contre le mur et montre les dents, comme un chien [2] » quand on veut l'obliger à partir à l'assaut. La Seconde

1. Erich Maria Remarque, *A l'Ouest, rien de nouveau*, Stock, p. 286.
2. *Ibid.*, p. 133.

Guerre mondiale a permis ensuite de franchir toutes les barrières péniblement construites par la civilisation [1]. Dès 1933, on trouve dans les écrits du parti nazi que « la distance entre l'être humain le plus bas appelé encore de ce nom et nos races les plus élevées est plus grande que celle entre l'homme le plus bas et le singe le plus élevé [2] ». Les crimes commis sur cette base doctrinale, si l'on peut dire, sont connus dès les premières années de la guerre. Winston Churchill les dénonce dès le mois d'octobre 1941, en présentant le tribunal qui serait créé à la fin de la guerre comme un des buts majeurs du conflit : « Les atrocités commises en Pologne, en Yougoslavie, en Norvège, en Hollande, en Belgique et surtout à l'arrière du front allemand en Russie, surpassent tout ce qu'on a connu depuis les âges les plus sombres et les plus bestiaux de l'humanité. Le châtiment de ces crimes doit compter parmi les buts majeurs de la guerre. »

Il s'agit là d'un naufrage qui s'est aussi produit en URSS et en Chine mais ni l'une ni l'autre n'ont jamais eu à rendre de comptes comme a dû le faire l'Allemagne, puissance

1. Voir le remarquable film de la BBC sur Hitler et Staline, mélange de documentaires de l'époque et d'interviews contemporaines. Le plus troublant est encore la façon dont certains des Allemands et des Russes interrogés justifient les crimes qu'ils ont commis soixante années plus tôt. *La Guerre du siècle. Hitler-Staline*, BBC, 2000, quatre épisodes de 50 minutes.

2. *Die Reden Reichsparteitag*, 1933.

vaincue en 1945 [1]. La mémoire des camps, du totalitarisme ou de la révolution culturelle devrait être entretenue par la communauté internationale dans son ensemble et non par les seuls ressortissants des pays où ils ont eu lieu. Dans certains cas, comme en Chine, l'examen du passé demeure tabou [2]. Qui connaît par exemple les scènes de cannibalisme qui se sont déroulées en 1968, en pleine révolution culturelle, dans le Guangxi ? On en trouve le récit effrayant dans *Stèles rouges* de Zheng Yi [3]. Les histoires qui y sont rapportées sont hallucinantes et la plupart ne peuvent être reproduites. On y apprend que des élèves ont mangé leur professeur, non pas au cœur d'une famine comme celle qui a sévi en Ukraine et dans le reste de l'Union soviétique au début des années 1930, mais parce que des années de brutalité quotidienne ont fait ressurgir le cannibalisme comme acte de cruauté suprême. L'auteur du récit croyait à peine aux rumeurs qui couraient sur les villages de la province où les cas de cannibalisme avaient eu lieu, mais après avoir recueilli de nombreux témoignages de

1. La présence de juges soviétiques, justifiée par les horreurs commises sur le sol de l'URSS par les nazis, n'a pas manqué de soulever de nombreux commentaires compte tenu de ce qui se passait en Union soviétique depuis l'instauration du Goulag...

2. L'anniversaire de la révolution culturelle en 2006 pourrait donner lieu à un travail de mémoire semblable à celui que les Allemands, et à un moindre titre les Russes, ont engagé depuis longtemps.

3. Zheng Yi, *Stèles rouges. Du totalitarisme au cannibalisme*, traduit par Annie Au Yeung et Françoise Lemoine-Minaudier, Paris, Bleu de Chine, 1999.

pratiques plus terribles encore que ce qui lui avait été rapporté – au paroxysme de cette folie, les victimes étaient découpées vivantes –, il eut une conclusion désespérée : « Un peuple qui a incité ses enfants à manger de la chair humaine comme des sauvages n'a plus d'espoir ni d'avenir ! » Cette folie collective n'était pas complètement dépourvue de « rationalité ». Elle a même permis à de nombreux bureaucrates de gravir les échelles du pouvoir en apportant ainsi la preuve de leur foi révolutionnaire : « A l'époque moderne, lorsque les lettrés progressistes chinois vilipendaient les méfaits des fonctionnaires cruels qui construisaient leur carrière à coup d'assassinats, ils employaient souvent l'expression suivante : "il n'hésite pas à teinter de sang humain la penne multicolore de son bonnet". Mais cette expression ne convient pas dans le cas de Wang Wenliu et d'autres cadres du Wuxuan. En effet, pour assurer leur réussite, ceux-ci ne se sont pas contentés de tuer des êtres humains, ils les ont aussi mangés [1] ! »

Aucun de ces actes n'aurait été possible sans des années de confessions et de mises à mort publiques. Aucun n'aurait été possible sans la terrible pression de la masse, qui ne tolère pas la moindre résistance et repose sur la fusion totale. L'individualité n'y a plus aucun prix. La domination de l'intérêt général se transforme vite en

1. *Ibid.*

négation absolue de toute idée et de tout sentiment individuel. Un témoignage émouvant de cette déshumanisation et du désespoir qu'elle suscite est fourni par le directeur de l'école secondaire de Wuxuan où le meurtre d'un professeur s'était produit : « Après avoir vu et enduré en personne bien des violences, il eut soudain le sentiment que sa vie n'avait plus de sens. Il sortit en cachette de l'école et marcha jusqu'au bord du fleuve. Il monta sur une digue, ôta ses chaussures, les posa avec soin, puis, alors qu'il s'apprêtait à sauter dans les eaux agitées du fleuve, un vieux berger vint à passer, conduisant son troupeau. Le vieillard à la vue affaiblie mais au regard sagace eut vite fait de comprendre la situation : "ça va passer ! ça va vite passer !..." Ces paroles simples mais empreintes de sagesse firent renoncer Wu Hongtai à la tentation de la mort. Il remit ses chaussures et retourna dans ce monde plein de crimes. Cependant, les malheurs ne passaient pas vite » et Wu dut en juin 1968 participer lui-même à une mise à mort et à une scène de cannibalisme commise contre un autre professeur. Après de tels excès dans l'exploration du mal et dans la déshumanisation, il est peu probable que le développement économique de la Chine soit une réponse aux tourments de la société chinoise.

Tout cela dira-t-on est passé, et bien connu de tous. Mais outre que cette proposition est fausse – les scènes en question *passent* difficilement et sont très mal connues –, ceux qui s'intéressent au présent peuvent lire des témoignages contemporains sur les camps nord-coréens. Il s'y trouve plus de 250 000 prisonniers qui travaillent dans des conditions de famine et de torture quotidienne telles qu'ils peuvent être tenus pour des camps de la mort : « Tous les camps sont caractérisés par une mortalité très élevée en raison de travaux forcés particulièrement durs associés à une famine délibérée. » Il s'agit d'extraire une production maximale des prisonniers avant leur mort, en les faisant travailler 72 heures par semaine avec un minimum de nourriture. Le rapport *Hidden Gulag*, publié en 2003 par Human Rights Watch, comporte des interviews de prisonniers ayant été internés dans 36 camps différents, dont certains sont réservés aux peines à perpétuité et d'autres aux centres de détention créés pour punir ceux qui ont cherché un refuge politique en Chine [1]. Dans ces derniers, les peines sont de courte durée mais les conditions extrêmes dans lesquelles les prisonniers sont placés entraînent une mortalité très élevée. Sortir vivant de certains travaux relève de l'exploit : An Hyuk, un étudiant rapatrié de force en 1987 en a fait l'expérience dans le camp n° 15. Son premier travail a consisté à ramasser des pierres dans une rivière glacée où il était dans l'eau jusqu'à la taille : « C'était un projet littéralement meurtrier. Des quantités de prisonniers sont morts sur place et davantage encore ont perdu leurs doigts (pieds et

---

1. La Chine, signataire de la Convention sur les réfugiés politiques, ne reconnaît pas ce statut aux Nord-Coréens qui réussissent à passer la frontière.

mains). » Kim Tae Jin, prisonnier à Yodok (c'est le nom de ce camp) au même moment, a déclaré que « pour rester en vie, il a mangé des plantes, de l'herbe, des rats, des serpents et des grenouilles ».

Au moment de la parution de ces témoignages, des survivants impliqués dans la sélection de prisonniers destinés à des expériences chimiques ont révélé ce dont ils avaient été témoins, récits qui ont été confirmés par d'anciens gardes, maintenant réfugiés en Corée du Sud. Ces effroyables pratiques ont même été dénoncées dans un film de la BBC projeté à l'automne 2003 à Londres. A en croire Kwon Hyok, ancien chef du camp 22, la déshumanisation des prisonniers est exactement celle que l'on observait chez les nazis : « Les prisonniers étaient comme des porcs ou des chiens. Vous pouviez les tuer, leur vie ou leur mort ne présentait aucun intérêt. » L'exemple historique de Kim Jong Il et de son père Kim Il Sung serait en effet Hitler plutôt que Staline, que préférait, lui, un autre dictateur : Saddam Hussein. A la suite des révélations effrayantes faites en 2003, l'Organisation des Nations unies a demandé en mars 2004 à la Corée du Nord d'autoriser une enquête sur place. Le refus de Pyongyang n'a surpris personne. Le pouvoir nord-coréen, comme le pouvoir stalinien, craint que la révélation de ces atrocités ne ternisse sa réputation à l'étranger et ne constitue une menace pour le régime. Le refus d'accès aux camps a d'ailleurs permis à la Corée du Sud, qui a peur de voir sa politique de rapprochement mise en cause, de déclarer que les preuves des crimes de Pyongyang étaient trop peu nombreuses. Ce n'est pas faux, compte tenu du petit nombre de témoignages, mais Séoul cherche-t-il à en recueillir davantage ? Apparemment pas. Pourtant, outre les informations plus détaillées qui doivent se trouver à Séoul dans les bureaux des services de renseignement, la Corée du Sud sait que le but de ces expériences est de calculer la quantité de poison nécessaire pour exterminer la population de la capitale sud-coréenne en cas de conflit.

Ces expériences ne datent pas d'hier. Il existe dans les archives soviétiques des documents montrant que des expérimentations chimiques et biologiques ont été faites en Corée du Nord sur des êtres humains depuis les années 1950 [1]. Avec la précision des satellites dont on dispose aujourd'hui – même dans le domaine commercial –, on peut suivre la vie quotidienne de ces damnés de la terre avec une exceptionnelle minutie. Des organisations non gouvernementales rassemblent des témoignages. Les autorités des nations occidentales ont-elles consulté ces documents ? Se sont-elles procuré ces images ? Si elles s'en donnaient la peine, la poursuite de relations diplomatiques avec un régime qui se conduit avec ses propres citoyens comme s'ils étaient des porcs ou des chiens ne manquerait pas de se poser.

1. Il y a un mémorandum de Beria à Malenkov d'avril 1953 sur ce sujet.

Ceux qui n'ont pas la fibre humaniste peuvent imaginer qu'un régime qui traite les siens de cette façon inspire une confiance limitée aux pays étrangers, qu'il s'agisse du respect des accords internationaux ou de la conduite en cas de conflit. Pyongyang hésiterait-il à rompre un accord qui ne lui convient plus ? A utiliser toutes les armes dont il dispose s'il le juge nécessaire ? Et que peut signifier le *jugement* d'un tel régime sur une situation stratégique ? Ces interrogations sont légitimes et nécessaires, comme l'est celle du maintien des relations diplomatiques avec la Corée du Nord. La France, par chance, n'ayant jamais renoué ces relations, peut échapper à l'examen d'une remise en cause. Elle pourrait en profiter pour soulever le problème au sein de l'Union européenne. Ses autres partenaires ont en effet tous renoué avec Pyongyang à la fin des années 1990, au moment où le président sud-coréen recevait un prix Nobel après une visite historique en Corée du Nord. Ils n'en ont retiré aucun bénéfice dans le domaine des droits de l'homme et Pyongyang n'a cessé depuis de brandir les menaces les plus diverses pour effrayer ses voisins.

Des deux expériences qui ont imposé une réflexion semblable au siècle dernier : les atrocités de la Seconde Guerre mondiale et l'apparition de l'arme atomique, seule la seconde a permis de mettre en place, avec la dissuasion, un système de freinage efficace des pulsions de destruction, dont il avait été fourni de si convaincantes illustrations au cours de deux conflits mondiaux. La première, en posant des questions radicales sur la civilisation, avait bien conduit dès 1948 à l'introduction dans le droit de limites à l'action des Etats en temps de guerre, tant à l'intérieur qu'à l'extérieur de leurs frontières, et à la remise en cause de la distinction classique entre ces deux aspects de la vie politique. Pour franchir ce pas, une formidable régression dans la violence et la brutalité a d'abord été nécessaire. Elle n'est pas venue d'un seul coup, mais lorsqu'elle eut atteint un certain seuil, il ne fut plus question de l'arrêter. Quelques années plus tard seulement, l'inaction des démocraties quand il s'est agi des grands massacres qui ont continué après la guerre a montré les limites des innovations introduites en 1948 [1]. Et la dénonciation des différents goulags a toujours donné lieu à de vifs débats, voire à des procès, dans le monde libre. En 1949 par exemple, c'est le procès intenté par *Les Lettres françaises* à David Rousset qui a permis de réunir les premiers témoignages en France, ceux d'Elinor Lipper, de Jules Margoline, d'Alexander Weissberg, de Joseph Czapski et de Margarete Buber-Neuman sur le Goulag russe. Vingt-cinq ans plus tard, on se souvient du curieux entretien télévisé dans lequel Soljenitsyne, de passage à Paris, entendait Jean Daniel regretter l'absence de communis-

1. Ceci à la grande surprise de Staline, qui était convaincu que « les Occidentaux n'accepteraient jamais une tache rouge aussi grande » sur la carte du monde, comme il l'a avoué en 1944 à l'émissaire de Tito. Voir *La Tache rouge* d'André Fontaine, La Martinière, 2004.

tes sur le plateau et où il était sommé, lui qui venait parler de son œuvre, de se prononcer sur le Vietnam et le Portugal [1] !

Quant à la révolution culturelle chinoise, le nombre de ses admirateurs a toujours dépassé celui de ses dénonciateurs. Les premiers pouvaient compter sur la masse, les autres sur quelques rares individus. Les scènes de cannibalisme dont il a été question n'ont été révélées qu'à un public restreint au début des années 1990 au moment où des films bouleversants, comme *Adieu, ma concubine !*, donnaient au grand public une image plus exacte de ce qu'avait été cette période de folie collective. Alors que l'on assiste au début d'un autre cycle de violence extrême, qui peut faire à nouveau courir des risques graves à l'humanité, c'est un rappel d'autant plus utile que le terrorisme contemporain, auquel on prête toutes sortes d'explications exotiques – le wahhabisme par exemple –, a aussi des racines plus familières : la violence sans limites, l'auto-destruction systématique, et la négation absolue de l'autre.

La seconde expérience, souvent qualifiée d'expérience « limite », a été l'apparition de l'arme atomique. Pour la comprendre dans ce qu'elle a eu

1. Il s'agit de l'émission *Apostrophes* du 11 avril 1975, très souvent citée. *L'Archipel du Goulag* avait été publié en français en juin 1974 et Alexandre Soljenitsyne avait été expulsé d'URSS en février 1974. Jean Daniel a depuis regretté publiquement ses propos.

de bouleversant, il faut relire Robert Oppenheimer, qui publiait en juillet 1953 dans *Foreign Affairs* un article commençant par cette phrase extraordinaire : « Il est possible qu'à la grande lumière de l'histoire, si tant est qu'histoire il y ait, la bombe atomique n'apparaisse pas très différente que dans la lumière fulgurante de la première explosion atomique. » La fin de l'histoire n'est pas pour Oppenheimer l'universalisation des doctrines de la liberté à laquelle certains ont voulu croire après la fin de la confrontation Est-Ouest [1]. C'est la possibilité pure et simple d'interrompre l'histoire en anéantissant la vie. Cette vision lui est venue du choc ressenti lors du premier test à Alamogordo en 1945 dans le Nevada avant l'utilisation de la bombe. Elle donne une idée des *progrès* obtenus en cent ans seulement, car ce que le pessimisme le plus foncier ne pouvait concevoir en 1848 – du temps de Schopenhauer – a fini par faire partie du réalisme politique en 1953. Une inquiétude si radicale n'a pas sa source dans le seul usage de l'arme nucléaire contre le Japon à la fin de la Seconde Guerre mondiale. Deux autres événements aux conséquences incalculables sont intervenus entre 1945 et 1953 : l'apparition d'une deuxième puissance nucléaire, l'URSS, qui donnait à la confrontation Est-Ouest une dimension jusqu'alors inconnue des relations internationales, et celle de l'arme thermonucléaire, d'une puissance très supérieure à la bombe A. A cette époque, la

1. Francis Fukuyama, *La Fin de l'Histoire*, Flammarion, 1992.

dissuasion était déjà en place – on situe son apparition en 1949 – mais personne ne savait si elle résisterait à une véritable épreuve. Celle-ci est venue en 1962, avec la crise des missiles de Cuba. La dissuasion en est sortie consacrée.

Si l'on en juge par les résultats, la leçon du télescope a mieux fonctionné pour l'arme atomique que pour la défense des valeurs. La peur de l'annihilation physique est infiniment plus forte que celle de l'ensauvagement moral. En introduisant dans les rapports entre Etats une capacité de destruction inégalée pour les hommes et pour l'environnement, l'arme nucléaire a obligé les pays détenteurs à penser l'action politique extérieure en termes de retenue, quelle qu'ait été par ailleurs leur violence ou leur folie [1]. On ne peut guère aller jusqu'à dire qu'il y ait eu là une dimension éthique, puisqu'il s'agissait d'éviter la destruction d'un des deux camps en prenant en otage les populations civiles de l'autre. Mais du moins a-t-on reconnu la nécessité de veiller à sa préservation et de limiter l'exercice de la violence. C'est un début de sagesse. La question est aujourd'hui de savoir si cette sagesse n'est pas menacée par la méconnaissance des nouveaux acteurs dont la pensée stratégique demeure obscure, mais plus encore par la rapidité avec laquelle la mémoire des régimes autoritaires et de ce dont ils sont capables a été perdue. Qui se souvient encore de la phrase de Raymond Aron : « Il ne faut pas

1. La dissuasion nucléaire se met en place en 1949, alors que Staline était encore en vie.

discuter dans l'abstrait de la dissuasion mais savoir qui dissuade qui, de quoi, par quelles menaces, dans quelles circonstances [1]. » Avec la fin de la guerre froide et celle des essais nucléaires, la prudence que ces armes exigent a tendance à baisser, comme la qualité de la réflexion qu'elles imposent. John Lewis Gaddis a trouvé une expression heureuse pour décrire la guerre froide et le rôle du nucléaire en parlant de « longue paix ». Mais cette longue paix, et la fin de la confrontation Est-Ouest qui a suivi, ont conduit à un affaiblissement considérable de la pensée stratégique, que la lecture des écrits des années 1950 à 1980 met immédiatement en relief quand on les compare à ceux d'aujourd'hui [2].

Sur l'autre versant cependant, les nouvelles sont encore beaucoup moins bonnes et le propos de Diderot selon lequel il est beaucoup plus facile pour un peuple éclairé de retourner à la barbarie

---

1. Raymond Aron rappelle dans ses mémoires que Herman Kahn, un des grands penseurs de la dissuasion, avait repris cette formule dans son livre *On Escalation* (Hudson Institute, 1965). Voir Raymond Aron, *Mémoires. 50 ans de réflexion politique*, Julliard, Presse Poche, 1983, tome 2, p. 649.

2. Les premiers écrits majeurs sur l'arme nucléaire datent de 1946. Il s'agit notamment de l'ouvrage de Bernard Brodie, *The Ultimate Weapon*, New York, Harcourt, 1946, et de celui de John Viner, *The Implication of the Atomic Bomb for International Relations*, American Philosophical Society, 1946. En 1960, Herman Kahn publie *On Thermonuclear War*, New Jersey, Princeton University Press, 1960. Quant à l'évolution de la pensée soviétique sur les armes nucléaires, on peut consulter Honoré M. Catutal, *Soviet Nuclear Strategies from Stalin to Gorbatchev*, New Jersey, Atlantic Highlands, 1988, et Stephen Shenfield, *The Nuclear Predicament : Exploration in Soviet Ideology*, Londres, Chathan House Papers, n° 37, 1987.

que pour un peuple barbare d'avancer d'un seul pas vers la civilisation a été illustré de façon tragique. La protection de la vie humaine et de l'humanité des hommes a subi des revers spectaculaires, en grande partie parce que l'histoire a été perçue par de nombreux intellectuels comme un processus sans sujet où l'individu ne valait rien et pouvait donc toujours être remplacé. Staline, Mao, Pol Pot, Saddam Hussein ont pu exterminer les leurs – et certains de leurs voisins – assez tranquillement, parfois même avec notre aide. Le mensonge a prospéré avec la coopération active du monde libre. Quand Boris Souvarine a voulu révéler ce qui se passait dans les années 1930 dans son livre prophétique sur Staline, juste avant le début de la Grande Terreur, André Malraux a refusé le manuscrit chez Gallimard. Ce n'était pas qu'il mettait en doute les propos de l'auteur, mais l'air du temps ne se prêtait guère à de telles révélations. Trente ans plus tard, au temps de la révolution culturelle, le Petit Livre rouge trouvait tant de lecteurs à Paris que le plus impitoyable dénonciateur des adorateurs de Mao en Occident, Simon Leys, est parti en Australie. En 1973, avant qu'ils n'exterminent un tiers de la population, l'arrivée des Khmers rouges à Phnom Penh a été saluée par Patrice de Beer, journaliste au *Monde*, comme celle de libérateurs. Un éditorial d'excuses a été publié le 17 avril 2005 dans ce quotidien.

Entre l'URSS, la Chine, le Cambodge et le Vietnam, on compte 100 millions de morts. Il faudrait y ajouter des tragédies oubliées, comme celle du million de morts afghans à la fin de l'opération soviétique. Mais ce ne sont là que des statistiques, comme on en cite depuis la fin de la guerre froide : 150 000 morts en Algérie, 180 000 morts et 20 000 disparus en Bosnie, 200 000 morts en Tchéchénie, un million de morts au Rwanda, autant au Congo, plus de 300 000 morts au Darfour. Les statistiques ne parlent pas à l'imagination. Elles sont même dangereuses pour la conscience qu'elles habituent aux grands nombres et aux victimes innombrables. On se surprend un jour à penser : *seulement* 50 000 morts ? Seules les histoires individuelles peuvent rendre sensible la tragédie. C'est la victoire de la contingence sur l'histoire. Beaucoup mériteraient qu'on leur donne la parole, mais ceux qui se trouvent dans les camps nord-coréens sont, parmi les martyrs actuels, les plus difficiles à faire parler et ceux auxquels on pense le moins souvent. D'anciens gardes des camps ont été impressionnés à leur arrivée dans les camps par la petite taille, la maigreur, le vieillissement prématuré et les difformités physiques des prisonniers, qui souffrent de nombreuses amputations dues à des accidents de travail ou au gel des mains ou des pieds. Les prisonniers sont comparés à « des nains, des squelettes, des handicapés ». Eux, c'est aussi nous [1].

1. Sur les camps nord-coréens, voir David Hawk, *The Hidden Gulag. Exposing North Korea's Prison Camps*, http://hnrk.org/

CHAPITRE IV

# *La corruption des principes*

> « Abattre un Européen, c'est faire d'une pierre deux coups, supprimer un oppresseur et un opprimé : restent un homme mort et un homme libre. ».
>
> JEAN-PAUL SARTRE.

On se demande parfois d'où peut venir la confusion des idées que l'on dénonce si souvent. Puis on relit certaines pages de grands intellectuels européens. Et on se pose alors une autre question : comment ont-ils pu écrire de telles absurdités ? Après un certain temps, les deux interrogations finissent par s'accrocher. La corruption des gouvernements commence toujours, aujourd'hui comme au temps de Montesquieu, par celle de leurs principes, mais la corruption des principes doit être relayée par les élites pour trouver une forme de légitimité [1]. Pour cela, rien de tel que le

1. Montesquieu, *L'Esprit des lois*, livre VIII, chap. I.

mensonge historique. Ce fut un des grands piliers du machiavélisme de masse au siècle dernier. George Orwell, un des rares esprits à avoir compris l'essence du totalitarisme, y a vu une des formes les plus effroyables de la violence : « Si le chef déclare que tel ou tel événement ne s'est pas produit – eh bien, il ne s'est pas produit. S'il dit que deux plus deux font cinq – eh bien, deux plus deux font cinq. Cette perspective m'effraie plus que les bombes. » L'idée que le mensonge est une des pires formes de la destruction de l'humanité n'est pas courante. La raison en est simple : le nombre des *collaborateurs* est trop grand et tout le monde a quelque chose à se reprocher. Dans le système totalitaire, le mensonge du bourreau était nécessaire parce qu'il cherchait non la vérité mais l'inculpation, et celui de la victime inévitable parce que les interrogatoires provoquaient la désintégration de la personnalité [1]. Mais on se

1. Voir à ce sujet les aveux de Meyerhold qui, dans une lettre à Molotov après son attestation en 1939, parle d'une division de sa personnalité lors des interrogatoires qu'il subit : « Immédiatement après mon arrestation, je sombrais dans une profonde dépression sous le poids d'une pensée obsessionnelle : "j'ai ce que je mérite". Je commençais à me convaincre que le gouvernement avait jugé ma sentence précédente insuffisante et que je devais subir une autre punition, celle que le NKVD m'infligeait à présent. Comme je me répétais : "j'ai ce que je mérite", mon moi se scinda en deux. Le premier commença à chercher des crimes commis par le second et, quand il ne les trouvait pas, se mit à les inventer. L'interrogateur fit preuve d'expérience et d'efficacité dans son rôle d'assistant et nous commençâmes ensemble notre composition en étroite collaboration... Quand mon imagination faisait défaut, il prenait sa place. »

demande ce qui pouvait bien justifier le mensonge de ceux qui, ne risquant absolument rien, contribuaient pourtant à tuer – de loin.

Un exemple permettra d'illustrer ce propos. Notre grand poète national, Louis Aragon, à qui on ne connaissait guère de talents agronomiques, a écrit pour la défense de Lyssenko un texte qui serait comique si la bataille engagée au nom de cet hurluberlu n'avait causé tant de crimes en URSS. L'obscur technicien agricole qui avait mis la main sur tout un pan de la science soviétique a été à l'origine de trente ans d'impasse agronomique. L'article de Louis Aragon est paru dans la revue *Europe* en 1948, sur un sujet où son incompétence aurait pu lui conseiller la discrétion [1]. Voici pourtant ce qu'il écrit au moment où le « lyssenkisme » bat son plein à Moscou, et où l'on meurt pour s'opposer à sa doctrine : « C'est le caractère bourgeois de la science qui empêche en fait la création d'une biologie pure, scientifique, qui empêche les savants de la bourgeoisie de faire certaines découvertes dont ils ne peuvent, pour des raisons sociologiques, accepter le principe de base. En URSS, la lutte acharnée menée par les mendélistes nationaux contre les mitchou-

1. Pourquoi cette date ? Probablement à cause de la dispute qui éclate entre Staline et le clan Jdanov, lorsque le fils de ce dernier, Iouri, prend la liberté de se moquer de Lyssenko. Ce dernier fait appel à Staline avec le soutien de Malenkov. Les excuses de Iouri Jdanov furent publiées dans la *Pravda*. D'où sans doute l'article de Louis Aragon.

riniens ne saurait être considérée par les mitchouriniens, par Lyssenko, comme une lutte biologique, scientifique, à l'intérieur de l'espèce des biologistes ; mais elle est naturellement regardée comme une lutte sociologique de la part de savants qui sont sous l'influence sociologique de la bourgeoisie (même par le seul intermédiaire de la science bourgeoise, mêlée de métaphores sociologiques), comme l'effet des vestiges de la bourgeoisie en URSS. C'est pourquoi, aux yeux de Lyssenko, des mitchouriniens, des kolkhoziens et des sovkhoziens de l'URSS, du parti bolchevique, de son Comité central et de Staline, la victoire de Lyssenko est effectivement une victoire de la science, une victoire scientifique, le refus le plus éclatant de politiser le chromosome. » Lyssenko avait reçu les félicitations de Staline en février 1935, au 2e congrès des fermiers collectifs de choc : « Bravo, camarade Lyssenko, bravo ! » et cela valait bien un article.

Les thèses génétiques étaient traitées d'« hitléro-trotskistes », et les partisans de Mendel se retrouvaient dans la catégorie condamnée des « ennemis du peuple soviétique ». La génétique ne pouvait pas être vraie, puisqu'elle était incompatible avec le matérialisme dialectique ! On pouvait ainsi justifier des millions de morts en Ukraine, le grenier à blé de l'URSS, et dans le reste de l'Union soviétique. Dans des villages qui ne comptaient que des cadavres, des messages déchirants avaient été laissés à côté des corps pour les visiteurs futurs de ces étranges cimetières : « Dieu bénisse ceux qui entrent sous ce toit. Qu'ils ne connaissent jamais la souffrance que nous avons endurée [1]. » On a aussi retrouvé les dernières lettres écrites aux enfants de ceux qui allaient mourir : « Serait-ce trop demander que d'espérer recevoir une lettre de toi, où tu dirais que tu as dit le kaddish pour ta mère, au moins une fois, et que tu feras la même chose pour moi ? Cela m'aiderait tant à mourir. » Les aberrations de Lyssenko ont permis la condamnation à mort de nombreux généticiens – tout particulièrement du grand savant Nikolai Vavilov qui mourra dans le camp de Saratov en 1943, mais elles ont surtout servi à trouver des boucs émissaires pour l'échec de la réforme agraire de Staline dans les années 1930, échec qui a conduit des parents à manger leurs enfants [2].

---

1. Cité par Simon Sebag Montefiore, *op. cit.*, p. 89, qui mentionne cet autre message, terrible dans son laconisme : « Mon fils. Nous n'avons pas pu attendre. Dieu soit avec toi. »

2. Ces cas de cannibalisme figurent dans les rapports officiels adressés au Kremlin. Dès 1930, l'année où la destruction des koulaks est décidée, alors que Staline ne savait pas répondre à la question « qu'est-ce qu'un koulak ? », le désespoir des paysans est si grand qu'ils commencent à tuer eux-mêmes leurs animaux pour convaincre le gouvernement de changer sa politique et l'obliger à les nourrir. La grande famine a commencé en 1931 et Staline n'a rien inventé sur ce sujet : Lénine avait lui-même déclaré qu'il fallait affamer les paysans. En 1932, un Ukrainien rend visite à Mikoyan et lui demande : « Quelqu'un est-il au courant de ce qui se passe en Ukraine au sein du Politburo ? Au cas où ce ne serait pas le cas, je vais vous en donner une idée. Un train est récemment arrivé à Kiev bourré de corps de paysans qui étaient morts de faim. Il avait ramassé ces corps tout au long de la route depuis Poltava. »

A l'ère gorbatchévienne, les archives ont été ouvertes sur cette période. Les documents ont été exposés en 1992 à la Bibliothèque du Congrès de Washington, montrant que l'effroyable famine provoquée chez les paysans n'était pas ignorée des autorités. En voici un récit officiel, rédigé le 9 avril 1932 par le camarade Feigin, et adressé à Grégory Ordzhonikidze : « Les gens se déplacent comme des ombres, sans parler. J'observe quatre enfants tout petits, pâles comme de la cire, qui s'abreuvent dans la même écuelle d'où ils sortent, avec une cuiller, de l'eau chaude teintée par un liquide blanc nauséabond. Pour l'obtenir, la mère malade vient de vendre sa dernière jupe. » Le même jour, dans une lettre qui a le même destinataire, un docteur rend compte de sa visite à la famille Borodine : « Le père est assis sur un banc. Il fume sans arrêt des cigarettes faites d'un tabac répugnant, pleure comme un bébé et demande que l'on tue ses enfants tous horriblement maigres. Il supplie : "Donnez-moi au moins un kilo de pommes de terre, je n'ai pas arrêté de travailler." Parfois, Borodine regarde ses enfants et gronde : "Ces démons ne veulent pas mourir, comme j'aimerais ne plus les voir." Je vous assure que cet homme s'enfonce dans une psychose de faim et qu'elle peut le conduire à manger ses propres enfants [1]. »

1. Rapport du docteur Kisselev à Ordzhonikidze, le 9 avril 1932.

Il faut avoir ces scènes en tête quand on prend la plume pour justifier des régimes injustifiables. Dans le texte d'Aragon, ce n'est pas seulement la perversion intellectuelle, manifeste dans ce tissu d'âneries, qui frappe aujourd'hui. C'est la participation – involontaire, certes, mais réelle – à un crime de grande échelle. L'on avait alors souvent perdu tout sens de l'*éthique intellectuelle*. C'est à juste titre que cette perte effraie Orwell plus que les bombes. Les exemples sont encore légion vingt ans plus tard, avec les apologies du maoïsme dans les capitales occidentales. En pleine révolution culturelle, Simone de Beauvoir écrit des lignes incongrues : « Ces masses s'éduquent elles-mêmes, elles approfondissent leurs liens, elles élèvent en même temps le niveau de la production et le niveau de l'amitié. C'est cette impression que je garde avant tout de la Chine : l'amitié est l'envers d'une nécessité économique, elle y est le moteur de la production. » Les professeurs défenestrés ou tués d'une balle dans la nuque auraient sûrement apprécié la subtilité parisienne de ces propos sur l'élévation et l'amitié.

Après la chute des idéologies, l'esprit aurait pu retrouver un espace de liberté, mais la pensée binaire est une partie de l'héritage, et l'ère de l'information accentue ce phénomène. La multiplication des données entraîne un processus de simplification supplémentaire. Une des grandes difficultés est donc de penser autrement que de façon dichotomique. Certes, certains excès – « un anticommuniste est un chien », par exemple, autre formule de Sartre – ont disparu des écrits occidentaux (on les trouve à présent sous la plume d'Osama ben Laden ou de Kim Jong Il). Mais le violent partage opéré pendant des décennies entre deux humanités a frappé la modération d'une sorte de suspicion durable. Quant à la subtilité et au sens des nuances, qui font partie de toute civilisation raffinée, il faudra beaucoup de temps pour les reconquérir. Le sens de l'équilibre et de l'éthique intellectuels est en outre menacé par la rhétorique terroriste et antiterroriste, qui relance la dynamique binaire avec un nouveau thème, où la peur joue un rôle crucial. Une partie importante de la vie politique et des relations internationales – pour ne rien dire de la production intellectuelle individuelle – dépend de l'amélioration de la formation de l'esprit et du raisonnement.

Dans un rapport de l'ONU sur le monde arabe publié en 2003 [1], les auteurs, des économistes appartenant tous à ce monde, ont indiqué que le problème principal qu'ils avaient identifié était celui de la dégradation de la formation intellectuelle et de l'éducation. L'autoritarisme et la suppression de l'enquête, de l'exploration et de l'initiative ont dans le monde arabe des effets

1. Il s'agit du rapport du PNUD, *The Arab Human Development Report*, dont une première version avait été publiée en 2002 et un complément en 2003 et 2004.

économiques, sociaux et politiques dévastateurs. C'est un des terreaux de la violence et du succès que rencontrent le terrorisme et le radicalisme politique dans cette partie du monde. Mais on ne peut manquer d'être frappé du fait que l'Europe souffre, elle aussi, d'une dégradation intellectuelle dont l'invective, l'absence de débat et la confusion des idées donnent des illustrations troublantes. Il serait normal de s'inquiéter de ce dernier phénomène avant de se plaindre du premier.

La pensée est née du besoin de mettre de l'ordre dans le monde. Mais cet ordre ne peut être trouvé, comme Platon l'a exprimé mieux que personne, que si le monde changeant, multiple et soumis à la dégradation dans lequel nous vivons, est perçu à la lumière de quelques principes qui, eux, ne changent pas. Sinon, il n'y a plus de monde intelligible possible. Il serait naïf cependant de croire que les idées « chaotiques » ou « fragmentées » qui caractérisent le monde contemporain n'ont pas de force propre. Elles rassemblent ceux pour qui le rejet sans raison ni principe est devenu la règle. C'est une des leçons du terrorisme, du succès des thèses qui le nourrissent et, plus généralement, de l'attrait de la négation. Le problème est de ne pas disposer de réponse intellectuelle et morale à ce phénomène, qui exerce sur la jeunesse une forme de profond découragement. Karl Kraus en avait fait le diagnostic dans la période de l'entre-deux-guerres :

« Ô combien compréhensible le désenchantement d'une époque qui reste inébranlable devant son propre effondrement, elle qui ressent aussi peu le repentir que les effets de l'action. » A l'exception d'une étroite élite sans influence réelle sur la société, la diminution de la culture générale et historique atteint de tels sommets qu'il n'est pas rare de trouver en maîtrise des étudiants qui ignorent la date de la chute du mur de Berlin. C'est un des résultats de la tendance de l'enseignement à commenter l'actualité, renforçant ainsi une évolution culturelle déjà très affirmée qui privilégie l'immédiateté. Dans ces conditions, comment saisir le sens des mots *effondrement*, *repentir*, ou même *effets de l'action* ? Les valeurs, dont on fait grand cas dans les discours, paraissent bonnes pour absolument tout, sauf pour l'action précisément. Et l'Europe traverse une phase non seulement troublée mais profondément incohérente alors que le monde aurait tant besoin aujourd'hui de ce qui a longtemps caractérisé son rôle historique, plus encore que ses aventures sur les mers et les océans : ordonner le monde des idées.

La mécanique mise en place après la guerre par les pères fondateurs de l'Europe, avec ses progrès réguliers et peu spectaculaires, est en passe de vivre ses derniers moments. Les jeunes générations européennes ne croient plus au caractère progressif et lent des réformes. Elles veulent de plus grands bouleversements et surtout peut-être de plus grandes ambitions. Et elles ont raison. Comme la jeunesse de la Restauration française, celle du début du XXIe siècle pourrait se plaindre de n'avoir reçu en héritage de la guerre froide que « des mœurs sans gaieté [1] », où il n'y a guère de place pour l'enthousiasme et les projets d'avenir. L'unité de l'Europe étant faite, la machine paraît littéralement épuisée, jusqu'au point de ne plus reconnaître l'ampleur de la tâche accomplie. En vérité pourtant, l'essentiel reste à faire : quel rôle veut-on à présent lui attribuer dans le monde ? Elle ne pourra se contenter d'œuvrer contre le sida et le réchauffement climatique, même s'il s'agit là de causes nobles et d'importance stratégique. Il lui faudra reconnaître que des tâches plus ardues l'attendent que les opérations extérieures dont elle se targue aujourd'hui en Afghanistan ou dans les Balkans. L'espoir d'échapper aux turbulences du monde au sein d'une zone stabilisée est aussi manifeste que vain. Certes, cette stabilisation est une réalisation historique compte tenu de l'acharnement séculaire que les nations européennes ont mis dans leur destruction mutuelle. Mais l'auto-stabilisation du continent européen, outre qu'elle est à présent menacée par la pause concernant l'élargissement, n'est un élément fédérateur que pour les générations qui ont connu les guerres, elle est insuffisante pour celles qui montent. Et elle ne répond plus à elle seule aux res-

---

1. L'expression est de Balzac, évoquant l'héritage de la Révolution française.

ponsabilités de l'Europe dans le monde, surtout quand celle-ci fait preuve d'un manque de jugement aussi patent à sa frontière orientale en encourageant la dangereuse régression de la Russie.

L'Amérique, plus tournée vers l'avenir par nature, plus dynamique et mobile, et désormais convaincue de sa vulnérabilité, a conservé la conviction que l'ordre des choses n'est pas immuable et que la volonté humaine a un rôle à jouer dans l'histoire. En 2005, son bilan des dernières années n'est pas aussi mauvais qu'on le prétend souvent même s'il paraît encore très fragile. Elle a repris l'Afghanistan aux talibans, l'Irak à Saddam Hussein, elle a convaincu le colonel Kadhafi de renoncer à ses armes non conventionnelles, elle se réengage au Moyen-Orient après la disparition de Yasser Arafat, et le Liban est libéré de la Syrie. Aucune de ces avancées n'est réversible. Aucune n'est due aux seuls Etats-Unis, car les peuples ont eu le dernier mot. Mais ils ont lancé une dynamique nouvelle après avoir reconnu qu'on ne pouvait poursuivre une politique occidentale où la « stabilité » régionale reposait sur le mépris de la volonté des populations. Aucun effet positif n'en résultait finalement pour la sécurité de l'Occident, parce qu'il était illusoire d'acheter la stabilité au prix de l'oppression.

La politique ne consiste pas toujours à retarder la décision et le destin se montre souvent peu clément avec les irresponsables : comme dans le roman d'Hermann Broch qui porte ce nom [1], la passivité qui accompagne la montée de la violence est plus inquiétante encore que la violence montante. Car elle rend sa victoire possible. Celle-ci bénéficie de l'inaction. La crise est tout autant morale que politique et touche à un déficit de la volonté. Nietzsche s'est exprimé en ces termes il y a plus d'un siècle, mais les penseurs politiques ne se sentent jamais très à l'aise sur ce terrain. Les meilleurs d'entre eux soutiennent que le choix politique n'est pas un choix entre le bien et le mal mais entre « le préférable et le détestable [2] ». C'est un jugement qui a le mérite de la modération. Il permet en outre de distinguer utilement les sphères d'action publique et privée. Cependant, comme il s'agit toujours là de catégories morales, la vraie difficulté demeure. Il faut encore pouvoir identifier l'un et l'autre quand on a perdu la capacité de différencier le bien du mal en politique. Pour avoir un débat qui en vaille la peine sur le « préférable » et le « détestable », il faudrait commencer par mettre au clair ce qu'il était possible de faire pendant la guerre froide pour aider l'autre Europe et les victimes du régime soviétique en URSS, ce qu'il était criminel de soutenir pendant la révolution culturelle chinoise, la nature des responsabilités européennes, françaises et onusiennes [3] au Rwanda, la politique

---

1. Hermann Broch, *Les Irresponsables*, Gallimard, NRF, 1961.

2. C'est une expression de Raymond Aron.

3. Le général canadien Roméo Dallaire, qui commandait une

de la France en Algérie pendant la guerre civile des années 1990 [1], ou les silences sur la tragédie tchétchène. Toutes ces histoires semblent malheureusement appartenir à la seconde catégorie. Le XXe siècle est toujours avec nous. C'est lui qui a permis une remise en cause de l'autonomie du politique établie depuis la Renaissance, tout particulièrement à l'égard de l'éthique. C'est parce que le machiavélisme de masse a triomphé que la question éthique a refait surface.

On dit souvent, surtout depuis les attentats du 11 septembre, qu'il n'est plus possible de séparer la politique interne et externe, une distinction longtemps centrale pour les experts des relations internationales. La raison en serait simple : les menaces internes et externes sont désormais connectées sous des formes jusqu'alors inconnues. On a pourtant souvent le sentiment que l'Europe et l'Amérique tirent de ce principe des conclusions opposées. La première conserve une solide introversion et semble absorber avec

---

mission d'assistance de l'ONU de 2 500 hommes en 1993, a compris deux mois avant son arrivée qu'un génocide était sur le point de se produire. Le 11 janvier 1994, trois mois avant la campagne de massacre la plus rapide du XXe siècle, il prévient l'ONU qu'un recensement des Tutsis a été fait pour préparer leur extermination. L'ONU a du moins reconnu ses torts au Rwanda. Mais la France ?

1. Voir Lunis Aggoun et Jean-Baptiste Rivoire, *Françalgérie. Crimes et mensonges d'Etat*, Paris, La Découverte, 2004, où une version toute différente de celle à laquelle le public français est habitué est présentée sur la violence qui a ravagé l'Algérie depuis 1992.

lenteur, à la façon d'un boa constrictor, l'élargissement de son territoire. La seconde a une tendance de plus en plus marquée à projeter ses forces et ses idées à l'extérieur.

Cette opposition entre une Europe tournée sur elle-même, soucieuse avant tout de faire fonctionner une Union à vingt-cinq sans y perdre son latin, et une Amérique présente dans le monde entier a cependant quelque chose d'excessif. Les Européens ont environ 60 000 soldats déployés dans diverses opérations extérieures et ils financent très largement l'aide au développement : l'absence de justice à l'extérieur leur apparaît aussi comme un manque de sagesse. De son côté l'Amérique n'est d'abord intervenue dans les affaires du monde que pour tenter de mettre un terme aux désordres insensés que les Européens avaient introduits dans les affaires internationales. Avant de nous plaindre de sa stature, il faudrait garder cela en mémoire. Sa tendance spontanée n'est pas la projection, c'est plutôt la protection du rêve américain. Mais elle perçoit plus clairement que ne le fait l'Europe que ses intérêts de sécurité doivent être défendus loin de ses frontières. L'on assiste ainsi à une inversion des rôles en ce début du XXI^e^ siècle, avec une Europe fatiguée de courir le monde, peu soucieuse d'assumer des responsabilités extérieures, et une Amérique qui fait de la politique étrangère et de la défense un enjeu politique majeur. Cependant, dans un monde où les instabilités sont légion, on ne peut oublier que l'Amérique et l'Europe représentent les seules parties prospères et pacifiques. Ont-elles un autre choix que de travailler ensemble à contenir les principaux dangers qui menacent la sécurité internationale, même si elles ne sont pas d'accord sur tous les sujets ?

La différence entre les deux rives de l'océan Atlantique ne s'arrête cependant pas là. Pour des raisons difficiles à comprendre, l'Europe semble avoir plus de mal que l'Amérique à se souvenir des dangers que les régimes autoritaires ou les dictatures font courir à la paix. Elle parle et agit souvent comme si elle pouvait s'accommoder de toute situation existante. C'est pourtant elle qui a fait l'expérience *intérieure* des plus effroyables débordements du pouvoir politique. Pourquoi n'en est-il pas resté un code de conduite envers les dictateurs à l'usage des démocraties ? Non seulement l'Europe n'a pas trouvé le moyen de condamner l'Irak dans les années 1980 pour son emploi massif d'armes chimiques contre les troupes iraniennes et la population civile kurde [1], mais selon les mémoires de l'ambassadeur francais de l'époque auprès des Nations unies, Pierre-Louis Blanc, la France serait intervenue pour éviter une condamnation du Conseil de sécurité

1. A défaut de tout autre argument, cette condamnation était justifiée par la violation par l'Irak du Protocole de 1925, dont la France est dépositaire, et qui interdit l'usage d'armes chimiques et biologiques. Ce Protocole, qui fait partie du droit humanitaire dont la Croix-Rouge suit la mise en œuvre, est un des acquis de la réflexion qui a suivi la Première Guerre mondiale.

pour ces actes monstrueux. Dans les années 1990, les massacres de Milosevic et de ses alliés ont mis du temps à éveiller les consciences des capitales, alors qu'ils se produisaient à nos portes. Il est vrai que les Etats n'ont pas de conscience, c'est la grandeur des individus que d'en avoir une. Quant aux milices qui ont engagé un génocide au Darfour depuis deux ans, on s'interroge toujours sur la nature exacte des exactions pour différer l'intervention.

La faiblesse de la distinction classique entre l'intérieur et l'extérieur ne vient pas seulement des risques croissants qui ne peuvent pas être attribués clairement à l'un ou l'autre espace, jadis plus séparables ou séparés. Elle n'est pas liée non plus au seul fait que notre sécurité peut être menacée très loin de notre territoire – après tout, depuis l'existence de missiles intercontinentaux, il s'agit là d'une banalité. Elle tient aussi à ce que les versions contemporaines du « tout est permis » politique – où qu'elles se produisent – ne peuvent plus être écartées comme des phénomènes déplaisants par les gouvernements à l'âge où les systèmes d'information et la précision des satellites militaires et commerciaux ne permettent plus à quiconque d'ignorer ce qui se passe. La tolérance politique à l'égard des doctrines et des ambitions les plus extrêmes nourrit les monstres politiques. C'était vrai dans les années 1930. C'est toujours vrai aujourd'hui. Une des principales questions morales qui est posée à notre temps, comme elle l'était déjà au siècle précédent, est donc de savoir comment y répondre. On se demande parfois si on a fait le moindre progrès dans ce domaine.

Le problème de l'Europe n'est pas tant un investissement modeste dans les dépenses de défense, sa difficulté à prendre des décisions à vingt-cinq ou à exprimer une volonté collective [1]. Ce n'est pas non plus le rejet par les populations de grands pays du projet de Constitution qui devait assurer la progression de l'Union. Son problème principal, après avoir porté à son point extrême l'investissement dans l'action historique, c'est d'être tentée par une sortie de l'histoire, qui suppose un *formidable effort d'oubli* de son passé proche et plus lointain et d'avoir d'autant plus de peine à y revenir qu'elle en a perdu jusqu'au désir. Son problème, après avoir été le grand pourvoyeur d'idées dans le monde, c'est de devoir reconnaître que les idées ne naissent plus chez elle et que celles qui lui restent n'ont plus assez de force pour la convaincre. Comment pourraient-elles dans ces conditions influencer les autres ? Au nom de quoi pourraient-elles permettre l'intégration des populations immigrées qui se pressent sur leur territoire ? Comment déterminer une volonté extérieure ? En stratégie comme en politique, la pensée européenne est surtout réactive. L'Europe n'a rien à dire. Comme le souli-

1. C'est pourtant sur le thème de la sécurité et du rôle politique global de l'Union que les attentes des 450 millions d'Européens sont les plus constantes dans les sondages d'opinion.

gnent Alain Frachon et Daniel Vernet dans l'ouvrage qu'ils ont consacré aux néo-conservateurs, elle se conduit « comme si les problèmes n'existaient que lorsque les Etats-Unis les posent ».

L'année 2004 a fourni un baromètre de son état. La réunification tant attendue du continent européen n'a donné lieu à aucune manifestation à la mesure de l'événement. Quelques cérémonies timides ont accueilli les nouveaux arrivants séparés de l'autre Europe depuis la fin de la guerre, leur rappelant ainsi les réticences fréquemment exprimées à l'égard de l'élargissement, plutôt que la joie de l'unité retrouvée. Quelques mois plus tard, le soixantième anniversaire du soulèvement de la ville de Varsovie, un des épisodes les plus héroïques de la Seconde Guerre mondiale, n'a justifié le déplacement d'aucun officiel français. On a même laissé Vladimir Poutine tirer parti de l'événement, alors qu'en 1944 les troupes russes avaient attendu sans broncher la fin du massacre nazi pour traverser la Vistule. Enfin, l'année de l'élargissement et de l'adoption du Traité constitutionnel, les élections européennes ont connu un taux d'abstention record qui témoigne mieux que tout sondage de l'envahissante léthargie des citoyens européens. Celle-ci a été confirmée en 2005 par la médiocrité des débats qui ont accompagné la campagne référendaire en France, un des pays clés de la construction européenne, ainsi que par les résultats désastreux auxquels elle a finalement conduit.

Pendant que les Européens sommeillent, d'autres prennent conscience du pouvoir des idées. Mais ce sont des idées très contraires aux valeurs européennes qui gagnent le plus de terrain. Le mépris de la vie humaine, le refus de distinguer les civils des combattants, l'assassinat présenté comme un devoir, sont des provocations directes aux valeurs que nos sociétés sont censées défendre. Quel prix sommes-nous prêts à payer pour le faire ? A voir la réaction de l'Union européenne au massacre de Beslan en Ossétie du Sud en septembre 2004, on en conclut que ce prix ne doit pas être très élevé [1]. La Hollande mise à part, pas un gouvernement occidental n'a osé interroger Vladimir Poutine sur la gestion de cette tragédie. Il semble pourtant que plus d'une question serait pertinente, puisque les explosifs et les armes venaient du ministère de l'Intérieur russe et qu'un des preneurs d'otages au moins appartenait à la police des polices de Moscou [2].

L'Europe est à la fois trop tournée vers le passé pour être un acteur majeur au XXI$^{e}$ siècle et trop coupée de celui-ci pour y trouver son inspiration. Comme les autres sociétés occidentales, elle vit

1. La présidence hollandaise a d'abord demandé des « explications » à Moscou, puis devant les injures auxquelles cette timide demande a dû faire face de la part du ministre des Affaires étrangères russes, elle a reculé, effrayée de sa propre audace.

2. Voir l'article de Marie Jégo dans *Le Monde*, novembre 2004.

dans une immédiateté qui l'empêche d'ajuster son présent à son passé, et de s'imaginer un avenir. Si elle n'a pas la politique de sa pensée, c'est que celle-ci a cessé d'être vivante. Sa démocratie est devenue abstraite comme le sont ses valeurs, incapables d'exercer dans le monde l'influence dont celui-ci aurait besoin. Dans une période de grande stabilité internationale, ceci serait peut-être sans conséquences. A une époque de profonds bouleversements et d'exaspération des passions, cet épuisement est lourd de dangers. Il serait temps d'interrompre la rumination souterraine de l'histoire pour s'occuper de l'avenir. Sinon, d'autres s'en occuperont pour nous.

La physique moderne a tenté d'expliquer les événements irréguliers de la nature. Il est plus difficile de trouver des explications au chaos historique quand il s'installe, car il renvoie à une perte de contrôle et de sens. Comme dans la nature cependant, les déséquilibres qui apparaissent dans l'histoire ont tendance à engendrer d'autres événements en chaîne. La théorie physique dite des catastrophes a une sorte de correspondance dans le cours des affaires humaines. Sommes-nous donc *à la veille de quelque chose* ? Il y a un siècle exactement, c'était ce que pensaient Charles Morice, un poète et critique d'art symboliste qui s'est exprimé en ces termes précis, mais aussi un grand écrivain, Léon Bloy, qui évoquait alors le « prologue d'un drame inouï ». Avant de tourner le télescope vers l'avenir, c'est vers 1905 qu'on peut le diriger, une année qui allait s'avérer décisive dès son ouverture : la première révolution russe éclatait le 23 janvier 1905.

DEUXIÈME PARTIE

# 1905

« Nous sommes au prologue d'un drame inouï, tel qu'on n'en a jamais vu depuis plusieurs siècles. »

LÉON BLOY, 1905.

CHAPITRE I

# *Présages*

> « Ah, si vous saviez, enfants, le froid et les ténèbres des jours à venir ! »
>
> ALEXANDRE BLOK.

1905 a été une des années les plus dramatiques du début du XX^e^ siècle. On y trouve pêle-mêle une série d'événements qui vont bouleverser les affaires du monde. A cette date, il était déjà devenu difficile de se contenter de rêver aux charmes de la Belle Époque. On pouvait voir poindre un peu partout, de l'Europe à l'Asie, en Russie comme en Chine, ce que l'on appellera plus tard le siècle des guerres et des révolutions. C'est la date de la première défaite occidentale face à une puissance asiatique dans une guerre moderne ; avec la première révolution russe, c'est un avertissement solennel pour le pouvoir de Saint-Pétersbourg ; c'est aussi la première crise marocaine entre la France et l'Allemagne – dont la conférence d'Algésiras évite de justesse qu'elle ne se transforme en conflit armé entre les deux pays, neuf ans avant le début d'une guerre qui va décider du sort du siècle tout entier. 1905 est enfin l'année d'une expansion considérable de la scène internationale, de l'interconnexion des mondes et de l'ouverture à de nouveaux horizons. Deux grands acteurs, les Etats-Unis et la Chine, font leur apparition sur la scène internationale dans des rôles fortement contrastés. Washington joue sa première carte diplomatique majeure à Portsmouth comme médiateur entre la Russie et le Japon pour la signature de leur traité de paix. Elle commence alors à remplacer l'Angleterre sur la scène mondiale. Quant à la Chine, c'est à cette date que Sun Yat-sen, le plus grand penseur de la révolution chinoise, publie son texte fondamental : la déclaration du mouvement nationaliste. Le XXe siècle a commencé !

De tous ces événements, le plus lourd de conséquences est la guerre russo-japonaise qui a favorisé, après la défaite russe, le traditionnel mouvement de bascule de la Russie vers les Balkans, où se trouve une des racines de l'enchaînement fatal qui conduira à la Première Guerre mondiale. La défaite a surtout précipité la révolution de 1905 en Russie, qui sonne comme une répétition – au sens théâtral du terme – de celle de 1917. La victoire de Tokyo a aussi encouragé les visées impérialistes du Japon, dont les conséquences apparaîtront dans les années 1930 et 1940. Cette guerre a été lancée par Saint-Pétersbourg dans des conditions d'impréparation intellectuelle et matérielle insensées. Si le conflit russo-japonais se termine en quelques mois par une défaite aux conséquences incalculables, la responsabilité russe est énorme. Nicolas II, dont l'esprit était naturellement peu tourné vers la guerre, et qui n'avait des affaires de l'Etat qu'une vision brumeuse, s'est laissé convaincre par un dilettante qu'il pourrait prendre possession de la Mandchourie et de la Corée sans difficulté. Il décide la guerre sans évaluer la puissance militaire montante du Japon, qui a pourtant déjà montré de quoi il était capable en Chine. A la suite d'une série de maladresses russes, Tokyo attaque Port-Arthur par surprise une nuit de janvier 1904 pour porter la bataille en Mandchourie. La flotte devait créer les conditions nécessaires à l'engagement de l'armée de terre. Dès lors, au lieu de la promenade annoncée, les défaites se succèdent rapidement sur terre comme sur mer. En quelques mois la flotte russe est pratiquement détruite et la Russie essuie une série d'humiliantes défaites.

Il s'agit là d'une guerre moderne pleine d'enseignements, que les états-majors auraient pu méditer en Europe s'ils avaient été moins obsédés par des problèmes plus familiers : de nouveaux moyens ont été utilisés, les combats ont duré beaucoup plus longtemps que prévu, et de sérieuses complications internationales sont apparues à plusieurs reprises. Les effets psychologiques sont dévastateurs en Russie, et on peut encore les apprécier au moment de la capitulation du Japon, en 1945. Le jour de la victoire, Joseph Staline rappelle la défaite de 1905 pour mettre en valeur la revanche que la Seconde Guerre mondiale a donnée à la Russie : « Notre peuple a toujours cru qu'un jour viendrait – et il attendait ce jour – où le Japon serait défait et la tache effacée. Nous avons attendu ce jour pendant quarante ans, nous gens de la vieille génération [1]. »

Ce qu'il oublie alors de dire, c'est que la Russie n'a joué aucun rôle dans la défaite du Japon en 1945, entièrement due aux Etats-Unis, et surtout que les mouvements révolutionnaires russes ont été les premiers bénéficiaires de la défaite de 1905 et de la répression féroce qui a suivi [2]. Une fois la guerre finie, la fragilité de l'ancien monde devint aussitôt manifeste. Le pouvoir impérial, décrédibilisé comme l'armée et pour les mêmes raisons [3], ne résiste aux forces qui veulent sa

1. Staline était opposé à la guerre de 1905 et s'était réjoui des défaites comme tous les révolutionnaires.

2. Voir cette déclaration de Trotski dans *Ma vie* : « Mon travail, pendant les années de réaction, a consisté pour une bonne part en commentaires sur la révolution de 1905 et en une préparation théorique pour l'autre révolution. »

3. La guerre russo-japonaise est ainsi décrite par Serguei Witte, président du Comité des ministres et hostile à la guerre : « La plus funeste des guerres les plus funestes, puis, comme conséquence immédiate, une révolution depuis longtemps préparée par un régime policier, de cour et de camarilla. »

destruction qu'au moyen d'une répression qui le condamne plus qu'il ne le protège [1]. Dès janvier 1905, la police du tsar réprime brutalement une immense manifestation pacifique en faisant d'innombrables victimes. C'est le début de l'embrasement révolutionnaire. Dans les campagnes, les révoltes paysannes – à l'organisation desquelles participe un certain Koba (Staline) en Géorgie dans la région de Kartli – ne tardent pas à prendre, elles aussi, une allure sanglante. La première grève générale éclate. Dans les deux années qui suivent, on comptera plusieurs milliers d'exécutions.

Cette révolution échoue mais elle a lancé un mouvement qui ne s'arrêtera qu'avec la totale défaite de l'ordre impérial. Léon Trotski, avec l'intelligence stratégique qui le caractérise, est un des premiers à le comprendre : il n'a cessé de méditer les événements de 1905 pour en tirer des leçons, comme si la vraie révolution était non celle de 1917 mais plutôt celle-là, malgré son échec. Ce soulèvement le convainc notamment de la *sottise* des paysans, qui se révoltent localement,

---

1. Serguei Witte résume ainsi la guerre contre le Japon dans ses souvenirs : « Nous n'avions pas assez des Polonais, des Finlandais, des Allemands, des Lettons, des Géorgiens, des Arméniens, des Tatars, etc, etc,. nous avons voulu nous adjoindre encore un territoire peuplé de Mongols, de Chinois, de Coréens. A cause de cela, nous avons connu une guerre, qui a ébranlé l'empire de Russie. » (Cité par Michel Heller, *Histoire de la Russie et de son empire*, Flammarion, Champs, 2003, pp. 874 et 876.)

pour tirer ensuite sur les ouvriers des villes. Dans un pays encore essentiellement composé de paysans, les propos de Trotski illustrent le profond mépris qu'il portait au peuple russe. Il y est question de l'« ineptie politique du moujik », de son « crétinisme moral » et de la « malédiction historique des mouvements ruraux ». Faut-il s'étonner ensuite que les malheureux qui ont déjà tant souffert du servage soient après la révolution systématiquement déportés par Staline, ou exterminés par lui au moyen d'une famine qui fera sept millions de morts au début des années 1930 [1] ?

La littérature russe, elle aussi, a salué l'embrasement. Andrei Biély a consacré à la révolution de 1905 son roman le plus remarquable, *Pétersbourg* [2], où l'on peut voir la haine de tout ce qui représente l'autorité étatique, l'activité de réseaux terroristes étroitement mêlés aux forces de police [3] et une décomposition des

1. Voir *1933, l'année noire. Témoignages sur la famine en Ukraine*, présentés par Georges Sokoloff, Albin Michel, Paris, 2000. L'ouverture des archives soviétiques à la fin des années 1980 a permis l'accès aux résultats du recensement de 1937, que Staline avait frappés d'interdit.

2. Vladimir Nabokov, qui a la dent si dure pour Dostoïevski, tient ce roman pour un chef-d'œuvre.

3. Ce phénomène est déjà très répandu dans les années 1880, où l'Okhrana si redoutée ne comptait que trente-sept agents secrets, c'est-à-dire moins que l'organisation révolutionnaire Narodnaïa Volia. C'était l'époque du sinistre lieutenant-colonel Georgy Sudeikin, qui avait réussi à infiltrer complètement le mouvement révolutionnaire. Il finit par être victime de son goût obsessionnel des rendez-vous secrets et des complots inextri-

sentiments et de la société dont seule *La Règle du jeu* de Jean Renoir, tournée au moment d'une autre catastrophe, en 1939, peut donner une idée.

La Première Guerre mondiale achèvera le processus qui est ainsi lancé. La Russie est en 1917 le premier Etat qui s'effondre sous l'effet de la guerre, à la surprise des Allemands qui attendaient la bataille principale sur ce front. La sympathie des soldats russes pour l'insurrection n'avait rien à voir avec la liberté, la terre ou quelque idée révolutionnaire que ce fût : ils ne comprenaient tout simplement pas pourquoi ils devaient se battre. Deux millions de déserteurs quittèrent le champ de bataille dans une énorme confusion. La situation politique devint si grave que quatre jours de soulèvement populaire – à la surprise des bolcheviks cette fois – suffirent pour mettre fin au régime. Lénine avait appelé à transformer « la guerre impérialiste en guerre civile » et c'est exactement ce qui finit par se produire. La guerre avait bien engendré la révolution. Pourtant, aucun des grands chefs bolcheviks n'a participé à la guerre et ils n'auront jamais qu'une représentation abstraite du massacre et de

---

cables en tombant dans le piège monté par un agent double, Serguei Degaev. Peu avant sa mort, ce responsable des services secrets russes avait planifié l'assassinat du comte Dimitri Tolstoï, ministre de l'Intérieur, pour montrer au tsar que l'Okhrana était indispensable et qu'il méritait bien le grade de général. Il n'eut pas le temps de mettre son plan à exécution et mourut simple colonel.

la catastrophe qu'elle a représentée pour l'ensemble de l'Europe. En revanche, Staline s'est souvenu que la guerre pouvait amener des transformations politiques radicales. C'est peut-être là une des explications de sa retraite apeurée au début de la Seconde Guerre mondiale, et de son refus préalable de reconnaître les nombreux préparatifs allemands.

A Paris, la révolution russe de 1905 restera une abstraction. La République avait beaucoup misé sur l'alliance avec Saint-Pétersbourg pour la seconder dans ce qui formait l'obsession française, la revanche envers l'Allemagne. Le manque de jugement politique et la méconnaissance de la réalité russe interdisaient aussi la compréhension en France du drame qui se jouait en Russie. Les événements de 1905 furent donc minimisés et l'on continua à arroser Saint-Pétersbourg de crédits avec l'emprunt qui permettra à la Russie de se relever [1]. En 1917, ce sera à nouveau la surprise, malgré l'expérience révolutionnaire nationale et l'avertissement de 1905. La Troisième République, bien qu'ayant entretenu des relations étroites avec Nicolas II, a porté sur ces événements un regard distrait. Pourtant, comme le souligne Isaiah Berlin, un observateur

1. Il y a quelque chose d'étrange dans cette alliance entre la République française et la plus grande autocratie de l'Europe, surtout quand on relit le récit des scènes de liesse populaire que provoque immanquablement la moindre rencontre entre les chefs d'Etat.

attentif, soucieux de l'avenir de la liberté en Europe, aurait pu se souvenir dès 1905 d'une intervention lourde de sens au Congrès du parti social-démocrate russe qui s'était tenu deux ans plus tôt seulement : « Un délégué nommé Posadovski intervint au cours d'une discussion en apparence purement technique sur le rôle de la centralisation et de la discipline hiérarchique au sein du parti pour demander si les socialistes "durs" (Lénine et ses amis), en conférant une autorité absolue au noyau révolutionnaire du parti, ne risquaient pas de compromettre les libertés fondamentales auxquelles le socialisme se disait officiellement aussi attaché que le libéralisme. Il voulait savoir si les dirigeants du parti n'iraient pas jusqu'à restreindre ou même bafouer ce droit élémentaire minimum, "l'inviolabilité de la personne". La réponse lui fut apportée par Plekhanov, l'un des fondateurs du marxisme russe et sa figure la plus vénérée... Prenant solennellement la parole, Plekhanov, avec un splendide mépris pour la grammaire, prononça ces mots : *Salus revolutiae suprema lex*. Assurément, si la révolution l'exigeait, tout – la démocratie, la liberté, les droits de l'individu – devait lui être sacrifié [1]. »

L'ébranlement russe qui suit la guerre russo-japonaise et la révolution de 1905 provoquent de puissantes ondes de choc dans un monde qui a

1. Isaiah Berlin, *Eloge de la liberté*, Calmann-Lévy, 1969, pp. 73 et 74.

déjà perdu une partie de son équilibre. L'idée que l'on peut modifier les situations acquises commence à faire son chemin dans les esprits. Les peuples d'Asie sont aussi éberlués par la victoire japonaise que les Russes ou les Occidentaux. Ils en tirent – notamment en Chine – une conclusion qui aura de grandes conséquences pour l'avenir : les Européens ne sont pas aussi invincibles qu'ils le paraissent. Ils peuvent même être battus. La valeur de précédent est ainsi intégrée dans les consciences.

En août 1905, le traité russo-japonais consacre la défaite de l'armée russe, considérablement affaiblie, et vide en partie de son contenu l'alliance militaire avec la France. Il consacre la montée en puissance du Japon en Extrême-Orient et donne au militarisme japonais, déjà bien établi après l'expédition réussie contre la Chine, un motif de fierté aussi grand que l'humiliation russe est profonde. L'occidentalisation engagée à la fin du XIX^e^ siècle a porté ses fruits. Cette première reconnaissance de l'idée impériale japonaise en Extrême-Orient aura des répercussions dans toute la première moitié du XX^e^ siècle. Les droits du Japon sur la Corée sont reconnus, et Tokyo occupe la péninsule la même année sans rencontrer la moindre protestation internationale, avant de l'annexer en 1910. Dès 1917, le Japon interviendra dans ce qui n'était au début qu'une guerre européenne, en s'emparant des positions allemandes en Extrême-Orient et dans le Pacifique occidental. Tout en étant dans le camp des vainqueurs en 1918, il ne se montrera pas satisfait : en 1931, il envahit la Mandchourie sans entraîner de réaction de la part de la SDN ; puis en 1937, l'armée nippone attaque la Chine en commettant l'erreur classique – après des victoires répétées – de croire en une guerre éclair. Le Japon profite enfin de la Seconde Guerre mondiale pour constituer son empire dans l'Est asiatique.

Quant à la Russie, ses rêves d'expansion une fois détruits en Extrême-Orient, elle revient vers les Balkans. Certains y voient un gain pour l'alliance avec la France, car Saint-Pétersbourg n'est plus distraite par ses équipées orientales. Mais c'est un allié affaibli et aigri. En 1908, la crise de Bosnie-Herzégovine va achever de l'exaspérer : elle n'est pas en situation d'intervenir pour soutenir ses alliés serbes, annexés par l'Autriche-Hongrie au mois d'octobre. A l'intérieur du pays, la guerre russo-japonaise donne lieu aussi à une série de pogromes contre la population juive. C'est l'origine d'une des grandes vagues d'émigration vers les Etats-Unis [1]. Contrairement à celle des deux dernières décennies du XIXe siècle, qui avait une composante populaire et paysanne, il s'agit là d'une émigration souvent

1. Une émigration massive avait déjà eu lieu à la fin du XIXe siècle, après les pogromes de 1881. En 1903, il y a encore le massacre de Kishinev, qui va entraîner, avec les pogromes liés aux suites de la défaite face au Japon, une vague très importante d'émigration.

cultivée, tant laïque que religieuse. On y trouve des rabbins et des membres du Bund. L'intelligentsia juive comprend qu'il est temps de quitter la Russie, où revient la période des troubles. Entre 1900 et 1914, les départs sont massifs : sur 1 000 juifs vivant dans l'empire russe, seize émigrent chaque année vers l'Amérique. Il faut remonter au milieu du XIXe siècle et à l'émigration irlandaise pour trouver des taux semblables. C'est que la vie devient de plus en plus difficile pour les juifs russes. Avant 1914, les pogromes touchent Bialystok, Gomel, Siedlce, Kishinev et surtout Odessa. Puis le mouvement s'accélère : immédiatement après la Première Guerre mondiale, des dizaines de milliers de juifs sont tués en Ukraine. Dans la seule ville de Proskurov, le nombre des victimes est plus élevé qu'en quarante ans de pogromes dans l'ensemble de la Russie tsariste. L'importance de la communauté juive aux Etats-Unis est ainsi, bien avant la montée du nazisme, le résultat direct des persécutions et des crimes de l'Europe.

Un autre épisode dramatique se noue dans la partie occidentale de l'Europe en mars 1905. La première crise marocaine entre la France et l'Allemagne éclate à Tanger et risque de mener à l'affrontement décisif. Une seconde crise, plus grave encore, éclatera en 1911. En eux-mêmes, les événements sont mineurs. L'empereur Guillaume II prononce à Tanger un discours où il se déclare prêt à protéger l'indépendance du

Maroc [1], dernier pays indépendant du Maghreb à cette date. La France, qui avait décidé depuis cinq ans d'y établir un protectorat, y voit une provocation. Cette crise n'aurait pas eu grande portée si les deux pays n'avaient laissé se développer, tout spécialement depuis l'arrivée au pouvoir du nouvel empereur allemand, Guillaume II, un état d'esprit tel que le moindre désaccord devenait périlleux. En mars 1905, quel que soit le sujet, tout compromis paraissait déjà impossible entre la France et l'Allemagne. La guerre est évoquée, mais elle est retardée de quelques années par la conférence d'Algésiras. Quand elle se produira, comme le souligne Hannah Arendt, ce sera la fin d'un monde : « Les jours qui ont précédé la Première Guerre mondiale et ceux qui l'ont suivie sont séparés non pas comme la fin d'une vieille époque et le début d'une nouvelle, mais comme le seraient la veille et le lendemain d'une explosion. »

Tous les pays engagés dans la guerre négligèrent ces formidables répercussions. Ceux qui prêchèrent au début du siècle une solution laissée au droit, et non aux armes, furent minoritaires. Les instituteurs par exemple, qui commençaient à développer le syndicalisme dans leur profession, prirent conscience des risques que l'idée de revanche présentait dans tous les manuels scolaires. On voit apparaître en 1905 précisément de nou-

1. En 1918, une des requêtes de la France sera de récupérer l'ensemble des droits allemands sur le Maroc.

veaux livres, moins traditionnels, moins revanchards, qui ne présentent plus l'Allemagne comme l'ennemi héréditaire, et qui veulent laisser une chance à la paix par le droit. Mais cette « crise du patriotisme dans l'enseignement » est dénoncée par tous les obsédés des villages alsaciens avec les géraniums aux fenêtres, et n'est pas comprise pour ce qu'elle est en fait : la certitude que l'idée de revanche est suicidaire [1]. C'est un de ces moments où l'on aurait souhaité un dialogue plus harmonieux entre l'homme et l'histoire. Mais tous deux étaient déjà comme *emballés*.

En Europe, seuls la Suisse, l'Espagne, la Hollande et les pays scandinaves parvinrent à rester hors du conflit. Et le jeu des alliances laissait entendre qu'il ne s'agirait pas d'un conflit limité à l'Europe. Même si les plus féroces batailles ont été livrées de la Belgique aux Alpes, sur la frontière russo-allemande, en Autriche-Hongrie et dans les Balkans, la guerre éclata aussi en Asie, en Afrique, au Moyen-Orient et dans les îles du Pacifique. Les soldats vinrent du monde entier, des empires britannique et français, d'Australie, de Nouvelle-Zélande, du Canada et de l'Amérique. Qui pouvait alors prévoir que cette guerre déterminerait le cours de l'ensemble du siècle ? Personne semble-t-il.

---

1. Cette information sur les manuels scolaires et le syndicalisme des instituteurs m'a été donnée par Mona Ozouf, que je suis heureuse de pouvoir remercier.

Et pourtant ! Dès le milieu des années 1890, un ingénieur polonais avait eu l'intuition qu'une guerre transformerait profondément les sociétés européennes et avait fait un long rapport au tsar. Il s'agit d'Ivan Bloch : « La majorité des écrivains militaires se penchent sur les aspects techniques de la guerre et traitent des conflits futurs de façon si objective qu'ils laissent tout à fait de côté les questions psychologiques et sociologiques. Pour le dire en un mot, c'est tout l'aspect humain de cette grande question qu'ils négligent. La recherche sur les conditions de l'avenir de la guerre ne peut pas se limiter à l'efficacité comparée des différents Etats. Les armées sont des produits des sociétés. Les peuples, comme Taine l'avait déjà observé, jugent avec leur cerveau mais surtout avec leur cœur. C'est donc dans les sentiments des populations qu'il faut chercher des indications de l'état d'esprit avec lequel les armées entreront en guerre et l'effet qu'auront sur elles les premiers succès ou les premiers revers. Une caractéristique remarquable de notre temps est la rapidité avec laquelle les changements se produisent dans les domaines matériels et intellectuels. De plus grands bouleversements sociaux se produisent en quelques années qu'auparavant au cours de plusieurs siècles. Ce grand mouvement de la vie vient de la dissémination de l'éducation, de l'activité des parlements, des associations, de la presse et des moyens de communication. Sous l'influence de ces conditions nouvelles, l'esprit se trouve constamment en mouvement. Une autre caractéristique de notre époque est le lien entre le mouvement auquel est soumis notre siècle et l'instinct des masses qui les anime. C'est un fait très remarquable que les peuples bougent en masse. Quelle patience peut-on attendre des armées modernes dans une guerre prolongée ? Quel sera l'effet des mauvaises nouvelles du front sur les civils ? Les civils eux-mêmes deviendront-ils une ligne de front ? Quelles convulsions apportera l'arrêt des hostilités quand des millions de soldats retourneront dans leurs pays dévastés [1] ? » Il comprit aussi que l'équilibre des forces entre les combattants risquait de produire une guerre interminable, où aucune bataille décisive ne pourrait intervenir. Cela, les principaux combattants auraient aussi pu le pressentir. Le maréchal Joffre lui-même ne reconnaissait-il pas que les adversaires croyaient l'un comme l'autre à « une vigoureuse offensive » et qu'ils avaient, l'un et l'autre, « une volonté inébranlable » ?

L'historien militaire Michael Howard [2] remarque avec justesse qu'Ivan Bloch s'est trompé sur beaucoup de points. Mais cet ingénieur qui a

---

1. Ivan Bloch est un homme d'affaires polonais qui a fait fortune dans les chemins de fer au XIXe siècle. Il a remis en 1897 un volumineux rapport au gouvernement russe, où il soutenait que la puissance de feu désormais disponible rendait la guerre suicidaire pour les Etats, mais aussi pour les sociétés. Il a publié son ouvrage à Paris en 1898, sous le titre : *La Guerre future, aux points de vue technique, économique et politique.*

2. Michael Howard, *The Lessons of History*, Londres, Oxford University Press, 1991.

consacré ses longues années de retraite à comprendre les changements que l'évolution des technologies va faire subir à l'histoire des conflits, met en lumière de façon saisissante certains des traits les plus marquants des guerres du XX^e^ siècle : l'échelle insensée du nombre des morts, l'ampleur des victimes civiles, le rôle croissant de l'économie dans la préparation et la conduite de la guerre, la difficulté de contrôler les immenses changements en cours, le rôle des masses au XX^e^ siècle et l'incapacité des militaires à saisir à temps les conséquences des bouleversements technologiques. L'impréparation des généraux, tout particulièrement de l'armée russe, dont beaucoup d'officiers n'avaient jamais vu de champ de bataille en 1914, est un de ses grands sujets d'inquiétude. De fait, comme Soljenitsyne le décrit dans *Août 14,* ceux-ci ont souvent conduit leurs hommes à la mort par une série d'erreurs tragiques [1]. La véritable faiblesse d'Ivan Bloch, qui a consacré les paisibles heures de sa retraite à la rédaction d'un ouvrage sur les folies de la guerre moderne, est de faire reposer sa démonstration sur l'hypothèse que l'utopie ne pouvait pas être un puissant moteur de l'action humaine et que le suicide était un choix impossible.

En Asie commence aussi une autre révolution, avec un personnage hors pair dont le succès aurait

1. Du côté français 20 000 Russes engagés dans l'armée voulurent rentrer dans leur pays après la révolution. Ils furent fusillés pour « désertion ».

orienté l'histoire de la Chine moderne dans une tout autre direction que celle qu'elle a prise avec Mao Tse-tung. En avril 1905, Sun Yat-sen [1], leader du mouvement nationaliste chinois, rend publics dans une déclaration solennelle les trois principes de son mouvement : le nationalisme, la démocratie et le développement du peuple chinois. Le nationalisme est une affirmation de l'identité chinoise face à la dynastie mandchoue et représente une volonté d'indépendance, de souveraineté et d'unité. Il s'agit de permettre à la Chine de prendre sa place dans la famille des nations sur un pied d'égalité, à un moment où elle connaît l'humiliation et la division. La démocratie est la reconnaissance du pouvoir du peuple chinois et de la responsabilité du pouvoir devant le peuple. Sun Yat-sen a toujours été partisan d'une évolution politique graduelle, modérée et pacifique. On ne trouve dans aucun de ses écrits l'apologie de la violence pour assurer le changement politique. Le troisième principe, le développement, porte sur l'industrialisation, la reconstruction et la mise en place d'un système économique moderne en Chine.

L'importance historique de Sun Yat-sen, systématiquement sous-estimée dans la plupart des ouvrages occidentaux, a été saluée avec respect par ses deux principaux successeurs comme leur maître. Simon Leys lui rend cet hommage : « La

1. Sun Yat-sen se verra écarté du pouvoir par Yuan Shih-kai au moment où une république chinoise est déclarée en 1912. Il mourut en 1924, alors que la Chine était en ruine.

personnalité, la pensée et l'action de Sun constituent une clé fondamentale pour la compréhension de la Chine moderne et de sa révolution. Cette évidence est universellement acceptée en Chine. Sun est le seul homme politique chinois du XX^e^ siècle qui ait réussi à susciter le respect unanime de la postérité, et l'impact historique qu'il a eu sur l'ensemble du peuple chinois est si considérable que même les aventuriers qui se sont après succédé au pouvoir, de Chiang à Mao, se sont toujours sentis obligés de légitimer leur autorité en se donnant pour ses héritiers spirituels. Par contraste, la volonté que les Occidentaux ont toujours manifestée d'ignorer, de minimiser ou de ridiculiser le rôle de Sun est d'autant plus frappante [1]. » La vraie révolution chinoise est pour Sun Yat-sen l'accès des Chinois à la démocratie – même s'il avait une image musclée de la forme de démocratie qui serait possible en Chine. Si ses idées avaient triomphé, elles auraient évité les dizaines de millions de morts produits par le Grand Bond en avant et la Révolution culturelle [2]. Il prétendait que le drame de la Chine était qu'on s'y était toujours battu pour conquérir le trône impérial, pendant que les pays occidentaux se battaient pour conquérir leur liberté : « En Chine

1. Simon Leys, *Ecrits sur la Chine*, Robert Laffont, Bouquins, 1998, p. 210.

2. Selon la plus récente biographie publiée sur Mao Tsetung, son long règne aurait fait 70 000 000 de morts : Jung Chang et Jon Halliday, *Mao, the Unknown Story*, Londres, Jonathan Cape, 2005.

depuis quelques milliers d'années on s'est perpétuellement battu pour cette seule question : devenir empereur. » Son objectif n'était pas seulement de renverser la dynastie mandchoue, mais d'instaurer la république. Le méprise-t-on précisément pour cette raison en Occident ? Parce qu'il y a quelque chose de suspect à louer des « inventions occidentales » ? C'est ce que pense Simon Leys, et voici sa réponse : « Les Chinois n'ont pas inventé la machine à vapeur ni le moteur à explosion. Faut-il en conclure que les transports et communications en Chine ne sauraient avoir pour tout avenir que la brouette et le mulet ? »

Pour la Chine comme pour la Russie, l'Occident a toujours pris le parti des dirigeants contre le peuple. Chaque fois qu'un nouveau potentat écrasait le peuple, il a été salué par les gouvernements et les intellectuels : « Ainsi dès le milieu du XIXe siècle, l'Occident choisit d'épauler la croulante dynastie mandchoue contre l'insurrection Taiping. A l'aube du XXe siècle, il opposa son hostilité et son mépris aux premiers artisans révolutionnaires du mouvement républicain, préférant encore une fois miser sur l'empire fossile. Il ne considéra jamais Sun Yat-sen que comme une sorte de clown pittoresque, mi-dangereux, mi-idiot mais se montra disposé à prendre un Yuan Shi kai au sérieux [1]. » Après sa

1. Simon Leys, *op. cit.*, p. 9.

mort, la bataille entre le Kuomintang et les communistes fit rage et ses principes sombrèrent dans l'oubli.

L'année 1905 ne révèle pas seulement au monde entier la montée en puissance du Japon. C'est aussi la première apparition significative des Etats-Unis sur la scène diplomatique mondiale. Theodore Roosevelt joue un rôle de conciliateur à Algésiras qui met – provisoirement – fin à la crise marocaine, mais c'est son rôle de médiateur des Etats-Unis entre la Russie et le Japon qui retient l'attention. L'émissaire de la Russie est Serguei Witte, hostile à la guerre dès 1904. Il met comme conditions de ne pas avoir à renoncer à la flotte russe du Pacifique et de ne pas céder de territoire. De fait, la Russie perd ses zones d'influence en Chine et en Corée mais ne cède que la partie sud de Sakhaline, toujours disputée en 2005 entre la Russie et le Japon. Le traité de paix, qui est signé à Portsmouth le 23 août 1905, vaut un prix Nobel au président américain [1]. Washington n'avait jusqu'à cette date qu'une faible visibilité en dehors de sa région, malgré la guerre victorieuse contre l'Espagne en 1898 qui lui avait donné Guam, Porto Rico et les Philippines [2]. L'ironie de l'histoire fera que

1. Ce traité représente un affaiblissement substantiel des positions russes en Extrême-Orient.

2. Le traité de Paris entre l'Espagne et les Etats-Unis (10 décembre 1898) donne l'indépendance à Cuba, cède Guam et Porto Rico à l'Amérique, et permet l'achat par Washington des Philippines pour 20 millions de dollars.

l'Amérique sera elle-même victime, presque quarante ans plus tard, d'une attaque surprise comme celle qui a scellé le sort de la guerre russo-japonaise, commencée avec l'attaque de Port-Arthur. En 1941, les hydravions américains patrouillaient de jour, non de nuit. Les Japonais ont donc utilisé l'obscurité pour faire avancer des porte-avions à toute vapeur pendant la nuit. Avant l'aube, les avions partirent et atteignirent Pearl Harbor en deux heures. Quand on a les questions asiatiques en tête, il ne faut jamais oublier la surprise et l'imagination stratégiques.

L'Amérique est en train de trouver un espace politique à sa mesure et c'est à peu près à cette époque – en 1902 – que paraît le premier ouvrage sur l'américanisation du monde. Le suicide européen lui offrira bien davantage encore en 1918 puis en 1945. Washington sera intervenu dans les affaires mondiales davantage pour faire cesser les excès de puissance des autres nations que pour exercer la sienne. En 1914, aucun observateur ne prévoyait que la puissante Russie s'effondrerait aussi vite ou que les Etats-Unis joueraient un rôle de premier rang. Le président Wilson est au cœur de la Conférence de 1919 et les Etats-Unis sont présents sur toute la surface du globe en 1945 : ils se battent sur les théâtres européen et asiatique et remportent la victoire des deux côtés. Staline est un des rares hommes d'Etat à comprendre la leçon sur-le-champ. La seule chose qui le rassure, c'est que les Américains sont pour lui beaucoup plus faciles à berner que les Anglais. A Potsdam, quand Churchill avait demandé quel était désormais le sens du mot Allemagne, Truman s'était contenté de demander, avec une naïveté qui sidère encore aujourd'hui : « Comment la délégation russe comprend-elle cette question ? » La délégation russe avait un avis en effet : l'Allemagne ne devait plus être qu'un concept géographique. Elle ne se fit donc pas prier : « Pour répondre à cette question, il suffit de définir les frontières de la Pologne. »

Pour terminer, tout à la fin de l'année 1905, en décembre, on trouve un document que l'historien John Keegan tient pour « le plus important document officiel écrit au cours de la première décennie du XX^e^ siècle et peut-être même des derniers cent ans ». Il s'agit du plan Schlieffen, du nom de son architecte, un officier allemand qui a consacré une grande partie de sa vie à faire et à refaire le plan d'attaque de l'armée allemande, qui sera exécuté en 1914. Ce plan n'a pas précipité la guerre. Il n'a pas davantage prévu ce qui se passerait au moment de son exécution : c'était un plan de victoire rapide pour une guerre courte. On peut cependant trouver dans les erreurs qu'il contient toutes les possibilités de l'enlisement du conflit. Dans l'esprit de Schlieffen, la quasi-totalité des forces allemandes devait permettre une offensive écrasante contre la France, dans un pari où l'échec de l'offensive n'était pas même envisagé [1]. La violation de la neutralité

1. Les premiers résultats confortent Schlieffen : échec de l'offensive française, victoires allemandes en Belgique, avance

belge, garantie par trois pays (l'Angleterre, la France... et la Prusse) depuis 1839, était préconisée sans état d'âme ni ménagement.

Il paraît que la grande inspiration de Schlieffen, qui n'a eu d'autre occupation jusqu'à sa mort en 1912 que d'améliorer son plan dans les moindres détails, était la victoire écrasante d'Hannibal à Cannes. C'est un exemple qui laisse rêveur. L'homme ne s'intéressait ni à la politique ni aux relations internationales et avait de l'histoire une vision exclusivement militaire [1]. Mais son plan a été suivi, et les terribles années dans les tranchées, si bien décrites par Erich Maria Remarque, en seront le résultat direct. Si John Keegan souligne l'importance du plan Schlieffen, c'est pour des raisons de nature stratégique. Mais quand les hécatombes quotidiennes ont détruit les défenses psychologiques face à la mort, il est difficile de distinguer la stratégie de la morale. Après la guerre, on constatera une insensibilité durable aux violences internationales et sociales qui traverseront tout le siècle. Nous en sommes les héritiers malheureux.

Le plan Schlieffen ne s'occupe que de la victoire à l'ouest alors que l'objectif central de

---

des armées de l'empereur jusqu'aux abords de Paris. C'est l'attaque du flanc de l'armée de von Kluck suivie de la bataille de la Marne qui fait tout basculer. Plus question de l'emporter en six semaines comme prévu. Il faudra perdre en quatre ans.

1. Pendant ce temps, la France en était à son plan n° XV, qui datait de 1903. Elle exécutera le plan n° XVII.

l'état-major allemand n'était pas d'écraser la France, mais de mettre la Russie hors jeu avant qu'elle ne devienne trop puissante : l'industrialisation était très rapide et la construction de chemins de fers transformait la question du transport des troupes et du matériel. La Russie était considérée comme une menace existentielle – ce qu'elle est en fait devenue, mais plus tard, et grâce à la guerre. Ce sentiment de la menace russe est reflété dans le curieux échange que Guillaume II eut avec son état-major au moment où il apprit que la guerre était devenue inévitable. Il s'exclama alors : « Nos hommes partent donc pour la Russie ? », et reçut cette réponse : « Non pas, sire, pour la France. » L'idée était d'éviter deux fronts que l'alliance franco-russe rendait inévitables, et de remporter une victoire éclair à l'ouest avant une guerre plus difficile à l'est. C'est le contraire qui se produisit en 1914, mais c'est exactement ce qui eut lieu vingt-cinq ans plus tard. La répétition d'un plan déjà connu surprit les Français qui n'étaient nullement préparés à la riposte. Les leçons de 1914 avaient été oubliées [1]. Du côté allemand, Hitler n'a jamais accepté la fatalité de la coalition des *Latins* et des *Slaves* que Schlieffen croyait inévitable en raison de la position centrale de l'Allemagne. Il a donc préparé la guerre par une action politique et diplomatique intense ayant pour résultats des

1. Comme aujourd'hui celles des années 1930 et de la guerre froide.

coups de force successifs puis une division des deux camps grâce au pacte avec Staline.

En Europe, peu nombreux sont ceux qui comprennent à quel point les événements de l'année 1905 se succèdent comme autant d'avertissements des grands drames à venir. Il faut donc rendre hommage à ceux qui ont eu une sensibilité historique suffisamment fine et ample pour discerner des symptômes d'autant plus inquiétants qu'ils se produisaient à des endroits très divers de la planète. En France, Paul Valéry est un de ceux qui comprend le mieux le caractère global des événements du tournant du siècle : « Je ne sais pourquoi les entreprises du Japon contre la Chine et des Etats-Unis contre l'Espagne qui se suivirent d'assez près, me firent, dans leur temps, une impression particulière. Ce ne furent que des conflits très restreints où ne s'engagèrent que des forces de médiocre importance ; et je n'avais, quant à moi, nul motif de m'intéresser à ces choses lointaines, auxquelles rien dans mes occupations ni dans les soucis ordinaires ne me disposait à être sensible. Je ressentis toutefois ces événements distincts non comme des accidents ou des phénomènes limités, mais comme des symptômes ou des prémisses, comme des faits significatifs dont la signification passait de beaucoup l'importance intrinsèque et la portée apparente [1]. » Si l'on compare ce texte à l'incompréhension presque

---

1. Paul Valéry, *Regards sur le monde actuel*, in *Œuvres*, Gallimard, Bibliothèque de la Pléiade, 1962, tome II, p. 913.

générale que suscitent aujourd'hui en Europe les questions stratégiques que pose l'Extrême-Orient, sur lequel nous sommes pourtant beaucoup plus renseignés que ne pouvait l'être Paul Valéry, on demeure interdit. L'exceptionnelle perte d'influence des Européens dans les affaires du monde en un siècle seulement en devient frappante.

CHAPITRE II

# *Naissance de la modernité*

« Avez-vous le sentiment qu'aujourd'hui l'art tende à prendre des directions nouvelles ? »

Questionnaire paru en 1905 dans le *Mercure de France*.

Isaiah Berlin prétend que les repères chronologiques coïncident rarement avec des tournants dans l'histoire des idées. Ce n'est pas vrai de 1905. La vie intellectuelle et artistique connaît alors de profonds bouleversements, comme si les douze mois de cette année devaient jouer un rôle très spécifique dans l'histoire de la conscience humaine. Dans les sciences et les arts, 1905 est l'année de trois événements majeurs. En physique, la parution en Suisse de *La Théorie de la relativité* et de trois autres écrits d'Albert Einstein va provoquer une révolution comparable à celle que l'on doit à Isaac Newton trois siècles plus tôt. Dans l'histoire de la peinture, cette année est celle de la première exposition des « Fauves » au Salon d'automne de Paris, manifestation à laquelle se réfèrent constamment les historiens d'art pour déterminer la date de naissance de l'art du XX^e^ siècle. 1905 est enfin à Vienne la date de la publication d'une œuvre majeure de Freud, dont la pensée dominera à tel point le siècle qu'il n'est pas excessif de parler du *siècle de l'inconscient.* Il s'agit des *Trois Essais sur la théorie de la sexualité.*

Un siècle plus tard, plus personne ne peut l'ignorer : 1905 est l'année miracle du génie d'Einstein, qui cherchait depuis quelque temps, loin de la communauté scientifique, à résoudre des questions que le mathématicien Henri Poincaré tenait pour les plus importantes de celles qui n'avaient pas encore été résolues. Cette année-là voit donc paraître en Suisse sa *Théorie de la relativité* et trois autres articles – sur la lumière, sur le mouvement brownien, sur l'équivalence entre masse et énergie – qui vont révolutionner la physique moderne [1]. Avec un document succinct de seulement trente pages, il proposait une réécriture complète des lois de la physique. Grâce à ces travaux, la difficulté de relier les lois du mouvement aux lois de Maxwell au sein d'une théorie

1. Voir John S. Ridgen, *Einstein 1905. The Standard of Greatness*, Harvard University Press.

unifiée du monde est levée [1]. L'œuvre décisive d'Einstein, qui sera complétée en 1916 par la théorie de la relativité générale [2], ouvre un siècle marqué par la physique – comme le XXI^e siècle le sera probablement par la biologie –, qu'il s'agisse de ses applications civiles ou militaires. Ces dernières joueront un rôle considérable dans les conflits. Parmi elles, la plus révolutionnaire pour l'histoire des relations internationales est l'arme nucléaire qui donne à l'homme un pouvoir de destruction sans précédent. Einstein écrira à ce sujet une lettre au président des Etats-Unis en août 1939, où il explique que les travaux de Fermi et Szilard sur l'uranium pourraient permettre de mettre au point une arme de puissance inégalée. Il y évoque aussi la crainte de la possible mise au point par l'Allemagne de l'arme atomique en soulignant que Berlin a pris possession des mines d'uranium tchèques. Bien que cette lettre n'ait pas joué de rôle décisif dans le projet Manhattan, qui ne commence qu'en décembre 1941, Einstein

1. Ce problème datait de l'époque de Newton.

2. Einstein a consacré dix ans à formuler sa thèse principale. La relativité restreinte repose sur le postulat que rien ne peut se déplacer à une vitesse plus élevée que celle de la lumière. Ceci était contraire à la théorie de la gravitation de Newton. Pour lever la contradiction, Einstein propose en 1916 la théorie de la relativité générale, en affirmant que les masses dans l'Univers s'influencent en courbant l'espace qui les entoure et que la gravitation se propage à la vitesse de la lumière à la façon des ronds dans l'eau. Il faudra attendre 1994 pour voir l'apparition de la première théorie post-einsteinienne de la gravitation qui puisse être confrontée à l'expérience, à la suite d'observations d'étoiles à neutrons.

regrettera amèrement d'avoir pu jouer un rôle même mineur dans la mise au point de l'arme nucléaire.

Quand il apprendra que l'Allemagne n'avait jamais dépassé le stade de travaux préliminaires sur un réacteur plutonigène, il reviendra sur sa lettre : « Si j'avais su que la crainte n'était pas justifiée, je n'aurais pas contribué à ouvrir la boîte de Pandore. » En juillet 1955, paraît le Manifeste Russell-Einstein dans lequel les scientifiques alertent les gouvernements sur les dangers de la guerre moderne. Il commence ainsi : « Dans la situation tragique où se trouve l'humanité, nous estimons que les scientifiques doivent se réunir pour évaluer les périls qui résultent du développement des armes de destruction massive. Nous ne parlons au nom d'aucune nation, continent ou communauté, mais comme êtres humains, membres de l'espèce humaine dont l'existence n'est plus assurée. » Après ce manifeste, une conférence internationale de scientifiques se réunit en Nouvelle-Ecosse, à Pugwash, en juillet 1957. Ce fut le premier pas d'une organisation internationale qui regroupe aujourd'hui une cinquantaine de pays. Rien de tel n'existe dans la communauté des biologistes, qui représentent la science du XXIe siècle.

On raconte qu'Einstein attribuait avec humour l'immense succès de sa théorie, même auprès de ceux qui n'y pouvaient rien comprendre malgré ses tentatives de vulgarisation [1], au concept de relativité, qui trouvait des échos profonds dans la conscience humaine de l'époque. Il ne s'agissait pas de la façon dont la relativité du temps modifiait la théorie de la gravitation universelle, ou de possibles digressions sur le fait que l'écoulement du temps dépendait des systèmes de référence considérés, thème très contemporain. Il était question de propositions beaucoup plus générales dont il lui arrivait de se moquer lui-même. Il aurait souvent déclaré : « Relatif, relatif, tout est relatif, tel est le secret de mon succès. » Là où les savants voyaient un renouvellement de la pensée théorique sans précédent depuis Newton, d'autres ne percevaient que l'expression scientifique d'un mouvement intellectuel plus vaste – avec lequel les liens n'étaient pourtant pas nets –, le relativisme historique. Ses racines se trouvent au XIXe siècle chez Herder, mais les progrès de cette école de pensée ont été si foudroyants, dans un monde où plus rien ne paraît stable ou ferme, que l'on vit encore dans un milieu qu'elle imprègne, alors même que la science a remis en cause les principes de la théorie physique d'Einstein.

1905, c'est aussi le moment où s'éveille la conscience qu'une nouvelle forme d'art est née avec le

1. Einstein a cherché à mettre sa théorie de la relativité à la portée de ceux qui n'avaient en fait de bagage mathématique que les connaissances d'un bachelier. On peut en trouver une bonne compilation dans la Petite Bibliothèque Payot : Albert Einstein, *La Relativité*, Paris, 1986.

siècle. Cette notion s'affirma avec une exposition au Salon d'automne, et fut préparée par deux articles du *Mercure de France*, en août et en septembre, qui présentaient les résultats d'une enquête sur l'art moderne du poète et critique d'art Charles Morice. Au printemps de la même année, Morice avait envoyé à de nombreux peintres cinq questions dont la première portait sur l'avenir de la peinture : « Avez-vous le sentiment qu'aujourd'hui l'art tende à prendre des directions nouvelles ? » La réponse d'une soixantaine d'artistes montre que le milieu croit à cette date à un tournant de l'art. Mieux, les peintres ont le sentiment d'appartenir à une époque de grand changement : « la possibilité d'une nouveauté en art... timbre et colore étrangement l'heure qui sonne ». Comme pour illustrer cette croyance, le Salon d'automne expose pour la première fois ceux que l'on appellera vite les « Fauves », expression qui a son origine dans un mot de Louis Vauxcelles, lequel désigne ainsi Matisse et Derain en raison de la « sauvagerie » supposée de leurs ouvrages : couleurs vives, traits spontanés et violents, dessin en rupture avec les normes académiques.

Le même critique s'exprime encore ainsi : « Ils ont mis une certaine rage à présenter des œuvres qui exigeaient du spectateur la compréhension la plus large de la peinture, et à négliger de s'accommoder aux habitudes des yeux de la multitude. » En fait, l'art qui naît ainsi fait bien davantage : il témoigne de la destruction des notions esthétiques en vigueur et prépare le public à un authentique bouleversement du rapport de la conscience au monde. Un autre critique, Michel Puy, tient ce propos sur les Fauves : « Leurs harmonies ne chantent plus, elles rugissent ; elles ne vous caressent pas, elles vous sautent à la gorge. » Ce sont des paysages intérieurs, un art qui accorde plus de valeur au sentiment qu'à la description du monde. Une subjectivité brutale et troublée apparaît sur les toiles. Ces peintres seront vite suivis d'autres mouvements artistiques, chacun revendiquant la valeur intrinsèque d'un nouveau type de subjectivité. Les cubistes, par exemple, peindront leurs quasi-abstractions avec une sorte d'objectivité scientifique et proclameront la recherche de vérités supérieures. Un obscur chaos de linéaments fonctionnels et structuraux prend la place de l'image artistique traditionnelle.

Peu après, on verra naître en Italie le mouvement futuriste, qui comporte des éléments clairement apocalyptiques, et se déclare ouvertement favorable à une grande guerre, seule susceptible d'apporter le renouveau espéré : « Nous voulons chanter l'amour du danger... nous voulons exalter le mouvement agressif, le saut périlleux, la gifle et le coup de poing. » Par une terrible ironie de l'histoire, le plus grand artiste de ce mouvement, Umberto Boccioni, mourra sur le front en 1916 d'une mort on ne peut plus « archaïque », en tombant de cheval. Plus tard, Hermann Bahr verra dans l'art de ce siècle l'expression achevée d'une angoisse existentielle : « L'art, lui aussi, crie dans la profonde obscurité ; il appelle à l'aide. »

Enfin, c'est en 1905 que Freud publie les *Trois Essais sur la théorie de la sexualité*, un petit livre qui bouleverse la recherche sur le psychisme humain. Certains le tiennent, avec *L'Interprétation des rêves*, paru juste au tournant du siècle, en 1900, pour la plus mémorable et la plus originale des contributions du père de la psychanalyse. Vrai ou faux, cet ouvrage est celui que Freud a le plus souvent revu à l'occasion des réimpressions. C'est aussi celui qui a causé le plus grand scandale. Moins de dix mille exemplaires sont vendus entre 1905 et 1920, mais on ne cesse de commenter ce petit ouvrage peu lu qui rend son auteur fortement impopulaire. C'est dans cette œuvre en effet que l'enfant est traité de « pervers polymorphe » et que la sexualité se voit assigner des buts beaucoup plus divers que la seule procréation. Le rôle de l'enfance prend une dimension toute nouvelle.

Si la relativité et la théorie quantique ont été les théories scientifiques du XX^e^ siècle, la névrose fut sa réalité psychique. La capacité d'incarner des utopies donna à la pensée politique des pouvoirs d'une exceptionnelle puissance. Les doctrines de l'autorité arbitraire, le mépris pour la liberté, la croyance en la moralité de la guerre et la nécessité de la violence frappèrent l'imagination des masses. Surtout, les crimes du XX$^{e}$ siècle sont pour une grande part des crimes de l'inconscient. C'est la raison pour laquelle ils demeurent profondément énigmatiques.

Freud, qui consacra son dernier ouvrage à Moïse, voulait être lui-même un *Gesetzgeber*, celui qui donne la loi, comme le grand homme de la Bible. En un sens, c'est bien ce qu'il devint pour le XX$^{e}$ siècle, en découvrant les aspects les plus cachés des relations humaines et en annexant progressivement tout le contenu mental de l'existence. Sa vision de la raison comme médiateur délicat entre le ça et le surmoi était beaucoup plus pessimiste que celle des penseurs du XIX$^{e}$ et même souvent du XX$^{e}$ siècle. Pour lui, la raison ne sera jamais vraiment émancipée. La science moderne du psychisme retrouve ainsi le pessimisme religieux et le caractère inévitable de la corruption. Son influence ne commença vraiment qu'après la Première Guerre mondiale, qui détruisit la confiance dans la moralité et la civilisation. C'est alors aussi que la pression de l'inconscient ne cessa de grandir et que la psychanalyse permit d'entrer dans les territoires interdits de l'âme. A chaque effort pour expliquer les êtres humains, ils deviennent plus obscurs en raison de leurs contradictions. Le bien et le mal procèdent de la même source et l'inhumanité fait aussi partie de la nature humaine. C'est ainsi qu'un jour, alors que le physicien Viktor von

Weizaecker lui confiait comme à regret : « Il y a quelque chose que nous ne connaissons pas », Freud répliqua aussitôt : « Sur ce terrain, je crois que je vous bats sans peine. »

CHAPITRE III

# *Un acteur imprévisible*

« Un effrayant mystère. »

H.R. TREVOR ROPER.

Que pouvait imaginer un observateur perspicace en 1905 ? Un effondrement de l'empire russe, la montée du militarisme japonais, une guerre absurde entre la France et l'Allemagne déclenchée par la passion nationaliste, et la réalisation de la prédiction de Tocqueville sur le rôle de l'Amérique dans les affaires mondiales [1]. Il pouvait encore prévoir la guerre des tranchées et l'incapacité de parvenir à une bataille décisive en raison de l'équilibre des puissances combattantes. Il pouvait redouter le carnage provoqué par les

1. Le propos de Tocqueville concerne l'Amérique et la Russie. Il n'y a là aucune prophétie sur le communisme, seulement un raisonnement sur la taille de la population et des richesses de la Russie, seul pays qui puisse se comparer à l'Amérique.

armes modernes et la façon dont de terribles guerres finiraient par devenir inévitables pour résoudre les contradictions internes des sociétés. Il pouvait percevoir le poids de plus en plus écrasant de l'Etat, du fait du grand mouvement vers l'égalisation des conditions. Il pouvait même imaginer Staline, comme le suggère Ossip Mandelstam dans une lecture troublante du passé russe : « Si je jette un coup d'œil en arrière sur tout le dix-neuvième siècle de la culture russe, brisé, fini, unique, que personne ne doit oser ni ne doit recommencer, je veux apostropher ce siècle comme le beau fixe. Mais je vois en lui l'unité d'un froid sans mesure qui a soudé les décennies en un seul jour, une seule nuit, le cœur de l'hiver, où la terrible structure étatique est comme un poêle brûlant de glace. » Staline pouvait être compris comme la poursuite monstrueuse d'une expérience nationale spécifique, où l'Etat finit par dévorer ses sujets en utilisant un individu dont la psychologie était tout entière concentrée sur la question du pouvoir politique.

On pouvait donc imaginer tout cela. Mais personne ne pouvait imaginer Hitler. Personne ne pouvait le faire pour au moins trois raisons : contrairement à Staline, qui avait des racines dans la tradition tyrannique russe, Hitler n'en avait guère dans l'histoire allemande. On ne lui trouve aucun précurseur. C'est une des plus célèbres interrogations de François de Menthon, procureur général français au procès de Nuremberg :

« Comment admettre que l'Allemagne... ait pu en arriver à cet étonnant retour à la barbarie primitive ? » Certains prétendent que le triomphe du nazisme est l'aboutissement de toute l'histoire allemande et de la difficile expérience de la démocratie en Allemagne, mais il semble plutôt que seules des circonstances exceptionnellement traumatisantes ont pu permettre son avènement. En second lieu, à un moment où l'expansion européenne se faisait *hors* d'Europe avec la colonisation, il était difficile d'imaginer une volonté d'expansion de l'Allemagne *en* Europe. Sur ce point, la responsabilité franco-britannique est considérable : aucun des deux pays, qui comprenaient fort bien l'intérêt de l'expansion coloniale pour eux-mêmes, n'a songé qu'il y avait dans l'absence de possibilités semblables pour l'Allemagne un problème réel. Une de leurs plus graves erreurs a été leur incapacité à gérer l'évolution des ambitions de l'Allemagne en Europe et à trouver une solution à ce qu'il est convenu d'appeler la « question allemande ».

Enfin, comment prévoir non seulement l'apparition d'Hitler, comme un diable qui sort de sa boîte, mais surtout le succès de cet individu incohérent et cruel, qui « voulait tout, tout de suite » selon le mot d'Albert Speer, et dont la pathologie paraît évidente à ceux qui écoutent aujourd'hui ses discours ? Comment prédire qu'une folie insensée pouvait diriger l'Europe ou qu'un psychopathe allait avoir un tel succès en

Allemagne ? Un des meilleurs jugements sur son cas est encore celui que porte Joseph Staline, expert en la matière, sur les personnages historiques : « l'histoire est remplie d'individus anormaux [1] ». Anormal, il l'était en de multiples sens.

Soixante ans après sa disparition, Hitler demeure « un effrayant mystère [2] », qui ne s'inscrit pas dans la lignée des auteurs de massacres qui l'ont précédé ou suivi, et représente « la plus monstrueuse entreprise de domination et de barbarie de tous les temps [3] ». Certains y voient même une irruption du mal radical dans l'histoire [4]. Si tel est bien le cas, ce que la plupart des historiens hésitent à dire, avec cette réticence caractéristique à évoquer ouvertement le problème du mal [5], il échappe à toute explication. Les historiens ne manquent jamais de reconstruire le processus qui a conduit à son avènement. Ils soulignent la façon dont son ascension, assez

---

1. Cité par Simon Montefiore, *op. cit.*, p. 27. L'admiration de Staline pour Hitler est connue. Le lendemain de la Nuit des longs couteaux (30 juin 1934), il a déclaré à Mikoyan : « Quel type, tout de même, cet Hitler ! C'est un coup vraiment génial. » Kirov allait être tué le 1er décembre 1934.

2. L'expression est de H.R. Trevor Roper, cité par Ron Rosenbaum dans *Pourquoi Hitler ?*, Jean-Claude Lattès, 1998, p. 17.

3. Intervention de François de Menthon à Nuremberg en 1945, *op. cit.*, p. 37.

4. C'est le cas par exemple d'Emil Fackenheim, théologien.

5. Cette réticence a conduit Alan Bullock, historien à Oxford, à s'exclamer au cours d'un entretien avec Ron Rosenbaum : « S'il n'est pas malfaisant, alors qui ? » (*Pourquoi Hitler ?*, *op. cit.*, p. 26.)

lente, a utilisé une technique d'entrisme progressif, dont aucune étape n'a été prise au sérieux par les Allemands ou leurs voisins. Mais ce qui demeure surprenant, c'est qu'une fois arrivé au pouvoir, grâce au suffrage universel, il ait pu s'y maintenir à partir du moment où ses projets – exprimés dans *Mein Kampf* – ont été systématiquement mis en œuvre. L'hypnotisme qu'il exerçait sur les foules, à une période de l'histoire où les masses n'ont jamais joué un tel rôle, montre le déséquilibre psychologique de ses auditeurs autant que le sien propre et fait irrésistiblement penser aux films de Murnau.

Le texte le plus prémonitoire sur cette période de l'histoire allemande est celui du poète Heinrich Heine. Il annonce l'avènement dans son pays d'une révolution d'une sauvagerie sans précédent auprès de laquelle la Révolution française semblerait « une innocente idylle » et où l'on verrait « des kantiens qui dévasteront impitoyablement par la hache et le glaive le sol même de notre existence européenne pour en extirper les dernières racines du passé [1] ».

Que l'apparition individuelle d'Adolf Hitler dans l'histoire renvoie à la théologie ou qu'il ait été le jouet de forces historiques et psychologiques qui le dépassaient, elle n'était possible que dans un environnement marqué par ce que Fritz

1. Heinrich Heine, *Histoire de la religion et de la philosophie en Allemagne*, Imprimerie nationale, 1993, p. 205.

Stern appelle la « culture du désespoir [1] » mais aussi par une perversion totale de l'autorité politique qui ne connaît plus aucune limite. Seul Nietzsche avait évoqué ce phénomène dans sa dimension éthique, en y voyant une des conséquences inéluctables du fait majeur selon lui de tout le XIX$^e$ siècle : la mort de Dieu et le caractère illimité du pouvoir politique qui allait en résulter. On ne pouvait imaginer Hitler sans la force explosive du ressentiment, mais on ne pouvait l'imaginer non plus sans la possibilité pour l'Etat, ce « monstre froid », d'exercer le pouvoir absolu. On ne pouvait enfin l'imaginer sans la disparition brutale de toute loi morale. Il s'agit là de grands thèmes du philosophe qui a vu dans les deux siècles à venir le spectacle de la destruction de la morale. Nietzsche est mort en 1900 et le XX$^e$ siècle lui a donné raison au-delà de ce qu'il pouvait craindre. Mais il parlait de deux siècles et non d'un seul. Le deuxième ne fait encore que commencer.

Hitler conserve une partie de son pouvoir après sa mort : il a montré que des crimes impensables avant lui étaient *possibles* et c'est là une expérience dont l'humanité ne peut se défaire. L'indestructible réalité de ses massacres est toujours avec nous. De ce seul fait, il a fait faire un pas de géant à la « brutalisation » des Euro-

1. Fritz Stern, *The Politics of Cultural Despair : a Study in the Rise of the Germanic Ideology*, Los Angeles, University of California Press, 1961.

péens déjà engagée par la Première Guerre mondiale, et prouvé l'efficacité psychique redoutable de la propagande en effrayant la classe dirigeante avec l'idée de révolution tandis qu'il répandait l'esprit de révolte en accusant les ploutocrates et les juifs. Il a lui-même désigné ses armes principales comme étant « la confusion mentale, les sentiments contradictoires, l'indécision et la panique ». La guerre des nerfs a duré sans interruption de 1933 à 1939, mais les préparatifs militaires ne cessant d'alterner avec les initiatives diplomatiques, l'orage a été accueilli avec une sorte de surprise quand il a fini par éclater. Enfin, ce critique acharné de la culture occidentale a réussi à montrer du doigt des failles *réelles* de cette culture et de la vie politique européenne. Comme les autres grands projets de réforme ou de révolution, le nazisme est né du constat qu'un vide béant se trouvait au cœur de la modernité, où les utopies pouvaient loger, et d'où elles pouvaient toutes tirer une force d'une terrible efficacité.

CHAPITRE IV

# *A rebours*

« I am sick at heart. »

*Macbeth*, V, 3.

S'il fallait définir d'un mot le XX^e^ siècle, *Herzelend*, qui signifie en allemand « tristesse du cœur », serait le plus juste. Il désigne une forme de mélancolie et d'affaiblissement de la partie émotionnelle de la nature humaine. L'homme du XX^e^ siècle trouverait ainsi un compagnon naturel chez le plus universel des héros tragiques, le prince Hamlet, dont il partagerait aussi la paralysie de la volonté. Ces tragédies sont toutes arrivées sans avoir été voulues, comme Hamlet n'a jamais *voulu* la mort de quiconque à l'exception de celle de Claudius. La déviation dans laquelle s'est engagée l'espèce humaine au début du siècle dernier est comme une tempête dont elle ignore toujours les causes et les conséquences ultimes.

Celles-ci continuent d'arriver sur nos rivages, comme autant de vagues tardives d'une grande catastrophe qui n'a pas dit son dernier mot. Elseneur concentre ainsi un pouvoir symbolique exceptionnel pour l'Europe du XX^e^ siècle.

Par un effet du hasard, les deux guerres mondiales ont été l'occasion de nombreuses études de la pièce de Shakespeare : comme le héros élisabéthain, les Européens cultivés se sont trouvés engouffrés dans la barbarie sans avoir le temps de comprendre ce qui leur arrivait. En un sens, le mystère du caractère de Hamlet leur propose un miroir : plus on l'examine, plus il reste à élucider. La mort est le thème de la pièce, et c'est aussi celui du siècle [1]. Comme le disait Staline : « La mort résout tous les problèmes. Pas d'hommes, pas de problèmes. » Le cataclysme qui ouvre le siècle en 1914 a même son pendant avec l'apparition du fantôme au début de la pièce. A partir de ce moment, la destruction s'étend progressivement sur le monde, comme elle s'est étendue sur le royaume du Danemark. Et si le fantôme ne demandait qu'une seule victime pour être vengé, on trouvera les cadavres de Polonius, d'Ophélie, de Laertes, de Rosencrantz, de Guilderstern et de Gertrud aux côtés de celui de Claudius. De même, la guerre aurait pu ne toucher que la Serbie, elle ne devait pas s'étendre au-

1. Freud soutenait que l'espèce ne se bat pas pour sa survie, mais pour atteindre l'inertie et le repos : une entropie interne est ainsi à l'œuvre dans l'histoire et dans la nature humaine.

delà de l'Europe, mais le jeu des alliances et le dynamisme de la violence l'ont étendue au monde entier. Enfin, si le terrible secret d'Elseneur, protégé dans la pièce par le serment du prince Hamlet, était une affaire de famille, tel était aussi le secret de la guerre de 1914, qui a mis fin au concert des nations européennes. Rien n'a pu contenir l'une ou l'autre.

Si le génie de Sigmund Freud fut de découvrir le traitement des histoires de famille et la façon de diminuer les effets pathologiques de l'enfance sur la santé mentale de l'adulte, il n'y eut pas de cure psychanalytique pour la collectivité. Les pathologies politiques ne trouvèrent de solution que dans la tragédie historique. Mais l'enfance, qui joue un rôle si important dans la psychanalyse, n'était pas absente du drame. Le XX^e^ siècle partage avec elle le refus de l'autorité et la soumission absolue à l'autorité. C'est ce qu'écrivait en 1925 Ortega y Gasset : « L'Europe entre dans une période de puérilité. » Tel était aussi, plusieurs décennies plus tôt, le sentiment d'un grand psychologue, Fiodor Dostoïevski. Dans son roman *Les Frères Karamazov*, la figure centrale du père, Fiodor Pavlovitch Karamazov, est pour l'auteur un représentant du nouveau monde et de son infantilisme pathétique. Ce père indigne, incapable de remplir son rôle, de se faire respecter de ses enfants, de leur transmettre des valeurs, est à l'origine de la violence à venir. Il est la cause de sa propre mort et de son meurtre par son fils naturel, tandis que Dimitri et Ivan, deux autres de ses enfants, sont prêts à s'accuser du crime pour la seule raison qu'ils auraient aussi pu le commettre. Les dictateurs suivront bientôt ces pères incapables, avec leurs idées sur les valeurs, la mémoire, le rôle de la violence et du meurtre [1].

En dépit de sa réussite, l'Europe connaissait d'intenses frustrations. Cette réussite était pourtant éclatante. Les progrès scientifiques, technologiques et industriels y étaient impressionnants. La richesse et le pouvoir européens n'avaient aucun équivalent dans le monde. Ce monde, enfin, l'Europe le contrôlait largement : la Grande-Bretagne, la France, l'Autriche-Hongrie, l'Allemagne, la Russie, l'Italie, la Hollande, le Portugal et l'Espagne dominaient l'Afrique et l'Asie. L'interdépendance économique était telle en Europe qu'une guerre était absurde. Pourtant, une course aux armements s'engage au début du XX^e^ siècle entre les Européens. Elle est accompagnée d'une mutation des esprits qui croient aux vertus régénératrices de la violence et de la destruction. Cette croyance s'est répandue dans un monde que rien ne semblait disposer au ressentiment. Mais il était bel et bien présent. L'anarchisme en était un témoignage politique éloquent et le futurisme, l'expression artistique la

1. On peut retenir que Staline, sortant du séminaire pour entrer dans la carrière révolutionnaire, a adopté le nom de Koba, inspiré par le héros d'un roman dont le titre est *Le Parricide*.

plus achevée. Son apologie de la violence et de la guerre était présentée comme un retour aux vertus héroïques étouffées par le matérialisme. La crise intellectuelle et spirituelle du début du siècle rendait la guerre aussi probable que la succession des crises internationales, les réseaux d'alliances et la croissance des arsenaux. Très vite, on trouve de bien étranges propos. Ceux-ci par exemple, dans les *Pages françaises*, de Paul Déroulède : « En avant ! Tant pis pour qui tombe. La mort n'est rien. Vive la tombe ! »

Le XXe siècle restera-t-il dans la mémoire des hommes comme celui des grandes catastrophes humaines ? Il faudrait pour le dire savoir ce que l'avenir nous réserve. Soixante-dix ans de violences presque ininterrompues – huit guerres ou révolutions – feront en tout cas de ce siècle une des plus noires périodes de l'histoire. Quand Napoléon déclarait que la tragédie avait cessé d'être individuelle et que généraux et hommes d'Etat allaient prendre le relais des dramaturges, pouvait-il imaginer le zèle avec lequel on lui donnerait raison ? Les campagnes napoléoniennes étaient encore loin d'annoncer Verdun, où la boue de la terre a fini par se confondre avec celle des hommes, le siège de Leningrad, où les vivants n'avaient plus la force d'enterrer les morts, ou la bataille de Koursk, où les combattants ne pouvaient plus distinguer le jour de la nuit. Quant à la grande Révolution française, elle n'a été qu'une pâle anticipation des révolutions à venir. Edgar

Quinet l'a bien senti, lui qui, en 1865, compare la mort des condamnés de la Terreur, exécutés au grand jour sur les places de Paris, à celle des bagnards à venir dans les déserts glacés de la Sibérie : « Ce qu'il faut à la terreur, ce sont les supplices cachés et sourds ; des exils lointains sous des climats sûrement homicides, des prisons dont personne ne sort vivant... Voilà les châtiments propres par leur nature à un régime d'épouvante... La mort dans l'ombre, loin des vivants, inconnue, oubliée, sans écho, voilà la vraie terreur. » Encore l'imagination lui a-t-elle manqué pour évoquer la campagne de cannibalisme qui a sévi en Chine dans la province de Guanxi, au paroxysme de la Révolution culturelle, en 1968, dans une régression collective monstrueuse où les ennemis du peuple devaient être mangés.

La Première Guerre mondiale a produit, comme le II^e^ acte d'une pièce inachevée, la guerre de 1939-1945 [1] et tout ce qui a suivi. Elle a fait exploser le concert des nations sans espoir de

1. Voir Ivan Bloch à la fin du XIX^e^ siècle : « Ceux qui se préparent à la guerre et ne vivent que dans l'attente de la guerre sont des visionnaires de la pire espèce. » La guerre dont il parle, ce n'est pas celle qui éclate de temps à autre loin des frontières de l'Europe ou quelque action punitive des puissances coloniales, mais « celle qui hante l'imagination du genre humain depuis trente ans, la guerre où des nations d'importance majeure armées jusqu'aux dents se jettent avec toutes leurs ressources dans une lutte à mort », en un mot, la guerre mondiale, deux fois répétée au XX^e^ siècle, celle qui devait détruire la civilisation européenne et tout le monde d'hier dont parle Stefan Zweig.

retour. Et comme l'a écrit Hannah Arendt, « le moindre événement a pris l'inéluctabilité d'un jugement dernier, jugement qui ne serait l'œuvre ni de Dieu ni du diable, mais qui ressemblerait plutôt à l'expression de quelque irrémédiable fatalité ». Les deux guerres se déroulent sur les mêmes champs de bataille, la Meuse et Arras à l'ouest, la rivière Bzura à l'est, et retrouvent souvent – à des postes différents – les mêmes personnalités : Pétain, Churchill, Gamelin et Hitler. En 2004, le débarquement de 1944 et le début de la Première Guerre mondiale en 1914 ont été commémorés à deux mois d'intervalle. Les deux événements ne sont séparés que par trente ans seulement. En 1945, la fin de l'occupation japonaise en Asie a ouvert à son tour la voie à la révolution chinoise puis à trente années de violences. La pièce est-elle terminée ou comporte-t-elle un troisième acte? A voir les différences qui ont séparé en 2005 les commémorations de la fin de la guerre en Europe et en Asie, on se le demande. A l'autre bout du monde, l'hostilité et la haine sont encore palpables.

Ni le vide intellectuel et spirituel du monde contemporain, ni la violence partout présente ne portent à l'optimisme en 2005. Nous sommes comme prisonniers de l'un et de l'autre. Le meilleur témoin des camps russes, Varlam Chalamov, avait évoqué un gel de l'âme ou l'on pourrait se reconnaître : « Le gel, ce même gel qui transformait un crachat en glaçon au vol, atteignait l'âme humaine. Si les os pouvaient geler, le cerveau pouvait s'engourdir, comme le pouvait également l'âme. [1] »

1. Une illustration de ce propos est fournie par le projet russe de transformer le goulag de la Vorkouta en un lieu de vacances pour amateurs de sensations extrêmes.

TROISIÈME PARTIE

# LE MONDE EN 2025

« La pensée précède l'acte,
comme l'éclair précède le tonnerre. »

HEINRICH HEINE.

CHAPITRE I

# *Prévision et mémoire*

« Le passé, plus ou moins fantastique, ou plus ou moins organisé après coup, agit sur le futur avec une puissance comparable à celle du présent même. »

PAUL VALÉRY.

Il y aurait quelque logique à placer le futur, qui est invisible, derrière nous, et à faire face au passé, parce qu'il peut être vu. Quelques signes inscrits dans le présent permettaient de jeter sur l'avenir un peu de lumière. La capacité de les identifier est d'ailleurs dans l'Antiquité un des arts les plus précieux pour la cité, tout particulièrement lorsque des décisions importantes doivent être prises. Mais cet art n'est guère accessible à ceux qui ont perdu la capacité de se souvenir. Le rapport de l'homme à la temporalité est ainsi assuré par un face-à-face permanent avec le passé, où se trouvent la lumière et la source de la sagesse. Pour l'homme dans sa plénitude, le passé est un livre ouvert et le lien avec les ancêtres le protège. A partir du triomphe du christianisme, qui donne au temps un cours et un sens, le monde a adopté une représentation très exactement inverse : la lumière du passé est derrière nous et nous faisons face à l'obscurité de l'avenir. Mais cette obscurité contient une attente, une promesse que la liberté humaine doit contribuer à tenir. La succession des générations permet désormais à l'homme de remplir une destinée. Qu'en est-il aujourd'hui si l'humanité ne peut plus compter ni sur la sagesse des anciens, qu'elle ignore, ni sur la promesse d'avenir, à laquelle elle ne croit guère? Prise entre deux murs, le poids de l'histoire et l'angoisse du futur, le temps l'écrase au lieu de la libérer.

Un élément relie la sagesse des Grecs à la foi des chrétiens : la connaissance de l'histoire n'est ouverte qu'à ceux qui ont conservé la mémoire de ce qui ne change pas. Rien n'est plus étranger aux temps modernes qui ont profondément modifié la représentation du temps. Ils tournent assez volontiers le dos au passé avec lequel ils sont fréquemment en querelle et dont ils reçoivent peu de clarté [1] mais ils croient moins encore aux signes

1. Tocqueville s'est inquiété de la rupture avec les générations passées qu'illustrait magistralement l'histoire de la Révolution française : « Chacun y perd aisément la trace des idées de ses aïeux ou ne s'en inquiète guère. » (*De la démocratie en Amérique*, *op. cit.*, tome II, 1re partie, chap. I, p. 10.)

prémonitoires inscrits dans le présent. Après la fin du XX^e^ siècle, qui a balayé les idéaux, les illusions, et donné au concept de progrès historique un contenu douteux, les grands projets et les idéologies éveillent plus de méfiance que d'enthousiasme. Cependant, si les sociétés démocratiques sont rebelles à l'intelligence de la durée, elles veulent tout de même vivre dans un monde ordonné, dont on peut saisir les lois. Ces deux désirs sont largement incompatibles cependant, car l'ordre suppose la répétition et dans une certaine mesure la reconnaissance de l'autorité du temps. C'est pourquoi, comme Peter Pan, les membres de ces sociétés ont des difficultés à devenir adultes : leur mémoire est courte, ils n'aiment pas entendre parler de leçons du passé, mais ne reconnaissent pas davantage leur responsabilité sur le présent et l'avenir. Ils préfèrent penser que les événements se contentent d'arriver sans percevoir l'abdication que cette pensée recèle.

Réintroduire l'idée de liberté dans l'histoire est plus difficile au XXI^e^ siècle que du temps de Gibbon, qui s'amuse par exemple à imaginer ce qui se serait passé si Charles Martel n'avait pas remporté la victoire de 732 contre les Sarrasins : « Une avance victorieuse aurait formé une ligne de deux mille kilomètres du rocher de Gibraltar aux bords de la Loire ; la répétition d'une paix semblable aurait amené les Sarrasins aux confins de la Pologne et de l'Ecosse. Le Rhin n'est pas plus difficile à passer que le Nil ou l'Euphrate, et la flotte arabe aurait pu entrer sans combat naval à l'entrée de la Tamise. Peut-être l'interprétation du Coran serait enseignée dans les collèges d'Oxford et leurs professeurs pourraient démontrer à des étudiants circoncis la sainteté et la vérité de la révélation de Mahomet [1]. » Le grand historien de Rome rappelle ainsi à quel point ceux dont le métier est d'étudier l'histoire doivent être sensibles à l'événement, à la contingence, et donc à la liberté, comme ils doivent se montrer rebelles à la nécessité historique. L'humanité, comme les individus, est toujours confrontée à des choix. Et tous ses actes ont des conséquences. La difficulté, quand il s'agit de l'avenir, est de discerner les grandes lignes de force inscrites dans les événements présents, et de ne pas être aveuglés par leur présence même.

Sur la lecture de l'avenir, les écrivains fournissent des exemples discordants. Il y a ceux qui dégoûtent les lecteurs de toute réflexion sur le sujet. C'est le cas de Simone de Beauvoir par exemple, qui écrit à Jean-Louis Bost le 28 août 1939 : « Je crois que personne ne croit à la guerre ; Sartre n'y croit pas non plus. Naturellement, on est un peu impatient et nerveux aujourd'hui à attendre la réponse de Hitler ; mais dans l'ensemble, il n'est pas dans une situation à

1. Edward Gibbon, *The Decline and Fall of the Roman Empire,* Londres, Allen Lane, The Penguin Books, 1994, vol. V, p. 445.

engager une guerre... Ce que l'on peut dire, c'est que l'Allemagne est bien mal partie pour une guerre et que, si ça éclatait, elle n'aurait pas bonne mine et sans doute, ça ne durerait pas longtemps. (...) Sartre est paisible comme tout [1]. » On trouve aussi des visionnaires comme Léon Bloy ou Berdiaev, qui ont vu venir les violences du XX^e^ siècle bien avant 1914. D'autres prédictions sont d'autant plus remarquables qu'elles reposent sur des raisonnements plus encore que sur des intuitions. Le meilleur exemple est fourni par Alexis de Tocqueville, au terme de ses recherches sur l'Ancien Régime et la Révolution, dans un texte célèbre : « Au milieu des ténèbres de l'avenir on peut déjà découvrir trois vérités très claires. La première est que tous les hommes de nos jours sont entraînés par une force inconnue qu'ils espèrent régler et ralentir mais non vaincre, qui tantôt les pousse doucement et tantôt les précipite vers la destruction de l'aristocratie ; la seconde, que, parmi toutes les sociétés du monde, celles qui auront toujours le plus de peine à échapper pendant longtemps au gouvernement absolu seront précisément ces sociétés où l'aristocratie n'est plus et ne peut plus être ; la troisième enfin, que nulle part le despotisme ne peut produire des effets plus pernicieux que dans ces sociétés-là ; car plus qu'aucune autre sorte de gouvernement il y favorise le développement de

1. Cité par *Commentaire* dans son numéro 106, été 2004, p. 479.

tous les vices auxquels ces sociétés sont spécialement sujettes, et les pousse ainsi du côté même où, suivant une inclinaison naturelle, elles penchaient déjà [1]. » L'audace de ce jugement sur les dérives despotiques de la démocratie fait beaucoup d'envieux parmi les experts de la science politique.

Il est vrai que la rapidité et l'universalité des répercussions de ce que l'on engage aujourd'hui compliquent considérablement l'exercice de réflexion sur l'avenir et rend la prévision de plus en plus hasardeuse. Les interactions de chaînes causales paraissent presque infinies. Il est donc vrai, comme le suggérait déjà Paul Valéry, que « plus nous irons, moins les effets seront simples, moins ils seront prévisibles, moins les opérations politiques et même les interventions de la force, en un mot, l'action évidente et directe, seront ce que l'on a compté qu'ils seraient... Ce n'est point qu'il n'y aura plus d'événements et de moments monumentaux dans la durée ; il y en aura d'immenses ! Mais ceux dont c'est la fonction que de les attendre, de les préparer ou d'y parer, apprendront nécessairement de plus en plus à se défier de leurs suites. Il ne suffira plus de réunir le désir et la puissance pour s'engager dans une entreprise [2] ». Ce texte, écrit après la guerre de

1. Tocqueville, *L'Ancien Régime et la Révolution*, Folio Histoire, p. 50.

2. Paul Valéry, *Regards sur le monde actuel*, in *Œuvres*, Gallimard, Bibliothèque de la Pléiade, tome II, p. 937.

1914-1918, pourrait encore s'appliquer à la guerre engagée en Irak en 2003.

La fin de la guerre froide a permis une floraison d'études sur le nouveau monde, le nouvel ordre international, l'universalisation du libéralisme ou le clash des civilisations. Les avions qui ont foncé sur les tours de New York dans le ciel bleu d'un beau matin de septembre ont jeté un doute sur tous ces exercices. Avec la capacité qu'ont les Etats-Unis de passer brutalement de l'euphorie à la panique, il n'est plus question que de surprises stratégiques et de préparation à des scénarios inédits. Certes, l'*attaque surprise* était déjà une des grandes notions de la guerre froide, et la plus grande crainte des états-majors, mais elle s'est produite dans un contexte où plus personne ne l'attendait. Et aujourd'hui, c'est à peine si on se risquerait à faire des paris sur la situation qui prévaudra à la fin de l'année 2005 au Moyen-Orient, en Asie du Sud ou en Extrême-Orient. Du monde qui existera dans seulement deux décennies, on pense ignorer presque tout. C'est un jugement excessif.

CHAPITRE II

# *Trois paris sur l'avenir*

« L'homme ne renoncera jamais à la vraie souffrance, c'est-à-dire à la destruction et au chaos. »

DOSTOÏEVSKI.

Il est faux de prétendre que rien ne permet d'imaginer l'avenir car nous allons le plus souvent dans la direction de nos pensées. Martin Rees, professeur de cosmologie et d'astrophysique à Cambridge, pense exprimer celles de ses contemporains dans un ouvrage intitulé *Notre dernier siècle ?* [1]. Les idées qu'il développe reposent sur des faits connus. Il prétend par exemple que l'avenir est fortement menacé par le développement de nouvelles technologies mal maîtrisées ou utilisées à des fins terroristes. Il insiste de

1. Martin Rees, *Notre dernier siècle ?*, Lattès, 2004.

facon spécifique sur les risques induits par les biotechnologies, un des secteurs scientifiques en pleine expansion, et la capacité nouvelle des êtres humains à se changer grâce à des manipulations génétiques, des implantations de micro-ordinateurs dans le cerveau, ou des médicaments cibles. Il souligne la vulnérabilité croissante d'un monde de plus en plus connecté, où les défaillances de sous-systèmes peuvent avoir des répercussions sur la totalité du système global. Il ne rejette pas la possibilité d'une nouvelle confrontation mondiale, qui risque d'être moins bien gérée que ne l'a été la guerre froide, parce qu'il n'existe plus de centre de contrôle. M. Rees rappelle enfin que dans la course aux armements, la défense ne parvient pas toujours à soutenir le rythme. Le plus souvent même, ce sont les moyens d'attaque qui ont l'avantage. Pour ses scénarios pessimistes, on l'a surnommé le prophète de l'Apocalypse. Ce qui frappe pourtant, c'est la rigueur de sa présentation et le flegme tout britannique de ce savant qui se contente d'exposer ses pensées avec l'expérience scientifique dont il dispose. Heureusement, pourra-t-on rétorquer, l'histoire ne suit pas souvent des schémas rigoureux : la chance y joue une grande part.

Si l'on raisonne à partir du présent, on peut faire trois paris généraux. Tout d'abord, les chances d'avoir encore à lutter contre le terrorisme international en 2025 sont élevées, qu'il s'agisse des réseaux directement liés à al-Qaïda ou de tous ceux qui les prennent ou les prendront pour modèles. La nature de la lutte engagée par ces réseaux contre l'Occident et la modernité est inscrite dans le long terme. Les deux parties le reconnaissent. Lors de la Convention républicaine qui s'est tenue à New York à la fin du mois d'août 2004, le président Bush a pour la première fois admis qu'une victoire, au sens classique de ce terme, était douteuse : « Je ne pense pas que l'on puisse gagner cette guerre, mais je pense que l'on peut créer les conditions pour que ceux qui utilisent comme outil le terrorisme soient moins acceptables dans certaines parties du monde. » Les Etats-Unis ont comparé cette lutte à la guerre froide en raison de sa dimension idéologique et du temps qui serait nécessaire pour y mettre fin. Sans utiliser d'images aussi dramatiques, les autres pays occidentaux ont tous mis l'accent sur la durée du conflit et sur l'importance de la lutte des idées. Du côté des terroristes, la situation est plus claire encore. Leur patience est devenue légendaire. Leur entraînement dure des années, leurs cibles sont observées dans les plus minutieux détails avant de frapper, et ils ont la conviction que ce rapport au temps est, avec la force de leurs convictions, un de leurs meilleurs atouts face à leurs adversaires.

Cette patience s'oppose en effet dans l'esprit des terroristes à notre inconstance, à notre volonté d'aller vite, à notre soif d'« en finir ». Cette lutte à long terme est bien une guerre, et même une guerre à mort dans l'esprit de ceux qui la conduisent. Les déclarations des chefs terroristes ne laissent aucun doute sur ce sujet. C'est une des grandes différences avec la plupart de leurs prédécesseurs, dont les ambitions étaient plus limitées, plus nationales et plus « réalistes ». Ceux-ci ne recherchent pas de victoires partielles, ou seulement tactiques. Ce qu'ils veulent, c'est un bouleversement de l'organisation du monde telle qu'elle existe. Ce sont des révolutionnaires authentiques comme les anarchistes du XIXe siècle ou les bolcheviks russes. Le fait qu'ils agitent des utopies ne diminue pas leur influence, au contraire, car celles-ci ont compté de remarquables succès au siècle passé. Elles font appel à l'imagination et à la passion comme ne savent plus le faire les politiques au pouvoir. Vingt ans est donc une période fort courte dans cette lutte, et ni les Etats-Unis, ni aucune capitale européenne n'a la prétention de venir à bout de ce fléau en si peu de temps.

La deuxième raison est de nature assez différente : il s'agit de la capacité exceptionnelle d'adaptation et de reconstitution de ces réseaux et de leur influence sur les jeunes générations du monde musulman. Après des centaines d'arrestations en Europe, aux Etats-Unis et en Asie, après des milliers de morts en Afghanistan (près de 5 000 pour autant qu'on le sache), leurs capacités de recrutement ne paraissent pas affectées. Les arrestations et les disparitions, même si elles touchent des éléments clés de l'appareil de commandement, ont permis de mettre en relief l'importance du recrutement potentiel. Un phénomène comparable a pu être observé dans la lutte contre les grands cartels de la drogue, où la police a fini par arrêter les principaux responsables des réseaux (les groupes de Medellin et de Cali ont été décimés entre 1989 et 1996), par saisir des quantités toujours plus importantes de drogue ainsi que des millions de dollars tout en constatant que le commerce continuait de plus belle [1]. Ce n'est pas un motif de découragement, car les arrestations et les saisies d'argent et de documents affectent bien les activités des réseaux terroristes – et permettent même parfois de prévenir des attaques –, mais il faut reconnaître que le terrorisme sera encore présent dans vingt ans si la relève demeure aussi considérable qu'elle l'est aujourd'hui.

La troisième raison concerne le décalage qui existe entre les progrès des groupes terroristes et ceux de leurs adversaires. Les nouvelles décisions des pays occidentaux en matière de renseignement, de justice, de police, sont bien réelles depuis 2001. La coopération euro-américaine est aussi beaucoup plus active que ne le soupçonnent les citoyens des pays européens, comme l'est aussi devenue la coopération intra-européenne. L'intégration européenne en matière de justice et

1. Voir l'article de Michael Kenney, « From Pablo to Osama : Counter-terrorism Lessons from the War on Drugs », *Survival*, vol. 45, n° 3, pp. 187-206.

de police a connu une accélération indéniable depuis 2001 et les terribles attentats de Madrid le 11 mars 2004 et de Londres le 7 juillet 2005 ont encore renforcé le processus. Il n'est malheureusement pas certain que ces progrès soient aussi rapides ou aussi efficaces que ceux de leurs adversaires en matière d'adaptation, d'invention ou de créativité. Dans le domaine du financement du terrorisme, les efforts consentis depuis quatre ans ont donné de piètres résultats en raison des microfinancements, des transferts informels de fonds ou des activités criminelles des cellules terroristes. Et la fluidité des réseaux est telle, les mouvements individuels d'une cellule à l'autre sont si nombreux, qu'il est extrêmement difficile de garder la trace d'éléments en constante évolution. En ce qui concerne les communications enfin, l'utilisation des téléphones portables ou des cartes téléphoniques multiples est à présent souvent remplacée par des courriers qui ne peuvent être détectés par les écoutes : une des surprises avant les attentats de Madrid et de Londres a été le silence qui les a précédés. Les terroristes avaient décidé de se taire pour échapper à l'attention de la police.

La principale faiblesse du camp occidental cependant est celle que manifeste la bataille des idées. Elle n'a jamais été lancée de notre côté, alors qu'elle ne cesse de progresser du côté des islamistes. Les lieux d'enseignement et de recrutement idéologique sur le territoire musulman et européen se multiplient. Les islamistes savent très habilement convertir en énergie politique les frustrations de la jeunesse. Les défis que comportent les activités qui se déroulent sur le sol européen sont l'objet de mesures timides, qui se heurtent en outre très souvent au principe de la liberté d'expression. Au nom de cette liberté, de nombreux terroristes n'ont pu être interdits de parole que tout récemment au Royaume-Uni ou en Hollande. En France, aucune autre réponse n'est apportée que « la politique de la ville et l'intégration », que l'on aurait de la peine à décrire plus en détail. On ne se pose d'ailleurs jamais la question de savoir *dans quoi* l'intégration doit se faire, ni si une intégration réussie peut avoir lieu dans des sociétés qui n'ont pas de cohésion interne. Nous ne croyons pas suffisamment à nos valeurs pour les enseigner et moins encore pour les défendre [1], telle est la racine du problème, que les terroristes n'ignorent pas. C'est même l'une des raisons principales pour lesquelles ils sont convaincus qu'ils finiront par l'emporter.

L'expérience américaine montre que les politiques d'intégration sont très difficiles lorsqu'il faut faire face à une immigration massive et resserrée dans le temps comme c'est le cas en Europe. Les restrictions légales intervenues en 1924 ont permis de réguler le flot d'immigrants aux Etats-

1. Lire et relire *Les Territoires perdus de la République*, *op. cit.*, qui donne d'effrayantes illustrations de ce constat.

Unis. L'ampleur des océans à franchir a aussi constitué une importante barrière naturelle. L'Europe n'a pas cette chance. Plus récemment, le flot des immigrants mexicains et latino-américains a suscité aux Etats-Unis un débat comparable à celui que l'on trouve en France sur les capacités d'assimilation. En 2004, Samuel Huntington écrivait par exemple que « le flot d'immigrants hispaniques menaçait de diviser les Etats-Unis en deux peuples, deux cultures et deux langages. Contrairement aux immigrants antérieurs, les Mexicains et les autres Latinos ne se sont pas assimilés, formant leurs propres enclaves politiques et linguistiques – de Los Angeles à Miami – et rejetant les valeurs anglo-saxonnes qui ont fait l'Amérique ». Ce jugement a été très discuté, et représente une interprétation minoritaire aux Etats-Unis. L'intégration des Latinos se fait infiniment mieux en tout cas que celle des Maghrébins en Europe et en particulier en France.

Toutes les vagues d'immigrants aux Etats-Unis ont changé le pays, à l'image de ce qui se passe avec les Latinos aujourd'hui. Une des raisons de la différence entre l'Amérique et l'Europe dans ce domaine est que les Américains ont toujours accepté l'idée que les immigrants venaient aux Etats-Unis pour devenir des citoyens américains. C'est le message de nombreuses œuvres américaines, et de certains de ses plus célèbres films, qu'il s'agisse d'*America, America*, le grand film d'Elia Kazan, ou de *West Side Story*. En Europe au contraire, les immigrants étaient accueillis comme travailleurs à titre temporaire, et sont restés sans être souhaités. Dans certains cas, on a même tenté de les rapatrier de force. Cette politique peu accueillante n'a eu aucun effet sur la limitation du nombre des immigrés. En France, où les Maghrébins représentaient seulement 100 000 personnes en 1945, puis 600 000 en 1962, ils constituent aujourd'hui 10 % de la population, soit 6 millions d'individus. On aurait toujours du mal à définir la politique qui leur est destinée, malgré toutes les sonnettes d'alarme qui ont été agitées, y compris dans l'univers de l'éducation nationale [1]. Par contraste, un élément central de la vie politique de l'Amérique, pays d'immigrants, a été l'adaptation continuelle de la politique aux vagues successives d'arrivants. A cette différence fondamentale s'ajoutent des erreurs spécifiques, comme celle qui consiste à avoir accepté en France que l'Algérie et le Maroc aient la responsabilité de leurs communautés sur le sol français, où les deux pays se disputent âprement le contrôle des musulmans.

1. Voir le rapport de l'inspecteur général Jean-Pierre Obin, *Les Signes et manifestations d'appartenance religieuse dans les établissements scolaires*, Ministère de l'Education nationale, de l'Enseignement supérieur et de la Recherche, juin 2004. Au cours de l'enquête, la même histoire a été racontée à plusieurs reprises aux inspecteurs : celle de la transformation d'un ancien quartier ouvrier en une cité « ghetto », dont les « Français » et ceux disposant de revenus stables sont partis. Les familles y sont de plus en plus précarisées, le prix du foncier s'écroule, les commerces « européens » disparaissent et le départ de certains habitants est accéléré par des violences ciblées. Il ne reste finalement plus que les populations les plus fragilisées.

Si l'on met ainsi bout à bout la capacité des réseaux terroristes à se reconstituer et à trouver de nouveaux abris, l'influence que les doctrines radicales ont sur la jeunesse de nombreux pays, la difficulté d'encourager des réformes économiques et politiques dans le monde arabe et musulman, l'explosion démographique des pays en développement, les performances très moyennes de ces mêmes pays dans le domaine de l'éducation et de l'emploi, et nos propres insuffisances, il y a toute raison de penser que le terrorisme est en effet une menace de long terme. La conviction que le terrorisme international sera toujours là dans vingt ans peut avoir des significations très différentes si l'un des événements suivants se produit : la prise du pouvoir par les islamistes au Pakistan, en Arabie Saoudite ou dans un pays du Maghreb ; l'utilisation par les terroristes d'armes de destruction massive ; une attaque majeure en Europe, plus meurtrière encore que ne l'a été Madrid. La prise du pouvoir par les islamistes au Pakistan poserait en des termes radicalement nouveaux la détention de l'arme atomique par ce pays. En Arabie Saoudite, ce serait le contrôle du pétrole saoudien par les islamistes qui conduirait à une situation d'instabilité internationale. Au Maghreb, les pays du sud de l'Europe feraient face à une émigration massive qu'il faudrait absorber dans des conditions d'autant plus difficiles que l'intégration ne se fait pas. L'hypothèse d'une utilisation d'armes non conventionnelles par les terroristes est dans tous les esprits depuis septembre 2001. De nombreuses études existent sur le sujet. Des exercices ont eu lieu dans plusieurs capitales européennes et aux Etats-Unis. Le jour où elle se produira cependant, l'humanité se trouvera dans un autre monde si les victimes sont nombreuses. Enfin, une nouvelle attaque majeure en Europe, dont beaucoup pensent qu'elle est inévitable dans les vingt prochaines années, mettrait à l'épreuve les sociétés européennes, leur cohésion, leur capacité de résistance, et pourrait avoir des conséquences imprévisibles sur la vie politique, la montée du populisme et le rôle des partis extrémistes [1].

Après la survie du terrorisme en 2005, le second pari porte sur la prolifération des armes de destruction massive. Les prévisions pouvaient être optimistes en 1995, quatre ans après la fin de l'URSS. Elles ne le sont plus dix ans plus tard. Après avoir remporté des succès décisifs dans la première moitié de la décennie 1990, les échecs se sont en effet succédé à partir de 1996, date à laquelle les négociations ont pris fin à la Conférence du désarmement après la conclusion du traité d'interdiction des essais nucléaires. En mai et juin 1998, les essais indo-pakistanais montrèrent l'intérêt que de nouvelles parties du monde portaient au nucléaire militaire au moment où les

1. Les actes terroristes ont triplé dans le monde en 2004, selon le Rapport annuel du Département d'Etat rendu public en mai 2005.

deux camps de la guerre froide se rapprochaient. On se demande à présent si ces essais n'ont pas bénéficié surtout au Pakistan, dont l'instabilité inquiète autant que les trafics nucléaires, mis en lumière grâce aux révélations libyennes de décembre 2003 [1]. La Corée du Nord a annoncé de son côté son retrait du Traité de non-prolifération en janvier 2003 sans entraîner de réaction de la part du Conseil de sécurité. Quelle quantité de plutonium a-t-elle retraitée ? Où en est son programme d'enrichissement ? A-t-elle vraiment comme elle le prétend quelques armes nucléaires ? Personne n'en sait rien. Ce qui est certain, c'est que Pyongyang maintient une politique de chantage à l'égard du reste du monde et que les discussions multilatérales conduites à Pékin avec la Russie, les Etats-Unis, le Japon et les deux Corée n'ont permis aucun progrès.

Ayant caché pendant presque vingt ans un programme d'enrichissement commencé en 1985, en pleine guerre avec l'Irak, l'Iran a été obligé de reconnaître en 2003 de nombreuses activités clandestines, démarrées vingt ans plus tôt, et dont

---

1. Une des raisons pour lesquelles il est douteux que le Pakistan mette un terme aux activités du réseau criminel d'A.Q. Khan, le père auto-proclamé de la bombe pakistanaise, est que ce réseau de vente illicite de technologies nucléaires est aussi utilisé par le Pakistan comme un réseau d'achat pour des équipements et des technologies dont il a besoin pour son propre programme. Il faut noter à l'appui de cette thèse que les Etats-Unis n'ont jamais eu accès à cet individu pour l'interroger directement.

l'objectif militaire ne fait guère de doute. L'intervention européenne, saluée dans un premier temps, donne en 2005 le sentiment d'avoir permis à Téhéran de gagner du temps plutôt que de régler la situation, c'est-à-dire d'interrompre le programme. Ceci ne serait en effet possible qu'avec la cessation par l'Iran des activités d'enrichissement et de retraitement associée à une garantie de fourniture du combustible nucléaire par des pays tiers, permettant d'alimenter le seul réacteur nucléaire actuellement en construction sur le sol iranien. La Russie, qui construit le réacteur, offre aussi cette garantie pour les dix prochaines années, mais Téhéran continue de vouloir conserver une capacité indigène. Les Européens savaient, même avant l'élection d'un ultra-conservateur à la présidence en juin 2005, qu'ils risquaient de se trouver une seconde fois mis devant le fait accompli d'une reprise des activités suspendues au titre de l'accord du 15 novembre 2004. C'est chose faite depuis le 8 août 2005. L'épreuve du Conseil de sécurité, que l'on aura tenté d'éviter pendant deux ans, est donc devenue inévitable, du moins si les capitales européennes mettent leur menace à exécution. Toute la question est à présent de savoir si le rythme des procédures à Vienne et à New York sera plus rapide que celui de la production de matières fissiles par l'Iran, ou si ce seront des bombes qui finiront par détruire les installations connues. L'Europe a tout intérêt à faire prévaloir la première voie.

Une des nouveautés des vingt dernières années est la sophistication croissante des stratégies des pays proliférateurs tant en ce qui concerne leurs réseaux d'acquisition que leurs capacités de dissimulation [1]. Après avoir surestimé les capacités irakiennes, la communauté internationale court le risque de sous-estimer les développements iraniens, nord-coréens, voire syriens ou égyptiens [2].

Les principaux problèmes auxquels il faudra faire face dans vingt ans sont clairement posés : la Corée du Nord et l'Iran auront-ils à cette date une arme nucléaire qui puisse être vectorisée ? Comment réagiront les pays arabes et Israël au Moyen-Orient ? Que feront le Japon et Taïwan en Extrême-Orient ? La réunification de la péninsule coréenne consacrera-t-elle la nouvelle situation ainsi créée ? Comment la Chine utilisera cette carte dans ses relations avec Washington ? Les réponses à ces questions peuvent décider de la guerre ou de la paix. L'attrait de ces armes, loin de faiblir, augmente. Après avoir vu le nucléaire se retirer du devant de la scène après la fin de la guerre froide, on le voit revenir au premier plan depuis les essais indiens et pakistanais de 1998. En 2025, tant le Moyen-Orient que l'Extrême-

1. Ceci est tout particulièrement vrai de l'Iran, dont le grand ouvrage classique s'appelle *Le Livre des ruses*.

2. La Syrie et l'Egypte ont toutes deux reçu la visite du réseau clandestin pakistanais d'A.Q. Khan.

Orient pourraient être des régions fortement nucléarisées. Dans les deux cas, le fonctionnement efficace de la dissuasion, telle que la confrontation Est-Ouest a pu en faire l'expérience pendant la guerre froide, est d'autant plus problématique que la diversité des acteurs en cause compliquerait considérablement son exercice. Le régime des traités internationaux ne fonctionne pas comme il le devrait, le Conseil de sécurité refusant de jouer son rôle en cas de violation. Les membres permanents conservent des positions, des intérêts et des stratégies différents malgré les périls croissants. Les matières et technologies sensibles circulent dans le monde plus aisément grâce à la mondialisation et à la corruption, comme en témoigne le réseau clandestin du Pakistanais A.Q. Khan, qui a pu offrir ses services à une vingtaine de pays. Quant aux vecteurs, ils ne sont pas suffisamment contrôlés et les producteurs de missiles de croisière n'acceptent pas les restrictions que l'on cherche à leur imposer.

Ici encore cependant, la situation en 2025 sera très différente si le Traité de non-prolifération nucléaire a implosé à la suite de nouveaux retraits, si un usage nucléaire, biologique ou chimique a eu lieu au cours d'un conflit, ou si l'hostilité est ouvertement déclarée entre deux puissances majeures, membres permanents du Conseil de sécurité. La question des vecteurs et des défenses antimissiles a été l'une des vedettes de la fin du siècle dernier. Pendant deux années au moins, aucun jour ne s'est passé sans annonce ou dénonciation sur ce sujet. La raison pour laquelle ce sujet ne paraît plus intéresser personne est une des énigmes de l'ère de l'information. Mais les recherches se poursuivent, et les Etats-Unis ont procédé à l'automne 2004 aux premiers déploiements en Alaska. C'est une indication de la préparation – sinon de l'attente – par Washington d'une attaque sur son territoire dans les prochaines décennies. Ces déploiements, qui ont pour le moment un caractère essentiellement symbolique, et qui correspondaient à des engagements politiques du premier mandat du président Bush, sont accompagnés de progrès dans le secteur naval, qui intéressent les alliés de l'Amérique en Extrême-Orient.

Avec le terrorisme et la prolifération, le troisième pari pour la sécurité internationale en 2025 porte sur l'évolution des relations sino-américaines. Dans les vingt ans qui viennent, la Chine peut connaître une transition paisible vers la démocratie, un coup d'Etat militaire ou une guerre avec Taïwan. Elle peut aussi sombrer dans le chaos. Toutes ces possibilités existent en théorie, et il s'agit de savoir celle d'entre elles que les pays occidentaux veulent favoriser. Pour cela cependant, il faudrait être convaincus de l'importance des enjeux. Ce sentiment n'est pas présent dans l'Europe d'aujourd'hui, mais l'Amérique commence à comprendre que là se trouve la véritable question stratégique du XXI$^{e}$ siècle.

Vingt ans, c'est la période dont la Chine a besoin pour moderniser son armée. A cette date, ses ambitions régionales pourront voir le jour et il sera trop tard pour les arrêter. A cette date, Pékin peut avoir réussi son pari d'atteindre le statut de grande puissance et l'on aura de la multipolarité une vision moins romantique. La Chine ne s'intéresse à l'Europe que comme fournisseur de haute technologie ou comme alternative politique aux Etats-Unis, un rôle dans lequel la France excelle. Elle ne se donne même pas la peine, comme Moscou, de manifester une sympathie de façade pour le modèle européen [1].

La Chine ne se contentera pas d'un rôle régional, contrairement à l'Europe d'aujourd'hui. Elle se prépare depuis des années à remplacer l'URSS dans son rôle de superpuissance face aux Etats-Unis et elle met beaucoup de détermination et d'intelligence dans cette entreprise. Si en 2025, le monde fait face à une Chine autoritaire, économiquement prospère, et qui a le bénéfice de trente ans de croissance de son budget militaire à un rythme annuel de 10 % en moyenne – les réformes économiques permettant de financer la modernisation de l'armée –, on ne pourra plus exercer la moindre influence sur elle. Les problèmes qu'elle posera alors ne se limiteront pas à Taïwan et au Japon, ce qui suffirait à inquiéter, car elle cons-

1. Les élections ukrainiennes ont fait tomber le masque de Vladimir Poutine sur cette question.

truit des bases sur toute la route qui la relie au Moyen-Orient et a l'ambition de développer une marine digne de ce nom dans l'océan Pacifique. Là, elle se trouvera vite face à la VII$^{e}$ flotte américaine, la plus puissante du monde aujourd'hui, mais la supériorité technologique des Etats-Unis, qui sera maintenue dans vingt ans, ne lui garantira nullement un avantage systématique devant un adversaire bien préparé, très déterminé et qui étudie dans le plus grand détail les guerres livrées par l'Amérique depuis 1991. Un des problèmes auxquels il faudra faire face dans le Pacifique sera l'avenir de l'île de Guam, très proche de la Chine, dont Pékin ne peut manquer de saisir le rôle potentiel en cas de conflit avec Taïwan. Dans la situation la plus favorable, on risque donc d'avoir dans vingt ans une situation de guerre froide entre les deux pays, avec des incidents réguliers – éminemment dangereux dans un contexte général de tension – comme celui du printemps 2001, où un avion de surveillance de la marine américaine EP-3E a été forcé d'atterrir sur le sol chinois alors qu'il patrouillait dans l'espace aérien international.

Si l'on veut prévenir les scénarios les plus dangereux, il faut commencer par identifier les développements possibles, car c'est ainsi que la question chinoise finira par être prise au sérieux dans les capitales européennes. La prise de conscience de la gravité des enjeux, aujourd'hui absente, pourra seule permettre de définir une stratégie vis-à-vis de Pékin, mais aussi de se préparer à contrer les surprises stratégiques les plus désagréables, qui pourraient se produire dans la région avec des effets beaucoup plus étendus. On peut certes rêver à l'avènement progressif d'une Chine pluraliste, qui aura engagé des réformes politiques, et qui tiendra compte de ses responsabilités régionales et mondiales au lieu de songer au seul accroissement de sa puissance. Mais ce n'est pas la lecture à laquelle invite l'année 2005 et le réalisme conduit plutôt à retenir le nationalisme comme seule force qui rassemble la population et seule passion publique autorisée. L'Europe connaît d'expérience la puissance de cette passion. Elle ne peut sans doute pas faire grand-chose pour la contrôler, mais elle n'est pas obligée de l'encourager, voire de lui fournir les moyens militaires de s'exprimer. Aujourd'hui et encore pour de nombreuses années, la Chine est un importateur de haute technologie. C'est un levier qu'il faut utiliser.

La guerre était en Europe une entreprise qui avait encore sa noblesse jusqu'à la Première Guerre mondiale. Ce conflit l'a délégitimée. Cette guerre suivie de la Seconde Guerre mondiale ont considérablement renforcé cette tendance, comme l'a fait la crainte de l'annihilation nucléaire pendant la guerre froide. Cependant, il s'agit là d'une triple crise dont les leçons qui ont été tirées sont propres à l'Occident. Les études internationales comme discipline intellectuelle distincte sont nées de cette expérience et ont généralement pour objet de prévenir le retour des catastrophes du passé. C'est pourquoi la science politique moderne consacre tant d'efforts à la question de la prévention des conflits. Ces réflexions comme les effets de cette rhétorique sont au mieux incertains dans toute une partie de l'Asie. Et, comme le rappelle Clausewitz, « on peut tout faire avec des baïonnettes, sauf s'asseoir très longtemps dessus ». C'est un jugement que l'impressionnante modernisation de l'armée chinoise évoque chaque année davantage.

## CHAPITRE III

# *Questions ouvertes*

> « L'histoire est un ensemble chaotique où les événements prennent forme à partir d'éléments innombrables. »
>
> THOMAS CARLYLE.

### *La maîtrise du développement technologique*

La crainte de voir les développements technologiques échapper à la maîtrise de l'homme date du début du XIX^e siècle. Cependant, la dépendance à l'égard des technologies ne cessant de croître et celles-ci augmentant à un rythme dont plus personne ne peut suivre le cours, le XXI^e siècle possède une fragilité particulière. Dans cette perspective, il a commencé en 1986, quand s'est produite l'explosion du réacteur n° 4 de Tchernobyl. Le premier souci de Moscou a été d'attribuer l'accident à des erreurs humaines et de protéger la technologie des réacteurs russes, conformément à la tradition soviétique selon laquelle la machine prime sur l'homme. Mais les défauts des réacteurs de la filière en cause, et notamment l'absence d'enceinte de confinement, ont vite été reconnus. L'accident était dû à la conjonction d'une série d'erreurs humaines et d'une technologie fort dangereuse. Cet événement a joué un rôle d'avertissement bien au-delà des frontières de ce qui était encore l'Union soviétique, et il perdure, comme l'a montré en 2005 le retour des débats sur la façon dont le gouvernement français avait géré l'information.

Les craintes les plus récentes portent sur les dangers des biotechnologies, domaine dans lequel on a souvent le sentiment d'avoir affaire à des apprentis sorciers. A preuve, cette équipe australienne qui, faisant une recherche sur la variole, a réussi à détruire en 2003 – sans le vouloir – le système immunitaire de toutes les souris soumises à une expérience. On imagine les conséquences d'une manipulation de ce type appliquée à des êtres humains. Parmi les difficultés auxquelles on se heurte dans ce domaine, il y a l'incapacité des gouvernements de suivre les évolutions en cours, trop nombreuses et trop complexes. C'est donc aux industriels et aux scientifiques qu'il appartient de mettre en place des codes de conduite leur permettant de continuer à travailler de façon suffisamment sûre pour éviter un accident grave.

Un autre domaine est la militarisation de l'espace, dont on annonce souvent le caractère inéluctable au XXI^e siècle. Pendant la guerre froide, l'espace a été un lieu de transit pour les missiles balistiques, ou d'observation et de surveillance pour le respect des traités et le développement des arsenaux. Dans les années 1990 – la guerre du Golfe en a témoigné –, il s'est transformé en multiplicateur de forces pour les opérations militaires. Depuis, en quelques années seulement, l'espace est devenu un véritable catalyseur, condition du fonctionnement des forces armées américaines. C'est ainsi que la tentation de mettre au point des armes capables de détruire des moyens spatiaux aux fonctions aussi remarquables est devenue très forte. La façon dont la multiplication des objets dans l'espace, déjà fort encombré, pourrait être perturbée par le développement et l'utilisation d'armes anti-satellites, voire le positionnement dans l'espace d'armes d'attaque à terre, est mal évaluée. Mais compte tenu de la dépendance de l'espace des sociétés contemporaines pour de multiples fonctions civiles, les télécommunications par exemple, toute mise au point et surtout tout déploiement d'armes spatiales posent à la fois des problèmes de sécurité en cas de conflit et de désorganisation potentielle de la vie sociale. Nul doute en tout cas qu'en 2025, les biotechnologies et les technologies spatiales pourront apporter de grands bouleversements si leur développement n'est pas maîtrisé.

### *Le terrorisme non conventionnel*

Les chances d'un attentat non conventionnel majeur dans les vingt prochaines années sont réelles pour trois raisons : des tentatives ont *déjà* eu lieu, certaines ayant même réussi à tuer (à Tokyo en mars 1995 avec du gaz sarin, aux Etats-Unis avec de l'anthrax en octobre-novembre 2001) ; l'intérêt de nouveaux groupes pour l'acquisition de ces moyens est établi (Osama ben Laden va jusqu'à parler d'un devoir d'acquérir et d'utiliser ces armes) ; et les barrières techniques pour la mise au point d'armes pouvant être utilisées par des groupes non étatiques ont tendance à reculer. En outre, la présence dans des laboratoires d'agents travaillant pour des réseaux terroristes est un risque réel et difficile à contrer. Même un pays comme la Suisse, où l'on ne s'attendrait pas à trouver des indications de terrorisme non conventionnel, a trouvé en 2004 dans le coffre d'une voiture arrêtée à la frontière pour un contrôle de routine, des détonateurs et un GPS comportant les coordonnées d'un réacteur de recherche nucléaire. Ce fut, on l'imagine, un avertissement pour ceux qui craignent déjà à Berne que la Suisse ne devienne une cible en raison du faible niveau de mesures antiterroristes nationales ou cantonales. Plusieurs pays européens, dont la Grande-Bretagne et la France, ont de leur côté engagé des exercices pour répondre à des attentats de ce type, montrant ainsi que les autorités politiques ne négligeaient pas la probabilité d'un tel événement.

Ce dont il est en fait question n'est pas la simple répétition de l'attentat de la secte Aum à Tokyo, qui a fait onze morts en 1995, ou des attaques avec des lettres contenant de l'anthrax aux Etats-Unis, qui en ont fait cinq en 2001. C'est une attaque non conventionnelle de grande ampleur, où les morts pourraient se compter par centaines ou par milliers. Dans cet ordre de grandeur, le chimique est peu crédible. Mais le terrorisme biologique ou nucléaire, dans de « bonnes » conditions, pourrait entraîner d'innombrables victimes. La bio-sécurité, l'information des laboratoires et des scientifiques et la mise au point d'antidotes ou de nouveaux vaccins sont ainsi devenues une des composantes indispensables des politiques de défense. Les Etats-Unis dépensent des milliards de dollars pour le programme *Bioshield* et l'Union européenne incite des équipes de recherche à envisager des scénarios et des contre-mesures. Martin Rees, l'un des premiers astrophysiciens à imaginer que l'énergie des quasars provenait de trous noirs géants situés au cœur de galaxies lointaines, a parié 1 000 dollars que d'ici à 2020 une bio-erreur ou une bio-terreur aura tué un million de personnes. Les possibilités sont diverses. Un laboratoire peut commettre une erreur de manipulation désastreuse et laisser des virus ou des bactéries s'échapper dans l'atmosphère (comme ce fut le cas à Sverdlovsk en URSS en 1979). La mode actuelle qui consiste à diffuser des virus informatiques peut aussi se transformer pour produire demain des virus bien réels.

Dans le domaine nucléaire, un exercice de simulation en 2004 d'une attaque terroriste nucléaire du siège de l'OTAN à Mons (Belgique) a donné lieu à peu de commentaires. Pourtant, contrairement à d'autres scénarios, il ne s'agissait pas d'une arme radiologique, combinant des matières nucléaires et des explosifs conventionnels, mais bien d'une arme nucléaire, causant un million de morts dès le premier jour de l'attaque. Le seul fait que de semblables scénarios voient aujourd'hui le jour donne une idée sinon des menaces qui pèsent sur les prochaines décennies, du moins de celles qui sont déjà présentes dans les esprits.

*Les conséquences de la désagrégation de l'Afrique*

Qui parle encore de renaissance de l'Afrique, comme on le faisait dans les années 1990 ? En vérité personne. Les scénarios sont aujourd'hui soit sombres soit tout à fait désespérés. Entre 1975 et 2000, l'Afrique subsaharienne n'a connu aucune augmentation de son revenu par tête d'habitant. Trente millions d'Africains ont le sida, et beaucoup des élites urbaines sont infectées. Plus de six millions d'Africains sont morts dans les guerres qui ont ravagé le continent dans les dix dernières années – et continuent à le faire. Entre 1970 et 1989, 72 % des gouvernants ont quitté leur poste dans des circonstances violentes. A l'exception de l'Afrique du Sud, qui détient tout de même un taux de criminalité record, les pays qui jouaient un rôle de modèle s'effondrent tour à tour. C'est pourquoi les événements de Côte d'Ivoire en 2004 ont joué un rôle psychologique majeur dans toute la région de l'Afrique de l'Ouest et même dans tout le continent. Le directeur de l'Institute of Global Cultural Studies de l'université de New York prédit des changements très importants dans cette région au XXI^e^ siècle : « La sphère d'influence de la France sera occupée par le Nigeria – un pouvoir hégémonique plus naturel... Les frontières du Nigeria s'étendront probablement pour incorporer le Niger, le Bénin et peut-être le Cameroun. » Si un rôle de ce type devait revenir au Nigeria, ce pays n'y est guère préparé autrement que par sa taille.

Ce jugement peut-être excessif a le mérite de faire réfléchir à de possibles redécoupages de la carte africaine à la suite des ambitions des uns et des faiblesses des autres. L'ensemble de l'Afrique a un besoin massif d'investissements ciblés et contrôlés, de structures d'éducation et de santé, mais aussi de forces de maintien de la paix compétentes, comme en témoigne l'incapacité de l'Union africaine à jouer le rôle qu'elle réclame au Soudan. Le groupe des huit pays industrialisés

(G8) doit entraîner 75 000 hommes pour des opérations dans ce continent. Il n'y a guère de temps à perdre pour remplir cette promesse de septembre 2004. Dans des cas comme ceux du Mozambique et de la Namibie, seule la présence de forces de maintien de la paix a permis le retour à une existence normale. Grâce à elles, les massacres perpétrés au Liberia [1] et en Sierra Leone se sont arrêtés, mais les troupes doivent rester sur place pour garantir une stabilité fragile et encore toute relative. Dans des cas comme celui de la Somalie, la situation s'est si profondément aggravée que le pays n'a plus de gouvernement. L'ONU a encore environ 50 000 hommes en Afrique et ceux-ci ne peuvent faire face à la multiplication et à la complexité croissante des opérations qui leur sont demandées.

Les évolutions politiques de ce malheureux continent ont eu des conséquences désastreuses pour les populations. Le risque d'effondrement de l'Afrique sous le poids de la misère, de la corruption, de la maladie et de l'incapacité de la plupart des gouvernements en place n'est que trop connu. Il est difficile de n'y voir qu'un problème interne : outre l'aspect humanitaire et la *responsabilité de*

---

1. Le cas du Liberia est un de ceux qui montre le mieux la terrible corruption qui frappe une grande partie de l'Afrique. Depuis les années 1970, les dirigeants ont pris possession de la principale richesse nationale : les diamants. Ceux-ci représentaient 70 % des revenus de l'Etat en 1970 et seulement 10 % à la fin des années 1980 en raison de l'implication privée de la classe dirigeante dans leur commerce.

*protéger* que l'on avance dans les rapports et les discours, l'utilisation qui pourra être faite de la misère et du chaos dans des situations de crise n'est pas difficile à prévoir. Plutôt donc que de féliciter le vainqueur d'élections truquées au Togo, comme on l'a fait à Paris en mai 2005, alors que l'on disposait d'images de l'armée emportant des urnes, il serait judicieux de mettre en place un programme de contrôle des modes de gouvernement et de l'exercice du pouvoir dans un continent où les Européens ont tant de responsabilités à assumer et d'intérêts de sécurité à défendre. C'est un des principaux thèmes de la présidence britannique de l'Union européenne.

*Une pluralité d'acteurs nucléaires au Moyen-Orient*

En 2025, un Moyen-Orient doté de quatre ou cinq puissances nucléaires n'est pas une fiction déplaisante, mais une possibilité réelle. Loin de permettre à la dissuasion de fonctionner et de contribuer au statu quo, cette pluralité relancerait un cycle de méfiance, de passions et de compétition dont on peut difficilement mesurer les implications. Les relations des pays arabes à Israël, l'Iran et la Turquie auraient toutes chances de se détériorer; les forces américaines dans la région seraient menacées; la sécurité des nations européennes en serait bouleversée compte tenu de la portée des vecteurs balistiques ou aérobies présents dans la région; on peut aussi craindre qu'une telle multiplicité d'acteurs nucléaires ne conduise tôt ou tard à l'annihilation d'Israël.

Les soupçons les plus immédiats d'un programme nucléaire militaire portent sur l'Iran et reposent sur vingt années de dissimulation, des tentatives d'achats multiples qui ne trouvent aucune explication pour un programme civil, un décalage absurde entre un programme électro-nucléaire très limité et des ambitions importantes dans le domaine de l'enrichissement, ainsi qu'un programme de conversion d'uranium conduit à grande allure à la fin de l'année 2004 et repris en août 2005. A ceci s'ajoute la reconnaissance tardive – en mars 2004 – de la détention d'un deuxième type de centrifugeuses plus performantes, quand les révélations du colonel Kadhafi sur ses propres activités nucléaires ont mis au jour un réseau de vente clandestin dont l'Iran avait bénéficié. On ignore toujours où se trouvent situés ces équipements destinés à enrichir l'uranium. En outre, une offre pakistanaise de 1987, récemment découverte, pourrait avoir compris un plan d'arme. Il ne manquerait à l'Iran que les matières fissiles pour acquérir l'arme nucléaire. Dans ces conditions, l'existence probable de sites clandestins où peuvent se trouver des équipements – voire des matières nucléaires – non déclarés et non identifiés par les services de renseignement rend très délicate l'appréciation de l'état d'avancement réel du programme iranien. L'Iran cherche à jouer au plus fin et pourrait être victime de ses multiples ruses, car ses activités sont devenues un sujet de préoccupation pour les Européens, les Américains, les Russes et les pays de la région.

Ces derniers, notamment dans le Golfe ou en Egypte où la crainte de l'hégémonie iranienne est réelle, seraient aussi inquiets qu'Israël de voir apparaître une bombe iranienne, surtout dans un contexte régional où le chiisme progresse et où une nouvelle génération de conservateurs arrive au pouvoir à Téhéran. La seule différence est que Tel-Aviv le dit ouvertement tandis que Ryad ou Le Caire en parlent à mots couverts. Les missiles iraniens peuvent d'ores et déjà frapper tout le Moyen-Orient. Il y a là de quoi faire réfléchir plus d'une capitale. Les relations pakistano-saoudiennes, étroites et inscrites dans la durée, permettent d'envisager une coopération avec Islamabad pour l'acquisition de l'arme par l'Arabie Saoudite. Quant au Caire, son ignorance pendant vingt ans des activités nucléaires libyennes est peu crédible et les ambitions nucléaires de la période nassérienne peuvent également renaître. Dans ces conditions, que ferait la Turquie, surtout dans un contexte où le nationalisme turc se développe ? Un Moyen-Orient évoluant dans cette direction échapperait rapidement à toute possibilité de prévision et de contrôle. C'est pourquoi les efforts en cours pour arrêter le programme nucléaire iranien ont de profondes implications stratégiques. C'est un des domaines où le télescope doit être bien pointé sur l'avenir. Il ne faut en particulier pas négliger les relations de nombreux pays du Moyen-Orient avec la Corée du Nord et l'alliance possible de l'Iran et de la Chine, deux pays qui entretiennent des relations étroites dans des domaines qui ne se limitent pas au pétrole.

*Israël et la Palestine*

Si les négociations reprennent en 2005 après le retrait israélien de Gaza et des quatre implantations du nord de la Cisjordanie, un Etat palestinien viable – tant du point de vue des frontières que des institutions – pourrait voir le jour dans les dix prochaines années. La mort de Yasser Arafat a permis la reprise du processus de paix avec un cessez-le-feu dès le mois de février et un réinvestissement presque immédiat de Washington, qui s'est prononcé pour la reprise de la feuille de route adoptée par le Quartet (Etats-Unis, Russie, Union européenne et Nations unies). Mais rien n'assure que la violence sera contrôlée à Gaza après le retrait israélien, même avec une aide de l'Egypte, déjà fortement investie sur ce territoire, où elle redoute autant qu'Israël une montée en puissance du Hamas. Rien ne permet non plus d'affirmer qu'Ariel Sharon a l'intention de poursuivre le processus après cette étape difficile. Certes, les élections du 9 janvier 2005 ont permis aux Palestiniens de s'exprimer pour la première fois librement sur le choix de leur président [1] et

1. Les élections qui avaient porté Yasser Arafat à la présidence ressemblaient à celles des démocraties populaires, avec plus de 90 % des voix.

Mahmoud Abbas a engagé une nouvelle dynamique régionale en renouant le dialogue avec Ariel Sharon, en prenant des positions claires sur l'arrêt des violences et en associant les Jordaniens et les Egyptiens. Mais l'autorité du nouveau président est fragile et malgré les arrestations auxquelles il a procédé au sein de plusieurs groupes armés, les éléments radicaux ne sont pas maîtrisés.

L'épreuve de vérité doit donc avoir lieu après le désengagement de Gaza, qui a été salué par le Conseil de sécurité en août 2005. Si le retrait des troupes israéliennes entraîne la reprise d'attaques répétées sur les villages israéliens qui bordent Gaza, l'ensemble du processus pourrait à nouveau être menacé. Du côté israélien, la question est celle du gel et du démantèlement des colonies, notamment celle de Maale Adumim, un point sur lequel Ariel Sharon n'a pas pris d'engagements. Après le retrait, la question principale sera soit de passer directement à la troisième étape de la feuille de route (négociation sur le statut final), comme le souhaitent les Palestiniens, soit de s'en tenir à la deuxième, comme le voudraient les Israéliens, pour se donner le temps d'évaluer la capacité de l'Autorité palestinienne à gérer le nouvel Etat. Trois conditions devraient être remplies pour avancer : que les Etats-Unis et l'Europe fassent chacun pression sur le camp auprès duquel ils ont le plus de poids et d'influence. Les Etats-Unis doivent se montrer fermes sur la question des colonies et les Européens ne doivent pas entretenir chez les Palestiniens l'espoir absurde que Tel-Aviv va signer un texte préparé par la communauté internationale. En outre, l'Europe est la mieux placée pour participer massivement au fonds international de compensation des réfugiés qui n'obtiendront pas le droit de retour sur le territoire de l'Etat d'Israël. La deuxième condition est que les pays de la région – et en particulier l'Egypte – soutiennent le processus. Les effets sur la sécurité de l'Egypte d'une bande de Gaza sombrant dans l'anarchie sont bien perçus au Caire, qui partage en principe avec Tel-Aviv la volonté de limiter le pouvoir du Hamas. Enfin et surtout, les deux partenaires principaux doivent saisir la chance qui leur est offerte en 2005 de progresser vers la construction de deux Etats. Ceci suppose que la violence puisse être contenue des deux côtés et qu'Abou Mazen et Ariel Sharon maintiennent le cap des négociations avec des difficultés politiques considérables de part et d'autre. La position la plus sage demeure celle de Rabin : « négocier comme s'il n'y avait pas de terrorisme, lutter contre le terrorisme comme s'il n'y avait pas de négociations », mais l'époque n'est plus celle de Rabin et les violences auront des effets sur les négociations. Les chances de voir côte à côte deux Etats en 2025 existent, mais l'expérience passée incite à la prudence. En l'absence de cet objectif cependant, il est difficile d'imaginer une situation où la violence et le terrorisme ne prennent pas des dimensions inquiétantes, dont les deux parties feraient les frais.

### *La Turquie et l'Europe*

Dans vingt ans, le processus de négociation avec la Turquie qui débute à l'automne 2005 devrait être achevé et le processus de ratification décidera de l'entrée du pays dans l'Union européenne. Le pire des scénarios serait qu'après d'aussi longues négociations, si elles aboutissent, les référendums populaires ou les ratifications parlementaires se soldent par un refus. Il provoquerait des réactions anti-occidentales très violentes en Turquie, dont on a déjà en 2005 un avant-goût, mais il n'est malheureusement pas irréaliste. Il paraît même inscrit dans le fait que les populations des nations européennes, comme le Parlement européen, n'ont jamais été consultés sur les engagements pris par les Etats depuis une quarantaine d'années à l'égard d'Ankara. La question que ce pays pose à l'Europe étant celle de son identité et de ses frontières, on ne peut guère la traiter à la légère. D'un côté, la promesse faite à la Turquie date de 1962, ce pays est dans l'Alliance occidentale depuis cinquante ans, et il eût été catastrophique qu'il tombât du côté soviétique pendant la guerre froide. Il y a là une dette que beaucoup oublient. Ses réformes les plus importantes – nouvelle Constitution, nouveau Code pénal – ont été entreprises avec la perspective d'une reconnaissance par l'Europe. Les réformes à venir se feront avec cet espoir. Les Turcs doivent enfin donner des assurances solides sur le respect de leurs minorités. Un président kurde en Irak, reconnaissant qu'il n'a pas pour objectif l'indépendance du Kurdistan, est un encouragement pour la reconnaissance des droits des Kurdes en Turquie. Enfin, une Turquie modérée, laïque, pro-occidentale et dynamique serait un symbole important pour le monde musulman.

Ce sont là des arguments de poids. Mais même les Européens favorables à l'entrée de la Turquie en Europe ont dû reconnaître que depuis l'aval donné en décembre 2004 par Bruxelles au début des négociations, des signes inquiétants ont suggéré que les efforts d'Ankara dans le sens souhaité par l'Europe avaient connu des faiblesses. Ce fut le cas en mars lors d'une manifestation de femmes turques durement réprimée par la police, mais aussi de propos durs sur la question de Chypre. Enfin, c'est avec consternation que l'on a appris au début de l'année 2005 qu'un des grands succès de librairie en Turquie était *Mein Kampf*. Du côté européen, deux éléments paraissent peu contestables. D'une part, la Turquie montre que nous ne savons plus guère ce que nous sommes devenus : un territoire défini par l'histoire et la géographie ou une zone de paix démocratique qui applique des critères fixés à Copenhague. D'autre part, il est dangereux d'engager des négociations qui risquent de se solder dans vingt ans par des ratifications parlementaires ou surtout des référendums populaires négatifs [1]. Les Turcs peuvent à bon droit consi-

1. La France a de ce point de vue une position particulière-

dérer que c'est une façon de se moquer d'eux et de refuser les responsabilités politiques qui s'imposent. On se prépare donc une crise majeure dans vingt ans avec la fuite en avant qui a été choisie. L'ambiguïté constructive de l'Union européenne montre ses limites.

### *La fin du Pakistan*

Le problème stratégique que pose le Pakistan a changé de nature depuis qu'Islamabad a procédé à des essais nucléaires en 1998, que l'importance de l'islamisme radical y a été identifiée et que les autorités pakistanaises ont reconnu l'existence d'un réseau nucléaire clandestin mené par le « père » de la bombe pakistanaise, Abdul Kader Khan. La question qui est ici posée est celle de la désagrégation possible du pays dans les deux prochaines décennies et des conséquences que ce phénomène pourrait avoir sur la sécurité régionale et au-delà. En 2005, les experts considèrent le plus souvent que le pouvoir reste fermement entre les mains de l'armée et que dans le pire des cas, un assassinat de Pervez Moucharaff, un successeur lui serait trouvé parmi les militaires. On ne peut cependant exclure que le pacte faustien passé par le pouvoir avec les islamistes ne se retourne un jour contre lui, avec une progression constante

---

ment hypocrite, la Constitution imposant désormais le référendum pour toute accession postérieure à la Bulgarie et la Roumanie. Autant dire clairement que l'élargissement s'arrêtera après l'entrée de ces deux pays dans l'Union européenne.

des radicaux dans la plupart des provinces, minant les élites pakistanaises sur lesquelles un pouvoir moderne pourrait s'appuyer. Ceci surtout si Islamabad est incapable de contrôler le Béloutchistan[1], de plus en plus rebelle, et de régler la question du Cachemire, où les relations avec l'Inde demeurent ce qu'elles ont toujours été : un mélange de tension et de dialogue avorté. Au Béloutchistan, des attaques permanentes des forces pakistanaises ont lieu depuis 2004. Sur la question du Cachemire, des manifestations islamiques brutales peuvent éclater dans les grandes villes pakistanaises de Lahore, Karachi et Rawalpindi, et le pouvoir peut avoir à faire face à une division de l'armée entre des forces loyalistes et des forces acquises à l'islamisme. On ne peut guère imaginer que l'Inde ne cherche à contenir une crise de cette ampleur pour prévenir des troubles sur son propre territoire, notamment dans le Penjab. Une menace de désagrégation du Pakistan peut donc conduire à un conflit majeur.

*Une guerre entre la Chine et Taïwan*

Les guerres qui ont eu lieu dans les Balkans, en Afghanistan et en Irak ne peuvent fournir aucune idée de ce que serait un affrontement sino-américain au sujet de Taïwan. En 2025, cette

---

1. La plus déshéritée des provinces pakistanaises s'est déjà soulevée dans les années 1970 et l'on évoque à présent la possibilité d'une nouvelle crise, dont les répercussions stratégiques seraient beaucoup plus graves qu'il y a trente ans.

guerre aura peut-être déjà éclaté, à la surprise des Européens, qui ne veulent pas même en envisager la possibilité. Les relations économiques entre la Chine et Taïwan donneraient, à leur avis, une allure invraisemblable à ce conflit. Comme si l'interdépendance économique qui existait entre les nations européennes avait prévenu les deux guerres mondiales. La question d'une implication de l'Europe en Extrême-Orient à propos de Taïwan s'est déjà posée. C'était après la guerre de Corée, en 1954, au moment d'une grave querelle entre la Chine communiste et Taïwan à propos des îles Quemoy et Matsu. Churchill avait prévenu Eisenhower qu'« une guerre ouverte pour permettre à Chiang de conserver ces îles ne pourrait pas trouver de soutien » en Grande-Bretagne. On craignait une intervention américaine en Asie, qui plongerait à nouveau le monde dans la guerre. Cet épisode joua un rôle dans la décision britannique d'acquérir la bombe H, qui devait augmenter le pouvoir d'influence de Londres sur Washington et pourrait la dissuader d'entrer dans de dangereuses aventures.

Mais les conditions ont beaucoup changé. La légitimité de Taïwan a fait du chemin – même si sa reconnaissance diplomatique est très réduite – et les sentiments des Taïwanais ne sont pas favorables à la réunification pour des raisons économiques et politiques. Le revenu par tête d'habitant de Taïwan est quatre fois celui de la Chine continentale alors que la population chinoise est soixante-dix fois celle de Taïwan; la démocratie est désormais bien enracinée dans la société. La disproportion économique et l'opposition politique sont des obstacles sérieux à l'unification. Pour Pékin, cette perspective est inacceptable. Les risques de conflit sont donc bien réels : depuis les années 1990, la politique des trois grands acteurs (Etats-Unis, Taïwan et Chine) est de plus en plus instable. La possibilité d'une erreur de calcul ou d'interprétation de chacun sur l'attitude des deux autres est très élevée. La Chine pense que Washington ne sacrifiera pas Los Angeles à Taïwan, les Etats-Unis que Pékin ne sacrifiera pas vingt ou trente années de développement économique pour Taipei, et Taïwan croit qu'elle peut mettre Pékin devant le fait accompli sans en payer les conséquences. Ce sont trois erreurs dangereuses. Si un conflit a lieu sur la question de Taïwan, la réaction des alliés des Etats-Unis, notamment en Europe, est un profond mystère. En sens inverse, la position des acteurs régionaux est en voie de clarification. Le Japon a resserré ses liens de sécurité avec les Etats-Unis après la crise du printemps 1996 dans le détroit de Taïwan, et a déclaré ouvertement en février 2005 qu'il ne serait pas inactif dans l'hypothèse d'un conflit entre la Chine et Taïwan. Il a commencé d'en payer le prix dès le mois d'avril lors des violentes manifestations anti-japonaises qui ont éclaté en Chine. La Corée du Sud, quant à elle, a des liens croissants avec la Chine. La Russie chercherait à rester neutre, même si une victoire de Pékin pourrait être la source de problèmes ultérieurs pour Moscou, en Sibérie orientale.

Telle ne pourra pas être la position de l'Europe, non seulement parce que les Etats-Unis sont des alliés, mais aussi parce que les intérêts économiques européens et la sécurité des lignes maritimes entre le Moyen-Orient et l'Extrême-Orient se trouveraient immédiatement affectés par le conflit. On ne peut exclure en 2025 de se trouver en présence d'une région très fortement nucléarisée, avec le Japon, les deux Corée (ou une Corée réunifiée), l'Indonésie et la Malaisie, tous détenteurs d'armes nucléaires. Un conflit dans cette partie du monde prendrait donc vite un tour excessivement dangereux, où les Européens devraient à tout le moins contribuer à prévenir une victoire chinoise et un embrasement régional. Pour ce faire, des scénarios devraient être établis dès à présent avec les Etats-Unis, le Japon, voire l'Inde. La région a montré en 2005 son caractère potentiellement explosif. Si un conflit éclate, il ne sera pas question d'improviser.

*Les conflits éclairs*

En finir rapidement a toujours été une ambition militaire compte tenu du coût humain et financier des conflits et de l'incertitude qui croît sur leur issue avec le temps qui passe. Cette volonté permanente a cependant connu d'importants développements avec l'avènement des technologies modernes et la possibilité qu'elles offraient de paralyser les centres nerveux de l'ennemi avant même qu'il puisse s'engager sérieusement dans la bataille. La guerre du Golfe a contribué à illustrer cette révolution : le 17 janvier 1991, dans les toutes premières minutes du conflit, l'Irak n'avait pratiquement plus d'infrastructures de communications après les premières attaques des B52. L'idée que l'on allait désormais vers des conflits brefs, vite gagnés grâce à une maîtrise du champ de bataille que les nouvelles technologies rendaient possible, s'est développée jusqu'à l'issue du second conflit irakien. Celui-ci a été réglé en un temps record, faisant l'admiration des états-majors à travers le monde, mais la réalité que chacun retient à présent est plutôt celle de la difficulté de stabiliser un pays dont on a vaincu l'armée, occupé la capitale en un mois et renversé le régime en emprisonnant presque tous ses dignitaires, y compris le président. Les articles du début de la guerre sur le thème S*hock and Awe* ont eu la vie courte. Et les Etats-Unis mettent en place au Pentagone une organisation pour les opérations complexes de la reconstruction.

Au XXI$^{e}$ siècle, il faut songer à la notion de guerre éclair dans le contexte de l'Extrême-Orient. Dans un conflit contre Taïwan, ce serait une absolue nécessité pour la Chine de l'emporter très rapidement pour mettre le reste du monde devant le fait accompli, au lieu d'avoir à se battre contre Taïwan, les Etats-Unis et le Japon réunis. Pékin ne peut avoir l'assurance de gagner un conflit contre Taïwan que s'il s'agit d'une guerre éclair. C'est une des raisons pour lesquelles la Chine consacre une attention beaucoup plus importante que les Européens à la révolution des affaires militaires conduite aux Etats-Unis. En vérité, c'est le seul pays avec Israël à la prendre à ce point au sérieux. Les deux colonels chinois de l'Armée populaire de libération qui ont écrit *La Guerre sans limites* après la guerre du Golfe en présentent une version originale. Même s'il ne s'agit pas de la pensée officielle chinoise, elle mérite attention. Le but est de contrer le sentiment de supériorité que donne aux Américains la détention d'armes conventionnelles très sophistiquées en utilisant des stratégies surprenantes, auxquelles l'armée américaine n'est pas préparée, et qui associent la haute technologie à des méthodes rudimentaires et l'utilisation d'armes non conventionnelles au terrorisme. Dans l'esprit de ses auteurs, cette guerre – dont la première règle est précisément l'absence de règle – désorganiserait la machine de guerre américaine et la condamnerait vite à l'impuissance. Ce livre, qui a connu un fort succès de librairie en Chine, traduit surtout l'impatience chinoise, et commet la même erreur que celle que les Chinois dénoncent chez les Américains : il croit à des opérations rapides et décisives, quand les nombreuses variables en cause devraient plutôt conduire à envisager une guerre terrible, longue et progressivement globale.

*La coexistence des grandes puissances*

Pendant très longtemps, l'Europe a emprunté à l'image de la pesée des âmes [1] l'idée d'un équilibre des pouvoirs qui assurerait qu'aucune nation n'ayant d'avantage décisif sur les autres, la paix serait ainsi maintenue. La coexistence pacifique n'a pas été un succès en Europe, où un grand conflit a éclaté à chaque génération depuis le XVII^e^ siècle. Après deux guerres mondiales dévastatrices, les Européens, reconnaissant que l'intérêt commun était d'éviter la destruction totale qu'un nouveau conflit ne saurait manquer de produire, ont essayé une formule radicalement différente de relations entre leurs composantes nationales, celle de la communauté puis de l'union. Quand on parle de multipolarité au XXI^e^ siècle, on oublie donc l'expérience européenne où l'équilibre des puissances n'a cessé d'échouer pour basculer dans la guerre. Le problème de la coexistence pacifique se pose d'abord entre les Etats-Unis et la Chine. Les perspectives actuelles sont assez sombres compte tenu de la question de Taïwan. L'administration américaine estime que la politique d'ambiguïté est trop dangereuse pour être poursuivie et qu'il est indispensable de faire connaître à Pékin et à Taipei les lignes rouges à ne pas franchir. L'évolution des relations occiden-

1. Cette origine a été identifiée par Martin Wright dans son article « The Balance of Power and International Order », paru en 1973 à Londres (Oxford University Press).

tales avec la Russie est une autre inconnue importante, car ce pays est engagé avec le pouvoir actuel dans une voie sans issue et conserve une importante capacité de nuisance.

Le XXI^e^ siècle verra aussi l'apparition de nouvelles puissances, comme l'Inde, dont il faut mesurer comment elle va gérer ses relations futures avec la Chine. Pendant la guerre froide, l'alliance Inde-URSS reposait beaucoup, de l'aveu même de Nehru, sur l'existence d'un adversaire chinois commun. Depuis quelques années, après le passage houleux qui a suivi les essais nucléaires indiens, la Chine et l'Inde ont cherché à se rapprocher en opérant quelques avancées modestes sur la question des frontières. On peut s'attendre cependant à une reprise des tensions après 2008, si la croissance économique chinoise se ralentit à partir de cette date, avec les conséquences sociales que l'on peut imaginer. Des problèmes bilatéraux au Ladakh, dans l'Arunachal Pradesh ou au sujet du Tibet, ne peuvent être exclus. Ce qui pourra en résulter pour les relations entre les deux pays les plus peuplés de la planète est encore impossible à définir, mais la confrontation à terme paraît probable. Un scénario à l'horizon de 2025 pourrait opposer une Chine affaiblie économiquement et socialement à une Inde beaucoup plus confiante en elle-même qu'elle ne l'est aujourd'hui. Des incidents entre les deux marines dans la baie du Bengale ou une compétition féroce pour les ressources énergétiques pourraient servir de détonateur. Le nationalisme chinois prend d'ores et déjà de telles proportions que le gouvernement de Pékin peut être placé dans une situation impossible le jour où la population découvrira que l'Inde est en train de prendre le dessus et qu'elle acquiert les moyens de décimer la flotte chinoise au-delà du détroit de Malacca. Quant à l'Inde, il est intéressant de noter que les ouvrages historiques indiens les plus récents transforment l'image de Gandhi et ne saluent plus en lui l'apôtre de la nonviolence [1].

*Le siècle de la peur ?*

On assiste au retour des grandes peurs médiévales au début du XXI^e^ siècle, qu'il s'agisse des catastrophes naturelles ou des grandes pandémies. L'année 2005 a commencé avec un des plus violents tsunamis répertoriés et plus de 300 000 morts. Les secours ont utilisé le déploiement d'importants moyens militaires, pour la première fois à cette échelle dans l'histoire. A la fin de l'été, comme en contrepoint, c'est la première puissance mondiale qui a été touchée par un ouragan d'une force exceptionnelle, engloutissant La Nouvelle-Orléans et faisant un nombre important de victimes, surtout dans la population noire.

1. Voir Irfan Habib, Bipan Chandra, Ravinder Kumar, Kumkum Sangari et Sukumar Muralidharan, *Gandhi revisited*, New Delhi, Sahmat, 2004.

L'émotion a été d'autant plus vive que, contrairement à la vague de chaleur qui avait fait 15 000 morts en France en 2003, la télévision était sur les lieux, avec des images insoutenables. On prévoit un nombre élevé de désastres naturels dans les prochaines décennies en raison de changements climatiques encore mal connus. Ceux-ci, inégalement distribués sur la surface de la planète, devraient affecter en priorité les pays en développement.

Quant au retour des grandes épidémies, il a été évoqué par les organismes chargés de la recherche médicale depuis plus d'une décennie mais le choc causé par le SRAS a donné à ce thème une réalité concrète pour les opinions publiques. Avec les transports internationaux contemporains, l'élément le plus spectaculaire a été la mondialisation très rapide du phénomène, de la Chine au Canada. Depuis le XIX^e^ siècle, on espérait que la science finirait par avoir raison des grandes épidémies. On voit apparaître depuis dix ans une nouvelle maladie chez les humains pratiquement chaque année, associée au retour de maladies que l'on croyait éradiquées. Le continent le plus touché est l'Afrique, dont les populations sont décimées par le sida et la malaria comme le sont aussi les forces de police et les armées. En 2005, une épidémie du virus de Marbourg, une des fièvres hémorragiques les plus effrayantes, a tué des centaines d'individus en Angola.

Les avancées technologiques dans le domaine des biosciences et des sciences de l'information ouvrent enfin aux applications militaires des perspectives nouvelles et nombreuses (la découverte du génome humain en est l'exemple le plus troublant) à un moment où le risque d'usage délibéré de l'arme biologique augmente.

Le XXIe siècle sera-t-il le siècle de la peur ?

QUATRIÈME PARTIE

# RETOUR À 2005

« En politique, ce qu'il y a souvent de plus difficile à apprécier et à comprendre, c'est ce qui se passe sous nos yeux. »

ALEXIS DE TOCQUEVILLE.

# *Introduction*

« Eh bien ! Qu'allez-vous faire ?
Qu'allez-vous faire AUJOURD'HUI ? »

PAUL VALÉRY.

Si 1905 contenait des signes nombreux, et même de pressants avertissements, il ne faut pas en déduire que l'année 2005 est riche en événements précurseurs. Mais il y a tout de même là une invitation à sortir de l'actualité immédiate pour identifier quelques grandes tendances à l'œuvre dans le cours des choses. D'autant que la période paresseusement nommée pendant quinze ans, faute de mieux, l'*après-guerre froide*, est à présent finie, et qu'il faudra bien un jour lui trouver un successeur. On ne sait pas encore le nom qu'on pourra lui donner, mais sa date de naissance ayant été fixée le 11 septembre 2001, l'une de ses composantes majeures pourrait être un retour spectaculaire de la violence, incarnée cette fois par la capacité non seulement des Etats, mais de groupes restreints voire d'individus d'infliger de considérables dommages. L'Europe a fait sur son sol l'expérience tragique de la violence aveugle du terrorisme international le 11 mars 2004 à Madrid, puis le 7 juillet 2005 à Londres, et ne doute plus de la menace qu'il constitue. L'année 2005 a aussi été l'occasion d'élargir la vision stratégique à l'Extrême-Orient, où l'on assiste à une montée inquiétante des tensions régionales, et au réveil des souvenirs de la Seconde Guerre mondiale, d'autant plus dangereux que ce conflit n'est pas encore achevé dans cette partie du monde. Au début de l'année 2005 cependant, ce n'est pas le terrorisme ou les tensions régionales qui ont fait la une des journaux, mais plutôt les coups portés aux régimes autoritaires, qu'il s'agisse de l'Europe orientale, de l'Asie centrale ou du Moyen-Orient. Et ce, non par des moyens violents, mais avec une série de révolutions pacifiques menées par des centaines de milliers d'individus, au nom de la lutte contre la corruption et de la liberté. En un sens, c'était l'exact opposé du 11 septembre 2001.

Dans ce paysage d'ensemble, la soudaineté et l'ampleur des changements en cours en Europe orientale, au Moyen-Orient, en Asie centrale et en Extrême-Orient, font un contraste saisissant avec la léthargie de l'Europe dont la « pause » s'apparente dangereusement à de l'immobilisme. Tout se passe comme si les bouleversements qui se produisent dans le monde ne la concernaient pas. L'Europe aurait-elle abandonné cette curiosité séculaire pour les autres régions de la planète qui a tant contribué à sa grandeur ? Aurait-elle perdu le sens de l'appel de la liberté et des valeurs de la démocratie qui ont pris naissance chez elle ? Après des siècles passés à jouer aux Armagnacs et aux Bourguignons, les nations européennes enfin réunies ne semblent pas se réjouir de cette chance historique qui leur a été offerte sans faire couler le sang. Elles ne semblent pas comprendre que les résultats de cinquante années d'efforts continus peuvent disparaître. Elles se montrent peu disposées à sortir de leur crise d'introversion. Les résultats de cette myopie ne se font pas attendre. Plus personne ne se réclame de l'Europe, alors que c'est elle qui a créé la liberté comme catégorie politique, contribué à façonner le monde et témoigné à travers les siècles d'une compréhension remarquable des civilisations les plus lointaines.

Certes, il est plus facile de mesurer l'ampleur des changements en cours que leur solidité. Tous ces mouvements ne seront peut-être que feux de paille. C'est possible. Mais certains d'entre eux ont confirmé une évolution entamée depuis deux ans dans l'environnement de la Russie. Après l'Abkhazie, la Géorgie et l'Ukraine, c'est le Kirghizistan qui réussit en quelques heures à renverser son président le 24 mars. Des milliers de manifestants ont occupé le palais présidentiel, et provoqué la fuite en Russie du chef de l'Etat, Askar Akaïev, qui régnait sur le pays depuis 1990. Certains avaient parié sur l'effet contagieux de démonstration que la population de Kiev avait donné aux républiques voisines à l'automne 2004. Les faits semblent leur donner raison. Bien des amis de Vladimir Poutine plient bagage. La politique russe, qui consistait à soutenir des politiciens autoritaires et corrompus, connaît des échecs patents et l'Ouzbékistan est une piètre consolation au moment où la Biélorussie s'agite à son tour. Inversement, il y a là un succès pour la politique délibérée des Etats-Unis, qui ne se sont pas contentés de faire des discours sur la liberté et la démocratie, mais ont favorisé l'éclosion de nombreuses organisations non gouvernementales dans les pays qui bordent la Russie [1]. Une inflexion de la politique russe s'impose pour éviter de plus importantes désertions, celle de la Biélorussie par exemple, ou de républiques pouvant menacer plus directement la Fédération de Russie, comme la Bachkirie.

Au Moyen-Orient, à l'exception de l'Iran, où l'on vérifie une fois encore en 2005 que les prévisions optimistes des Occidentaux sont déjouées, comme c'est le cas depuis vingt-cinq ans, un vent nouveau a commencé à souffler sur la région. Après l'élection d'un nouveau leader palestinien

1. Dans le cas du Kirghizistan, l'enjeu était d'autant plus important qu'il s'agit d'une république musulmane et que l'effet de démonstration y était donc plus fort.

qui a permis une reprise du dialogue avec Israël, des élections ont manifesté la volonté de la majorité des Irakiens de l'emporter sur les défenseurs de l'ancien régime et sur la minorité ethnique qui avait confisqué le pouvoir pendant des décennies. Le choix d'un président kurde et d'un Premier ministre chiite, les deux communautés martyrisées par Saddam Hussein, a un pouvoir symbolique exceptionnel. Désormais, plutôt qu'une question posée à George Bush, l'Irak est devenue dans les esprits le lieu d'une lutte pour le pouvoir entre les tenants d'un régime multiethnique et des insurgés, qui cherchent la restauration impossible du pouvoir d'une minorité. Du coup, ils ne sont plus traités de « résistants ». L'issue de ce combat dépendra de la solidité de l'alliance entre les Kurdes et les chiites, et de la poursuite du processus politique.

Peu après les élections en Irak, la Syrie a été contrainte de retirer ses troupes du Liban après y avoir commis deux erreurs fatales : le changement de Constitution à l'automne 2004, destiné à maintenir l'homme de Damas à Beyrouth, et l'assassinat de Rafic Hariri en février 2005. Après des manifestations populaires massives, il a fallu se plier à la résolution 1559 sous la pression interne, régionale et internationale. De véritables élections ont eu lieu au Liban en juin 2005, consacrant la victoire de l'opposition antisyrienne.

Enfin, en Arabie Saoudite, des élections municipales se sont tenues [1] pour la première fois dans l'histoire du royaume, et en Egypte Hosni Moubarak, qui doit bénéficier cette année d'un cinquième mandat, a dû proposer une réforme de la Constitution pour permettre une élection au suffrage universel dès septembre 2005 alors qu'il était jusqu'à présent le candidat unique d'un système recourant au plébiscite [2]. Dans ce pays policier et corrompu, la population aspire à une moralisation de la vie publique et à une plus large intégration dans la vie politique. Même si la réforme proposée est une concession de façade faite aux Etats-Unis, il sera difficile de revenir en arrière une fois le processus d'ouverture politique lancé. L'Europe devrait participer plus activement aux évolutions en cours dans la région, qui sont fragiles et ont besoin de consolidation, en encourageant la redistribution des ressources au profit de l'enseignement, de la santé, de l'emploi, de l'ensemble des populations.

En Extrême-Orient, c'est un message très différent qui a été lancé en 2005 et c'est de là que viennent les avertissements les plus inquiétants.

---

1. Il ne s'agit que d'élections municipales, limitées aux hommes, mais c'est une première qui a son importance pour cette raison. Elle montre aussi à quel point le régime théocratique de Ryad est encore séparé du monde moderne.

2. Certes, entre-temps, il bénéficiera encore d'un cinquième mandat cette année. C'est peut-être même pour prévenir une réaction à cette occasion que la promesse d'un amendement constitutionnel a été faite.

Parmi eux, de nouvelles provocations de la Corée du Nord, un durcissement des déclarations japonaises sur la sécurité régionale, l'adoption par Pékin d'une loi autorisant l'épreuve de force à l'égard de Taïwan, la montée des tensions entre la Chine et le Japon et d'importantes manœuvres militaires russo-chinoises au cœur de l'été. Toutes ces données sont menaçantes dans une région où les Etats-Unis, seul vrai pilote, ne paraissent pas avoir défini leur politique à l'égard des différents acteurs ni réaliser que ce qui pourrait s'y jouer au XXI^e^ siècle est en fait le dénouement tardif de la Seconde Guerre mondiale. De ce point de vue, le retard de l'Asie sur l'Europe est considérable : quinze ans après la réunification de l'Allemagne, on attend toujours la réunification de la Corée. Une des raisons en est qu'on ne trouve à Pékin aucun Gorbatchev qui soit prêt à la tolérer. Le coût financier en serait aussi beaucoup plus élevé qu'en Allemagne et risquerait de compromettre la réussite économique de Séoul, ce que la capitale de la Corée du Sud, qui a fait une étude comparée sur ce sujet, n'ignore nullement.

Soixante ans après la fin de la guerre, la Chine et le Japon ne sont pas davantage réconciliés. Sans doute les responsabilités sont-elles partagées mais le problème principal n'est pas en Chine celui des manuels scolaires japonais. D'ailleurs, si l'on engageait une épreuve de vérité historique, textes à l'appui, la Chine aurait plus de difficultés à soutenir ses positions que le Japon, non seulement en raison des atrocités commises envers ses propres citoyens en temps de paix, mais aussi pour la façon dont Mao a facilité l'avancée japonaise et n'a jamais eu un seul mot sur la tragédie de Nankin. De fait, à cette époque, il avait lui-même déjà acquis une bonne expérience du massacre de ses concitoyens par ses propres troupes. Quand Tokyo a présenté des excuses solennelles à la région à l'occasion du Sommet de Jakarta en avril, puis à nouveau en août, au moment de la commémoration de la fin de la Seconde Guerre mondiale, ce n'était pas une première. On attend toujours celles de la Chine aux Vietnamiens à qui elle a déclaré la guerre, ou aux Cambodgiens, dont elle a soutenu les Khmers rouges. Le véritable enjeu, comme souvent avec le pouvoir de Pékin, est une question de puissance au moment où Tokyo prend de nouvelles initiatives et où sa candidature au Conseil de sécurité est à nouveau évoquée. Dans cette région enfin, Taïwan est la question stratégique la plus dangereuse. C'est même probablement la plus périlleuse de la planète. Mais ici, le retard n'est pas celui de l'Asie sur l'Europe. C'est celle des mentalités européennes, qui ignorent cette vérité, sur l'ensemble de l'Asie, qui la reconnaît.

Un temps occultée par les attentats du 11 septembre 2001 et la guerre en Irak, l'importance des affaires asiatiques pour la sécurité internationale revient donc en force dans les faits. Les relations de Washington et de Pékin seront une des questions stratégiques majeures du XXI^e^ siècle, comme le sera celle de l'identité de la première puissance régionale : sera-ce l'Inde, la Chine ou encore le Japon ? La candidature du Japon et de l'Inde au Conseil de sécurité inquiète Pékin pour cette raison : elle ne peut accepter que ces deux nations puissent se comparer à elle, même symboliquement. L'annonce au début de l'année 2005 d'un accroissement des dépenses militaires chinoises de plus de 12 % favorise une réflexion sur la modernisation de l'armée chinoise, et ce d'autant plus qu'il s'agit d'une évolution – et d'un taux – qui a démarré en 1988, à peu près au moment où la Chine reconnaissait qu'elle ne craignait plus d'attaque majeure comme ce fut le cas pendant la guerre froide. Quel but servent donc tous ces préparatifs ? Un mois après l'adoption de la loi anti-sécession à Pékin, la forte tension sino-japonaise du mois d'avril, qui recouvrait l'hostilité de Pékin à une ouverture du Conseil de sécurité en faveur de Tokyo et une âpre compétition régionale pour les ressources énergétiques, a ajouté une touche inquiétante à un tableau déjà sombre. Si l'histoire devait reculer au XXI^e^ siècle, nul doute que l'Extrême-Orient serait un bon candidat.

Face à des bouleversements qui vont décider de la face du monde dans trois régions au moins, l'Union européenne est embourbée à Bruxelles et dans les capitales. Les populations des pays membres manifestant peu d'entrain pour leur avenir le plus direct, y compris quand elles votent en faveur du projet de Constitution, on ne peut guère attendre d'elles qu'elles se passionnent pour le reste du monde. Certes, la double question des frontières de l'Europe et de l'identité européenne peut les troubler. L'ambiguïté constructive qui a toujours guidé la politique des capitales et de la Commission sur cette question trouve à présent ses limites : au-delà de la question turque, il faudrait dire clairement que l'Ukraine, la Biélorussie, la Moldavie et les Balkans pourront prétendre à l'adhésion, mais non le Maroc ou les autres nations du Maghreb. Sinon, le projet européen devient indéfinissable. Mais les Européens se montrent aussi inquiets pour leurs emplois et leur prospérité, et évoquent le plus souvent l'élargissement en soulignant ses inconvénients économiques – pour les mieux dotés – au lieu de percevoir la chance historique qu'il représente. Dans un monde où leurs économies font un contraste frappant avec la pauvreté et la misère des autres, ils n'ont pas conscience du fait que l'expression de ces craintes – vue de l'extérieur – a quelque chose d'indécent [1].

Bref, dans une année décisive pour son avenir politique, où l'on trouve le rejet de la Constitution, le début des négociations avec la Turquie,

---

1. Presque un milliard d'hommes souffrent de malnutrition, et quinze millions, dont six millions d'enfants, meurent chaque année de faim. Un milliard d'hommes n'ont pas accès à de l'eau potable.

une décision sur le statut du Kosovo et le traitement de la question ukrainienne, on ne perçoit aucun dynamisme interne et peu de générosité externe. Les projets de l'Europe à l'égard de ses voisins les plus proches sont confus et l'un des messages des électeurs français le 29 juin est souvent, plus encore que l'hostilité à l'élargissement, la xénophobie pure et simple.

On aurait du mal à définir la politique européenne même à l'égard de la Russie, dont les relations avec l'Union sont tenues pour essentielles. On ne comprend pas davantage pourquoi les négociations avec la Turquie sont justifiées si l'on adresse à l'Ukraine une fin de non-recevoir. Enfin, cinq ans après la guerre du Kosovo, alors que cette région va vers une forme d'indépendance évidente, on craint de cautionner une réalité qui fâcherait les Russes. Les Balkans ne peuvent s'accommoder du statu quo, comme l'a montré le rapport de la commission Amato d'avril 2005. Toute la région peut rebasculer dans une nouvelle période d'instabilité, voire de chaos, si l'on continue à chercher à gagner du temps plutôt qu'à traiter les problèmes. Comme on ne peut pas prolonger éternellement la gestion internationale des Balkans, la seule solution est d'ouvrir la porte de l'Union. Saura-t-on le faire à un moment où le processus politique européen est en panne ? Les affaires de l'Europe sont trop longtemps demeurées le pré carré de bureaucrates. Les politiques n'ont plus aucun message européen pour leurs populations. Et si l'idée européenne existe encore, elle manque de force au sein de ses frontières, tout particulièrement à l'ouest. Dans ces conditions, il ne faut pas s'étonner si la voix de l'Europe peine à se faire entendre dans le monde.

Il y a un autre sujet essentiel pour la diplomatie de l'Europe en 2005 : une seconde rupture des discussions nucléaires avec l'Iran que le nouveau pouvoir à Téhéran a rendue inévitable [1]. Les capitales européennes engagées dans la négociation avec Téhéran ont clairement fait savoir que la seule issue serait dans ce cas le transfert du dossier iranien au Conseil de sécurité, dont l'impuissance risque d'être démontrée une fois encore. Pour les Européens, les enjeux sont considérables car une bombe iranienne serait à la fois un risque d'implosion du Traité de non-prolifération nucléaire – le plus important de tous les accords multilatéraux –, un facteur de compétition nucléaire au Moyen-Orient, et une menace pour la sécurité du territoire européen lui-même. Une arme iranienne pourrait compromettre les développements enregistrés au Moyen-Orient depuis le début de l'année et engager une course aux armements redoutable dans une région

1. Le président qui a été élu en juin 2005 a un lourd passé : il est soupçonné d'avoir participé à l'assassinat de trois opposants kurdes à Vienne en 1989. Il a en outre empêché, comme maire de Téhéran, la normalisation des relations avec l'Egypte, au motif qu'il ne voulait pas débaptiser la rue de Téhéran qui portait le nom de l'assassin du président Sadate.

où il faut toujours craindre la régression dans la violence. C'est la raison pour laquelle les Européens, en accord sur ce point avec les Américains, ont à plusieurs reprises indiqué qu'une arme nucléaire iranienne était « inacceptable ». A quelles conclusions faudra-t-il donc parvenir si la perspective de cette arme se rapproche ? Les seules sanctions efficaces concernent les investissements dans les infrastructures pétrolières et gazières ou un embargo sur le pétrole. Ce sont des hypothèses peu séduisantes, mais une arme nucléaire aurait sans doute aussi un effet sur les cours de l'or noir, surtout elle doit être suivie d'une arme saoudienne ! En outre, au-delà des sanctions, il n'y a guère que l'épreuve de force, et celle-ci est loin d'être impossible si les autres voies ne donnent aucun résultat.

Sans qu'il soit nécessaire d'évoquer le terrorisme international qui a pourtant frappé à nouveau l'Europe de façon cruelle à Londres en juillet 2005, mais auquel il est déraisonnable de limiter la réflexion stratégique, comme le font un certain nombre d'analystes depuis 2001, les sujets de préoccupation ne manquent pas. Dans la prochaine décennie, la période 2008-2010 mérite une attention particulière. La Russie et les Etats-Unis connaîtront toutes deux des élections présidentielles en 2008. En Russie, le choix pourrait être entre un nouveau mandat de Vladimir Poutine – ce qui imposerait un changement, peu probable, de la Constitution russe –, un candidat choisi par lui comme il a été lui-même choisi par Boris Eltsine et un candidat nationaliste et xénophobe. Dans la période auto-destructrice que connaît la Russie, il n'y a guère de place à cette échéance pour une évolution de type libéral. Les Etats-Unis de leur côté auront un nouveau président, qui devra faire face à un monde plus dangereux en Asie, une partie du monde qui devrait déjà assombrir la fin du deuxième mandat de George Bush. La Chine pourrait en effet lever à cette date ce qui lui reste d'inhibitions, tant à l'égard de Taïwan que du Japon, après la tenue des Jeux olympiques et à un moment où le ralentissement de la croissance chinoise poserait des problèmes socio-politiques majeurs. Ce qui est aujourd'hui en préparation apparaîtrait alors dans une lumière plus vive.

Dans ce tableau d'ensemble, que devient la sécurité collective ? Le Secrétaire général des Nations unies, conscient de l'importance des enjeux, a préparé en 2005 une réforme de l'Organisation des Nations unies pour faire entrer l'institution dans le XXIe siècle. Ses propositions contenaient des modifications importantes du Conseil de sécurité, une réforme de la Commission des droits de l'homme (qui serait élevée dans la hiérarchie des Nations unies) et de nouveaux critères pour régler l'usage de la force dans un monde où la violence s'accroît. Mais le Sommet de New York en septembre a été mal préparé et s'est déroulé dans les pires conditions. Les difficultés à faire survivre un système de sécurité collective efficace en ce siècle seront considérables. Les membres permanents du Conseil de sécurité continuent de placer leurs intérêts nationaux au-dessus de ceux de la paix et de la sécurité internationale qui justifient leurs privilèges et notamment celui du droit de veto. Parmi les plus réticents à revoir les équilibres existants, on trouve la Chine, qui profite du statu quo. L'entreprise de réforme ayant échoué, le spectre de la Société des nations pourrait revenir nous hanter au plus mauvais moment. C'est en effet au début des années 1930, quand on a vraiment eu besoin d'elle, que l'impuissance de la SDN a éclaté au grand jour. La même chose peut se reproduire au début du XXI^e^ siècle. On pourra dire alors avec Carl Bildt qu'« Ivan Bloch a voulu la création de systèmes de droit et d'arbitrage internationaux. Il a réussi – et [qu']ils ont échoué ». La renationalisation des politiques en sortira renforcée, au moment où la sécurité collective n'a jamais été plus nécessaire, compte tenu de la nature transnationale des menaces. On ne peut que regretter la cécité des Etats-Unis sur cette question.

Enfin, l'année 2005 a montré avec éclat l'importance de la mémoire dans le processus historique. Dès le mois de janvier, une série de commémorations de la fin de la Seconde Guerre mondiale s'est déroulée sur les lieux des camps de concentration, comme pour contraindre les Européens à revivre les violences dont leurs aînés ont été les acteurs ou les victimes. En mai, la célébration de la fin de la Seconde Guerre mondiale à Moscou a donné lieu à une douloureuse polémique dans les pays Baltes, qui ont connu à partir de 1945 une effroyable tutelle plutôt qu'une libération. Un mois plus tôt, la commémoration de l'entrée des troupes de Pol Pot à Phnom Penh a rappelé au monde l'avènement d'une des plus terribles dictatures du siècle passé qui a, de 1975 à 1979, exterminé un tiers de la population dans l'indifférence générale. Trente ans après le génocide, le jugement est devenu possible, et beaucoup pensent qu'il est indispensable pour le Cambodge [1]. Au Moyen-Orient, c'est la question du génocide arménien, presque centenaire, qui a de nouveau été évoquée en Turquie, où les autorités ont tenté d'étouffer la demande de reconnaissance avec la création d'une commission d'enquête. Au Liban, le départ des Syriens a été l'occasion d'une mobilisation sans précédent pour retrouver les traces de tous les Libanais emprisonnés et disparus en Syrie depuis trente ans. La France n'a pas été épargnée par le retour du passé quand, en mai 2005, l'Algérie a rappelé le massacre de Sétif, dont beaucoup de Français entendaient parler pour la première fois. La même année, le parlement français, dont on peut se demander s'il n'a pas alors outrepassé ses droits, avait voté une loi imposant à l'Education natio-

1. Le Secrétaire général de l'ONU a informé en avril le Premier ministre cambodgien, Hun Sen, que le financement du procès était désormais assuré, levant un dernier obstacle.

nale de vanter dans l'enseignement les mérites de la colonisation.

Mais la mémoire potentiellement la plus explosive est celle de l'Extrême-Orient, comme en ont témoigné les événements du printemps et les commémorations de l'été. En avril, le Premier ministre japonais a réitéré en Indonésie le remords de son gouvernement pour les actes commis pendant la Seconde Guerre mondiale par le Japon dans toute l'Asie. Le discours, préparé pour la Conférence Asie-Afrique qui se tenait en Indonésie, a paru répondre aux violentes manifestations anti-japonaises, largement orchestrées par Pékin, qui se sont déroulées en Chine juste avant la conférence. Pékin regrettera peut-être d'avoir réveillé les monstres de la Seconde Guerre mondiale à cette occasion [1]. Car la mémoire chinoise une fois réveillée sera difficile à contenir, tant elle est remplie de mensonges officiels et de tragédies humaines refoulées par le pouvoir. Parmi les mensonges du parti communiste chinois, le rôle de Mao Tse-tung et de Chiang Kai-chek dans la lutte contre l'envahisseur japonais a fait l'objet de révélations dans la nouvelle biographie de Mao publiée au printemps 2005 par Jung Chang et Jon Halliday : loin de se battre contre les troupes

1. Ceci semble bien avoir été compris par les autorités chinoises, car après trois semaines de manifestations anti-japonaises qu'elles n'ont rien fait pour prévenir ou arrêter, il a soudain été question d'un « complot » contre le parti communiste chinois.

japonaises, Mao, craignant en 1939 un pacte entre l'Allemagne et le Japon sur le modèle du pacte germano-soviétique, a collaboré avec les services de renseignement japonais pour affaiblir Chiang et obtenir le soutien de Staline. Le véritable défenseur de la Chine est donc l'homme qui s'est réfugié à Taïwan. On imagine le parti que Tokyo et Taipei pourraient tirer de ces révélations [1]. Des émotions collectives postérieures aux années de la guerre pourraient aussi ressurgir, surtout si l'élan économique de la Chine se ralentit et si les innombrables victimes de la corruption bureaucratique finissent par se révolter contre le système.

On rappelle souvent, en citant Hérodote, que l'écriture de l'histoire a commencé en Grèce pour que les hauts faits des hommes ne sombrent pas dans l'oubli. En 2005, c'est une ambition toute différente que l'on pourrait cultiver : celle de conserver en mémoire la possibilité toujours ouverte du retour à l'ensauvagement.

---

1. Jung Chang et Jon Halliday, *Mao, the Unknown Story*, Londres, Jonathan Cape, 2005, pp. 230-231.

CHAPITRE I

# *La Russie telle qu'elle est*

> « Comme les champignons dans les sous-bois, les idéologies sont toujours prêtes à reparaître à la première averse. »
>
> RAYMOND BOUDON.

Depuis la chute de l'URSS, les pays occidentaux ont, dans un bel ensemble, fait reposer leur politique à l'égard de Moscou sur des individus au lieu de parier sur les réformes institutionnelles ou le développement de la société civile. Ils ont sacrifié les principes sur lesquels reposent leurs relations extérieures à une prétendue « stabilité » de la frontière orientale que garantirait le tenant du poste présidentiel, quel qu'il soit. Tant que les dirigeants s'entendaient bien avec Boris ou Vladimir, il n'y avait aucune raison de s'inquiéter. On peut constater le résultat de cette politique.

L'influence occidentale sur les événements est nulle. Les capacités d'exportation d'*instabilité* de la Russie dans le reste du monde augmentent. Et le pays est redevenu imprévisible, tenu par une étroite camarilla qui a du monde et de la Russie une vision fausse. Elle a démontré son incompétence en 2004 et 2005 avec la tragédie de Beslan, les erreurs grossières d'appréciation en Ukraine et la surprise qui a suivi le renversement du président Akaïev au Kirghizistan.

Pressées de distinguer l'émergence d'un nouveau monde, les analyses de l'après-guerre froide ont présenté la mutation de Moscou sous un jour trop tranché. Certes, la simplification fait partie de l'effort d'explication : on ne peut bâtir aucun discours sur la seule reconnaissance de contradictions. Cependant, quand l'ambiguïté fait partie du cœur du système, comme c'est le cas de la Russie de Poutine, la prudence devrait être de mise. Le discours externe et la réalité interne ne coïncident pas. On peut feindre un temps de l'ignorer, mais quand la confrontation des deux réalités fait grincer les rouages, comme ce fut le cas à l'occasion de la crise ukrainienne, on se retrouve face à une crise grave. Si les nouveaux pays membres de l'Union européenne, chez qui il existe en principe « une bonne connaissance des méthodes mais aussi une plus grande résistance à la manipulation [1] », étaient davantage écoutés,

1. Vaclav Havel, entretien avec *Le Monde*, 24 février 2005.

l'Europe occidentale ferait peut-être moins d'erreurs. Mais comme ils sont *a priori* taxés d'hostilité à Moscou, leurs messages sont suspects.

Les seconds mandats présidentiels révèlent souvent mieux que les premiers les ambitions réelles des hommes politiques. Celui de Vladimir Poutine avait commencé par écarter tous ses opposants potentiels *avant* les élections. Du coup, il devenait seul responsable de ce qui se faisait en terre russe, qu'il s'agisse de politique intérieure ou extérieure, et les erreurs commises devaient avoir pour lui un prix. Dans la solitude où il se trouve désormais, ses idées apparaissent aussi dans une plus grande clarté. De ce point de vue, les élections ukrainiennes feront date. L'expression de sa volonté de restauration impériale y a été aussi nette que son incapacité à imposer cette politique réactionnaire. L'Europe occidentale a de son côté vite retrouvé ses réflexes d'*appeasement* de Moscou, non sans avoir d'abord vivement réagi aux fraudes électorales massives du second tour avec une belle unité. Pourvu que cette révolution orange se calme vite ! Pourvu que l'Ukraine n'en demande pas trop ! Pourvu surtout qu'elle ne fâche pas Vladimir Poutine ! En février 2005, quand le président ukrainien s'est rendu au sommet de l'OTAN, la réception de trois chefs d'Etat européens a été plus que fraîche. Le président français a quitté la salle après les propos introductifs, le chancelier allemand n'a pas ouvert la bouche, et le Premier ministre espagnol a déclaré en quittant la salle que la séance n'avait pas été très excitante. Et depuis, le président de la Commission est sommé de ne rien faire qui pourrait laisser croire à l'Ukraine qu'elle peut prétendre entrer un jour dans l'Union européenne.

Cette *cour* européenne autour de Vladimir Poutine est d'autant plus surprenante que le « choix de l'Occident » qu'il disait avoir fait après le 11 septembre n'a pas résisté à l'épreuve de la réalité, pas davantage que le « choix européen » évoqué dans nos capitales où, pour mieux convaincre, il laissait entendre que Washington avait déçu. Ceci est aussi apparu nettement avec la crise ukrainienne. Car ce qui était inacceptable chez le candidat de l'opposition ukrainienne, désormais président, c'était précisément ce choix de l'Occident et de l'Europe. Inacceptable au point d'intervenir à plusieurs reprises dans le processus électoral, de chercher à l'éliminer, puis de cautionner trois fois des résultats falsifiés avant de jeter le gant. L'ensemble de l'opération a finalement tourné au désastre pour Vladimir Poutine, dont on se demande à présent s'il détient toujours la réalité du pouvoir. On appuie donc celui qui se méfie de l'Europe contre celui qui y aspire. C'est un signe de la confusion des temps. Depuis que, le 25 avril 2005, le président russe, s'adressant aux deux chambres de l'Assemblée nationale réunies au Kremlin pour son adresse annuelle à la nation, a évoqué la chute de l'URSS comme « la plus grande catastrophe géopolitique du siècle », il n'y a plus lieu de s'interroger sur la représentation du monde qui prévaut à Moscou.

Le choix est encore plus étrange si l'on songe que l'épisode ukrainien est pour la Russie une épreuve de réalité avec laquelle il est essentiel de réconcilier Moscou, avant qu'elle ne se lance dans de nouvelles aventures. Sans l'Ukraine en effet, le rétablissement de la domination de Moscou sur les Etats qui se sont émancipés en 1990 est impossible. Sans elle, la Russie ne peut plus songer à la restauration de l'empire. Sans elle enfin, la Russie devient un pays comme les autres. Comme le rappelait Zbigniew Brzezinski, il faut choisir entre l'empire et la démocratie. On ne peut avoir l'un et l'autre. Une frange de la population russe, à laquelle appartiennent les militaires et les services spéciaux, n'a jamais été convaincue que Moscou avait perdu la guerre froide : personne ne leur avait donné l'occasion de livrer cette guerre. L'effondrement de l'empire est pour eux politique bien plutôt que militaire. Les études récentes sur la composition des élites russes sous les présidents Eltsine et Poutine montrent que ces éléments ont gagné du terrain. Sous le premier, 52 % des membres de l'élite avaient une formation universitaire, contre 21 % sous Vladimir Poutine, et 11 % contre 25 % appartenaient à l'armée ou aux services, tandis que 6,7 % avaient une formation militaire (sans être pour autant dans l'armée) contre 27 % sous l'actuel président[1]. Ces chiffres parlent d'eux-mêmes : les élites sont probablement de moins en moins disposées à reconnaître la fin définitive de l'empire russe. Ce sont elles qui conseillent à Vladimir Poutine la politique désastreuse qui a été mise en œuvre en Abkhazie, en Géorgie et en Ukraine. Soutenir cette politique de l'extérieur ne peut être attribué qu'à un aveuglement volontaire. Veut-on vraiment encourager ces dangereuses illusions ? Quand il s'agit de répondre à cette question, les opinions publiques européennes sont plus raisonnables que les gouvernants. Ceux-ci[2] ont encore montré le 9 mai à Moscou, lors des célébrations de la victoire de 1945, qu'ils n'avaient pas compris la leçon.

En novembre 2004, on a eu le sentiment de revivre des scènes historiques. Le mouvement démocratique des Ukrainiens a été comparé aux soulèvements passés de Pologne, de Hongrie et de Tchécoslovaquie. Ce mouvement n'avait d'abord qu'une portée intérieure : il s'agissait d'un rejet de la corruption massive du régime Kouchma, qui n'avait pas hésité à recourir à l'assassinat pour parvenir à ses fins. Mais il a vite pris un visage politique contre l'ensemble du système, y compris les liens très étroits de Kiev avec Moscou. D'autant que la Russie, incapable de comprendre le peuple

---

1. Voir Olga Krishtanovskaya, *Le Régime de Poutine*, Moscou, Pro et Contra, vol. 7, p. 161.

2. A l'exception de Tony Blair, qui ne s'est pas rendu à Moscou.

ukrainien, prenait fait et cause pour le leader corrompu. C'est ainsi que la contestation populaire a viré à la révolution et que l'ordre ancien a peu à peu lâché. La Cour suprême a annulé les élections, les journalistes ont avoué ne plus supporter de parler sur instruction, et cent vingt diplomates ont fait connaître leur choix en faveur de la rupture politique. Pour la première fois de leur histoire, les Ukrainiens ont eu droit à un débat télévisé entre les deux candidats réunis pour un troisième tour où ils ont entendu que le temps était venu pour que « le président de l'Ukraine indépendante ne soit plus choisi par Moscou [1] ». Ce message a été répété par Viktor Iouchtchenko à Moscou en janvier 2005 : la Russie serait désormais informée des choix de Kiev, mais elle ne serait plus associée aux décisions.

Pendant la crise, par incapacité de s'adapter à une situation imprévue, Vladimir Poutine a repris le langage soviétique. Il a dénoncé les observateurs internationaux de l'OSCE, en jugeant « inadmissibles » leurs réserves sur le caractère démocratique des élections alors même que la Cour suprême ukrainienne annulait les résultats [2]. Quelques jours plus tard, lors d'un voyage officiel

1. Les sondages montrent un soutien populaire de l'ensemble de l'Ukraine à son indépendance, même si ce soutien est plus marqué à l'ouest qu'à l'est. L'Ukraine a été successivement sous domination polonaise, russe, nazie et soviétique, et c'est un pays longtemps martyrisé qui a commencé à revivre en novembre et décembre 2004.

2. Déclaration de Vladimir Poutine à Lisbonne, le 23 novembre 2004.

en Inde, le président russe dénonce la « dictature » des Etats-Unis [1], tandis que l'Europe était accusée d'« encourager ouvertement l'opposition à des actions illégales et violentes ». A Ankara, donnant la preuve qu'il avait perdu la maîtrise de ses nerfs, il mit en garde contre les donneurs de leçon « au casque colonial ». Ces étranges formules ont vite cédé la place à des expressions plus policées. Cependant, pour ceux qui s'intéressent à la personnalité de ce dirigeant médiocre, elles expriment peut-être sa véritable pensée, qu'un masque froid protège en temps normal.

Les vingt-cinq européens ont une part de responsabilité dans la genèse de la crise : les manipulations du premier tour ont été si faiblement dénoncées que le pouvoir s'est cru autorisé à recourir à des fraudes beaucoup plus massives au second. De surcroît, la tolérance européenne pour les pratiques électorales frauduleuses en Russie depuis plusieurs années permettait au Kremlin d'espérer un silence supplémentaire. Les élections de décembre 2003 à la Douma russe, où le parti du président a réussi à contrôler 300 des 450 sièges, transformant le législatif en une simple branche de l'exécutif, n'avaient donné lieu à aucune réaction. En Ukraine, où la pilule était devenue trop grosse, les vrais choix restent à faire. Comment traiter ce pays

1. Lors des élections américaines de 2004, des observateurs de l'OSCE ont été déployés aux Etats-Unis, à la demande des deux partis, qui craignaient des contestations en raison des conditions dans lesquelles George W. Bush avait été élu en 2000.

qui frappe à la porte de l'Europe ? Va-t-on continuer à lui dire que Kiev doit rester à équidistance de l'Europe et de la Russie, comme le fait Berlin ? Ou ne faut-il pas reconnaître dans le soulèvement populaire de novembre des convictions démocratiques profondément européennes ? En 2006, quand les élections législatives auront lieu en Ukraine, l'Europe aura une responsabilité dans les résultats. Car si Moscou a dû accepter la victoire de Viktor Iouchtchenko, la carte principale du nouveau président ukrainien est sa capacité à convaincre les membres de l'Union européenne d'ouvrir ses portes. Comme il l'a indiqué à Bruxelles le 22 février 2005, les manifestants souhaitaient voir l'Ukraine « dans l'Europe » et non seulement « en voisin de l'Europe ». Il faut l'aider à réussir – des mesures courageuses ont déjà été prises dans le domaine économique et la lutte contre la corruption – et revoir la politique d'association avec l'Ukraine. Le plan d'action adopté le 21 février à Bruxelles est insuffisant. Ceci d'autant plus que la Russie devient plus imprévisible.

Les signaux sur l'inquiétante évolution de Moscou n'ont pas manqué avant novembre 2004. La presse avait été entièrement muselée depuis les élections législatives de décembre 2003 [1].

---

1. Cette attaque préventive a été conduite par la Douma à l'automne 2003. Les autorités ont depuis toute latitude pour fermer les organes d'information dont les nouvelles sont considérées comme étant « biaisées », un terme qui autorise toutes les dérives.

Après elles, l'opposition n'existait plus. Depuis la tragédie de Beslan, une nouvelle centralisation a fait perdre aux assemblées régionales leur légitimité locale et les gouverneurs régionaux connaissent aussi mal la région dont ils ont la charge que l'entourage de Poutine, la Russie. Cette tragédie, à laquelle des militaires russes ont participé aux côtés des terroristes [1], a en outre mis en lumière tant de corruption et d'incompétence que ce sont les conditions de fonctionnement de l'Etat russe qui sont en cause. Il fallait vraiment tenir à la « multipolarité » pour ne pas voir toutes ces dangereuses dérives, qui avaient déjà eu des effets sur les relations entre l'Union européenne et la Russie en 2004. Le sommet du 11 novembre à La Haye avait été reporté à la demande de Vladimir Poutine en raison de désaccords importants entre les deux parties sur les questions de la liberté, de la justice et de la sécurité extérieure. Les Russes opposaient les droits des minorités russes dans les pays Baltes à la question des droits de l'homme en Tchéchénie, comme si la comparaison avait un sens. Il était déjà clair que l'Union européenne et la Russie ne parviendraient pas à mettre en place la politique de « voisinage commun » qui devait permettre de travailler de concert dans la région qui s'étendait de la

1. Voir *Le Monde*, samedi 29 janvier 2005, p. 5 : « Des officiers russes impliqués dans la tuerie de Beslan ». Dans cet article, le président de la commission d'enquête parlementaire sur la tragédie de Beslan, Alexandre Torchine, a déclaré que des militaires russes, y compris des officiers supérieurs, ont aidé les auteurs de la prise d'otages de Beslan, et qu'ils étaient toujours à leurs postes.

Biélorussie au Caucase. La Russie ne voulait pas se priver d'un rôle plus direct, moins négocié, et de la possibilité d'influencer plus profondément l'évolution de la région. Le désaccord principal portait sur les actions conjointes qui pourraient être menées en cas de crise [1]. Quinze ans après la fin de la guerre froide, il n'y a toujours pas de *bon voisinage* avec Moscou pour la bonne raison que la Russie ne reconnaît toujours pas la notion de voisins communs. En mai 2005, on a fini par se mettre d'accord sur la formule absurde d'*espace adjacent* !

Une autre interprétation de la demande de report du sommet par Vladimir Poutine est la rancœur que le président russe conservait à l'égard de la présidence néerlandaise, qui avait osé s'interroger publiquement sur les conditions de l'assaut des forces russes contre les preneurs d'otages en septembre 2004. Beslan aurait dû sonner l'alarme plus encore que l'affaire Ioukos ou la détérioration constante des médias et des moyens d'information. Car la gestion catastrophique de cette crise montrait, autant que l'incompétence des forces spéciales et la corruption généralisée, un mépris de la vie humaine caractéristique des pires moments de l'URSS. Le fait que Vladimir Poutine n'ait pas eu un mot de compas-

1. Les chefs d'Etat et de gouvernement avaient précédemment décidé, lors d'un Conseil européen, contre l'avis de la France et de l'Allemagne, que l'accord avec la Russie devait être global et qu'il n'était pas possible de conclure sur les volets économie, éducation et recherche sans accord sur les volets liberté, justice et sécurité extérieure.

sion pour les jeunes victimes et leurs familles en dit plus long que toutes les enquêtes. Cette tragédie a aussi remis en scène une histoire effroyable dont les Européens ne veulent pas entendre parler : la destruction systématique de la Tchétchénie. Cette guerre agit comme un cancer sur l'ensemble de la politique et de la société russes, où les anciens soldats passés par la Tchétchénie se livrent souvent à leur retour en Russie au gangstérisme, à l'intimidation et même au meurtre. Ils ont perdu dans les années passées dans ce combat inhumain toute forme de civilité : ce sont désormais des éléments asociaux et criminels. On les appelle d'ailleurs « les Tchétchènes », en les assimilant à ceux qu'ils ont été contraints de combattre. La jeunesse russe perd ses repères dans la sauvagerie de ce conflit, comme la génération précédente les avait perdus en Afghanistan.

En Tchétchénie même, où la population est brisée par plus de cinq années de terreur, le seul résultat de la *pacification* a été le renforcement des éléments les plus radicaux au détriment des Tchétchènes modérés, comme Ahmed Zakaev, réfugié en Grande-Bretagne, ou Aslan Maskhadov, président élu sous contrôle international assassiné par les services spéciaux russes [1]. Avec ce dernier épisode, les extrémistes des deux

1. Cet assassinat a eu lieu au moment même où Maskhadov avait décrété un cessez-le-feu unilatéral et où il s'était clairement opposé à l'islamisme radical. Il avait aussi condamné le massacre de Beslan.

camps restent seuls en présence et l'Europe a sa part de responsabilité dans cette radicalisation. Si des actes terroristes d'origine tchétchène sont un jour commis sur son territoire, il ne faudra pas qu'elle s'en étonne. C'est aussi la Tchétchénie qui justifie les mesures autoritaires et policières prises en Russie. C'est à cause d'elle que les minorités russophones ne veulent pas regagner la Russie de peur que leurs enfants ne se retrouvent à Grosny. Avec le nombre croissant de réfugiés qui arrivent sur leur territoire, les Européens ont des renseignements de première main sur ce qui se passe dans cette malheureuse région. Qu'en font-ils ? Pour la seule Pologne, ils étaient 1 300 en 2001, 3 000 en 2002, 5 300 en 2003 et 7 000 en 2004. A chaque grande crise le pic de réfugiés monte. Ceux-ci font parfois un périple de 2 000 km pour fuir la violence qui sévit chez eux depuis le début de la seconde guerre en 1999. Les Russes les laissent partir contre paiement, satisfaits de les voir quitter le pays.

Tout ceci montre que le pouvoir en place à Moscou est incapable de gérer une guerre beaucoup plus grave pour lui – et infiniment plus cruelle – que ne l'est l'intervention en Irak pour les Etats-Unis. Il a cessé de comprendre ce qui se passe dans ses anciens satellites où la Russie perd du terrain. Et ce, du fait de ses seules erreurs et d'une vision très partielle que les services spéciaux imposent au pouvoir et au pays. Un peu de doigté et d'intelligence aurait permis de conserver de bonnes relations avec les pays avoisinants. Un mois avant les événements de Kiev, en Abkhazie, Vladimir Poutine s'était montré si brutal que son candidat avait été battu. En Géorgie, la défaite avait été totale en 2003. Quelques mois après l'Ukraine, le protégé de Moscou au Kirghizistan, Askar Akaïev, est renversé en quelques heures. Puis d'importantes manifestations éclatent en mai en Ouzbékistan, où le pouvoir du président Karimov est contraint de reconnaître une répression brutale. L'Ingouchie est en situation pré-révolutionnaire. La Biélorussie, elle, tient encore bon, mais avec des méthodes tellement surannées qu'on peut se poser la question de la pérennité d'un régime qui ne peut compter, comme l'Ouzbékistan, que sur la répression. En théorie, le président Loukachenko a obtenu par référendum en 2004 le droit de rester indéfiniment au pouvoir mais il y aura une élection présidentielle en 2006, et les observateurs n'excluent plus un soulèvement de la population à cette occasion, comme en Ukraine en 2004. Elu en 1994 pour lutter contre la corruption, Loukachenko est bientôt devenu un des gouvernants les plus répressifs de tout l'ancien bloc soviétique. En 2002, il a même publié un décret qui impose des séances d'information politique. En 2004, il s'est attaqué à l'Université des humanités européennes de Minsk [1], dispersant professeurs et étudiants : l'éducation qui y était dispensée commençait à être perçue comme

1. Cette institution avait été créée dans les premiers jours de l'indépendance de la Biélorussie par un groupe de professeurs et par l'Eglise orthodoxe.

un danger. A la même époque, en Russie, les forces du ministère de l'Intérieur ont fait une descente dans les bureaux du British Council. La culture occidentale serait-elle une menace à Moscou comme à Minsk ?

La Russie est entrée dans une phase d'autodestruction qui tient à la médiocre qualité des élites au pouvoir et à la dépression profonde qui a suivi l'échec des années 1990, mais peut-être aussi aux effroyables tragédies du siècle passé. Celles-ci ont des témoins dans chaque famille et le retour de l'imagerie stalinienne ne peut guère être interprété comme un simple désir de retour. L'esprit de revanche est le symptôme d'un pays traumatisé, en pleine phase de régression, prêt non à récupérer sa zone d'influence mais à perdre ce qui lui reste, avec des poussées d'agressivité impuissante. Il ne suffit plus d'inspirer la peur pour reconstruire un Etat fort. Les méthodes Andropov ont été celles d'une fin de règne et leur retour fournit une image supplémentaire du caractère réactionnaire du régime en place à Moscou. Elles peuvent broyer les contre-pouvoirs, mais ne produisent que de la destruction. La Russie est dirigée par la partie la plus imprévisible et la plus corrompue des services spéciaux. Ce qui constituait leur élite, plus éclairée et plus ouverte au monde, est écarté du président qu'elle méprise. Les services russes qui détiennent le pouvoir ont, eux aussi, connu une forme de décadence. Ils ressemblent davantage aux personnages des derniers romans de Gérard de Villiers qu'à ceux des grands récits de John Le Carré.

Nikolai Petrov, chercheur à l'Institut Carnegie de Moscou, décrit la prise du pouvoir des *siloviki* en décembre 2003 : « Il a fallu beaucoup de temps à Vladimir Poutine pour amener les siens à ses côtés. La première étape importante a été la nomination de Boris Gryzlov au ministère de l'Intérieur et celle de Serguei Ivanov à la Défense. Dans toutes les structures, des hommes de confiance ont été discrètement mis en place. Pendant plus de trois ans, ils ont appris et se sont entraînés. Maintenant, ils sont prêts à entrer en politique et en affaires [1]. » Comme l'a illustré en octobre 2003 l'épisode de la chute de Mikhail Khodorkovski [2], qui incarne le passage à une sorte de capitalisme d'Etat, les services spéciaux ne sont pas insensibles aux affaires. L'attrait de l'argent et la corruption qui règne dans leurs rangs sont une explication convaincante. A bien des égards, la Russie est aujourd'hui *gangstérisée*, où la seule question qui compte après près

1. Voir l'article de Patrick de Saint-Exupéry publié dans *Le Monde* du 2 décembre 2003, p. 4 : « Les "siloviki", garde prétorienne du président ».

2. Le patron de Youkos a été interpellé en Sibérie le 25 octobre 2003 et accusé de fraudes fiscales et escroqueries diverses. La faute la plus grave de l'oligarque pour le pouvoir avait été de rompre le pacte selon lequel les oligarques ne devaient pas s'occuper de politique. Cet épisode a été aussi pour la plupart des observateurs le début de la reconquête du pouvoir économique par les services secrets. Avant lui, les deux magnats Boris Berezovski et Vladimir Goussinski avaient été contraints à l'exil en 2000.

d'un siècle de communisme, est : qui possède quoi ? Ce n'est pas un pays tenu par les *warlords* comme en Afghanistan, mais par les *financial lords*. La règle d'or des services spéciaux étant le contrôle, les affaires ont ceci d'irritant qu'elles se prêtent mal à cet objectif. C'est pourquoi ils rêvent volontiers d'un *capitalisme totalitaire* qui fait penser à la fin de la NEP en 1924, et qui constitue une nouvelle illustration du caractère régressif du régime. Depuis l'affaire Khodorkovski, beaucoup se demandent si et quand « un autre avion va foncer sur un autre gratte-ciel des affaires russes [1] ». Pour la population russe, épuisée par plus de dix ans de réformes inefficaces, le pouvoir a longtemps joué sur du velours : les oligarques étant perçus comme des bandits, ce dont il n'est souvent pas difficile de fournir la preuve, les mesures envisagées ont donc souvent été aussi populaires qu'inefficaces, avec un côté « soviétisme de musée ». Cette période est en train de connaître un tournant, avec les oppositions de toute nature qui montent, et le défilé du 9 mai en présence des grands de ce monde aura peut-être allumé un de ses derniers feux. La décadence peut aussi se poursuivre encore longtemps, car les alternatives politiques comportent des scénarios bien plus nationalistes.

L'analyse de la bureaucratie russe actuelle pourrait susciter plus de curiosité de la part des

1. Image utilisée par l'entrepreneur libéral Oleg Kissilev.

Occidentaux. L'étude de l'Académie des sciences à laquelle il a déjà été fait référence porte sur 3 500 biographies de hauts responsables russes. Elle a montré que plus de la moitié étaient issus des services secrets, de l'armée ou de la police. L'auteur de l'étude, Olga Krichtanovskaya, a déclaré : « Vladimir Poutine contrôle aujourd'hui directement 17 ministères de force (parquet, police, services fiscaux, douanes, impôts...). Pratiquement, cela veut dire que quand une décision politique est prise, le FSB [1] la met en œuvre en transmettant des éléments d'information au parquet, qui fait alors intervenir la milice. La justice est tout à fait au bas de l'échelle. Dans ce système, il n'y a aucun contre-pouvoir [2]. » Dans cette situation, ceux qui pourraient faire évoluer la société sont peu nombreux et ont peur, même à l'étranger, de dire ce qu'ils pensent, bien que Vladimir Poutine ne soit plus soutenu que par 35 % des Russes. La question de savoir qui prendra sa place en 2008 se pose déjà. Nul doute que sa succession soit préparée avec soin par ceux qui entourent le président. On parle souvent de Serguei Ivanov qui aurait l'avantage aux yeux de certains de présenter une grande continuité. Mais un inconnu comme Fradkov, le Premier ministre actuel, est une autre possibilité. Ce qui est sûr,

1. Nom des services spéciaux qui ont succédé au KGB.

2. Voir Olga Krishtanovskaya, *Le Régime de Poutine*, *op. cit.* Ce chercheur concluait alors : « C'est une machine qui s'est mise en marche. Quand tout le monde s'en apercevra, il sera trop tard. »

c'est qu'une fois choisi, le candidat devra gagner. Et pour ce faire, on peut tout envisager, y compris des attentats.

L'affaire ukrainienne a envoyé une onde de choc dans les Etats ex-soviétiques où l'influence russe est en régression partout. En Russie même, l'Ukraine a signé le renforcement de toutes les oppositions à Vladimir Poutine, qu'il s'agisse des nationalistes, des communistes ou des démocrates. Pour ces derniers, peu nombreux et faiblement encouragés de l'extérieur, Boris Nemtsov est un des rares à penser que « les forces démocratiques ukrainiennes servent d'exemple pour les forces démocratiques russes, qui ont été écrasées et sont en état de crise. L'exemple de l'Ukraine peut nous inspirer ». Il est probable que la force politique qui bénéficie des événements est de nature nationaliste, mais la leçon des élections en Ukraine ressemble tout de même aussi à celle que donne Taïwan à la Chine en faisant la démonstration que la démocratie est possible dans cette partie du monde. On ne devrait d'ailleurs pas s'en étonner, car l'Ukraine a vécu, pour une partie importante de son territoire, sous influence polonaise et lituanienne pendant des siècles et elle a de ce fait été exposée aux idées de la Renaissance, ce qui n'a jamais été le cas de la Russie.

Que fait l'Europe pour soutenir les forces démocratiques dans cette partie du monde ? Pourquoi sa politique à l'égard de la Russie ne dépend-elle pas de la façon dont l'Union européenne atteint ses objectifs dans ce pays ? On ne peut plus reprocher à George W. Bush d'ignorer la dérive autoritaire russe maintenant qu'il a fait connaître à Vladimir Poutine qu'il soutiendrait la démocratie aussi dans cette région du monde et que les relations de Washington avec Moscou tiendraient compte des développements politiques internes de ce pays. On se demande parfois si ce nouveau discours n'est pas le résultat de la pression de l'opinion américaine et du Congrès plutôt que d'un revirement de celui qui avait lu dans l'âme de Vladimir Poutine à leur première rencontre. Mais qu'importe ! Les dirigeants européens se seraient honorés de tenir ce discours avant lui, comme ils auraient été bien inspirés de se rendre eux aussi dans les pays Baltes avant de venir célébrer le 9 mai à Moscou. Après tout, Riga, Vilnius et Tallinn sont des capitales européennes, non américaines, et leur volonté de souligner que la libération des autres avait été pour elles le début d'une longue et douloureuse sujétion était légitime. A présent, il est probable que les investisseurs européens se réveillent avant les politiques, en raison de l'intense corruption de l'administration des impôts. On vérifie ainsi un des vieux préceptes marxistes-léninistes, qui veut que le capitalisme façonne la corde qui doit le pendre.

Depuis la fin de la guerre froide, les pays occidentaux ont progressivement perdu leur expertise sur la Russie, péniblement acquise au cours de plusieurs décennies. La compétence se perd toujours beaucoup plus vite qu'elle ne se construit. Il faudrait la reconstituer et la renouveler, à un moment où la Russie et son environnement ont tant évolué depuis 1991. La politique de Moscou, en pleine rupture avec la réalité, comporte à présent des risques qui n'ont plus rien à voir avec l'attaque surprise de la guerre froide. Après avoir pu laisser espérer un lent rapprochement avec l'Europe, toutes les indications montrent au contraire qu'elle s'en éloigne depuis deux ans. Les pays d'Europe orientale, membres de l'Union européenne depuis 2004, s'en inquiètent ouvertement, mais on les pense systématiquement hostiles à la Russie, que l'on connaîtrait mieux qu'eux tous. L'Union européenne a tout de même reconnu en février 2004, avant la crise ukrainienne, que sa politique à l'égard de la Russie était « inefficace »[1]. Que pourrait-elle être d'autre, puisqu'elle ne repose ni sur la justesse ni sur la justice ? L'occasion d'en changer est venue, en demandant plus de comptes à ce voisin autori-

1. Il s'agit d'un bref rapport présenté le 23 février 2004 au Conseil européen où l'on trouve le passage suivant : « Il est clair que l'Union européenne n'a pas été capable de définir clairement ses objectifs ni de promouvoir ses valeurs ou défendre efficacement ses intérêts. La relation avec la Russie risque de se perdre dans des questions de procédure aux dépens de tout progrès réel sur des questions concrètes d'intérêt mutuel. » On ne saurait parler plus clairement. Rappelons que c'est en 1999 que l'Union européenne a décidé de définir une stratégie commune à l'égard de la Russie. Le document de février 2004 est un aveu d'échec.

taire et policier, mais surtout excessivement corrompu.

L'excessive cupidité qui règne à tous les échelons de la bureaucratie russe constitue un phénomène plus préoccupant aujourd'hui que les nouveaux missiles qui sortent des arsenaux russes. Car c'est elle qui peut conduire des entités – officielles ou officieuses – à vendre au plus offrant les armes, matières, équipements et technologies innombrables qui ont été mis au point en URSS puis en Russie. Les canaux empruntés pour ces transferts ont souvent des liens directs avec le crime organisé, comme c'est le cas par exemple dans le nord du Caucase. Mais ces ventes affectent aussi des équilibres plus globaux. La modernisation de l'armée chinoise, par exemple, se fait largement avec des matériels russes, et la partie officielle des ventes, censée permettre à l'industrie d'armement russe de survivre, et portant sur des avions Sukoi, des systèmes de défenses air-sol ou des sous-marins de la classe Kilo, n'est que la face émergée de l'iceberg. Un des objectifs majeurs de l'espionnage chinois en Russie porte sur les missiles balistiques qui doivent être mis en service en 2005 et qui ont des capacités manœuvrantes sophistiquées. L'idée d'une alliance russo-chinoise demeure fantaisiste, même si 2005 a été l'occasion de conduire en août des maneuvres militaires communes qui comprenaient des débarquements de systèmes amphibies et des opérations sous-marines. Mais la contribution russe à la montée en puissance de la Chine est réelle et s'ajoute aux inquiétudes que l'on peut avoir sur les évolutions internes de la Russie.

L'urgence politique est de reconnaître la fin de l'empire et celle d'« un chemin particulier » de la Russie, pour admettre que depuis maintenant trois siècles, elle est engagée vers l'Occident. De même que la fin du nazisme a été la catastrophe salvatrice de l'Allemagne, la fin de l'URSS est la possibilité pour la Russie de devenir une démocratie occidentale comme les autres, en abandonnant définitivement les rêves de restauration impériale condamnés à l'échec. Mais l'idée même de démocratie étant associée dans la population russe aux privatisations sauvages et à la corruption de l'ère de Boris Eltsine, les rêves d'empire ne se sont pas effondrés, la désagrégation se poursuit et la catastrophe russe n'est pas encore achevée.

CHAPITRE II

# *Les deux Chine*

> « Il y a près d'un siècle déjà que les tenants de la Realpolitik, enfermés dans leurs songeries exotiques, commettent les mêmes bourdes en ce qui regarde la Chine. »
>
> SIMON LEYS.

La politique étrangère s'occupe de nombreux sujets périphériques, mais on a parfois le sentiment qu'il lui manque un centre. En voici un : *Taïwan est l'Alsace-Lorraine du XXI^e^ siècle*. Ce parallèle est souvent utilisé par Pékin, surtout vis-à-vis des interlocuteurs français qu'elle veut séduire. Une des grandes forces des Chinois est en effet la façon très habile dont ils font la cour aux élites des pays visés, tout particulièrement les diplomates. Au lieu pourtant de toucher en France un sentimentalisme national déplacé, la référence devrait l'effrayer. Mieux que quiconque, les Français peuvent en effet imaginer la fureur aveugle que cette cause nationale pourra justifier. Les officiels chinois reconnaissent d'ailleurs d'emblée, même quand il s'agit de personnages qui font preuve de modération sur d'autres sujets, que la récupération de Taïwan peut tout justifier, y compris la remise en cause de décennies de croissance économique, et jusqu'à une nouvelle guerre mondiale. Les Occidentaux les écoutent, incrédules, refusant la possibilité qu'on puisse commettre une semblable folie pour une île qui a déjà tous les attributs de l'indépendance : président, Parlement, armée, partis politiques... Ce faisant, ils ne tiennent aucun compte d'une vérité historique maintes fois répétée à travers les siècles selon laquelle les conflits débutent rarement sur des bases rationnelles.

En s'adressant à Alain Peyrefitte dans les années 1960, Chou En-lai utilisait déjà la comparaison avec l'Alsace-Lorraine, sans rencontrer de contradiction. Pourtant, le parallèle est osé. Taïwan n'est occupée par aucune puissance étrangère et les Taïwanais ne souhaitent pas dans leur grande majorité revenir dans un giron continental qui les écraserait [1]. Surtout, Taïwan a des

1. Lors des élections législatives de décembre 2004, la presse a surtout relevé un certain recul du parti de Chen Sui-bian. Moins nombreux ont été ceux qui ont montré que la plus lourde défaite avait été essuyée par le parti le plus pro-chinois de l'île (« Le Peuple d'abord »), qui a perdu douze des quarante-six

racines qui lui sont propres. Les Européens furent les premiers à s'intéresser à l'île : la Compagnie hollandaise des Indes tout d'abord, puis les Espagnols, les Japonais intervenant seulement à la fin du XIXe siècle. Depuis quatre siècles, Taïwan est peuplé de Chinois qui fuient l'arbitraire de l'empire. Il n'a été gouverné depuis la Chine continentale qu'entre 1945 et 1949 [1]. La vraie similitude avec l'Alsace-Lorraine, c'est que Taïwan n'est pas davantage une question interne qu'elle ne l'était en 1914. C'est une question internationale, et qui doit être traitée comme telle. L'accord de défense entre Taïwan et les Etats-Unis transformerait la confrontation entre les deux Chine en conflit mondial avec, dès le début des hostilités, la conscience de part et d'autre que les deux camps sont détenteurs de l'arme atomique. Les chances les plus élevées d'un emploi de cette arme au cours d'un conflit se trouvent précisément là. Cette donnée devrait suffire à alerter les esprits et à les inciter à la prudence quand ils traitent de cette question. Pour autant, la prudence ne consiste pas à laisser la Chine maîtresse du jeu, à lui vendre des armes ou à refuser d'en vendre à Taïwan. Au contraire, plus la Chine aura le sentiment qu'elle peut attaquer l'île en toute impunité, plus elle aura la tentation de le faire. Pékin n'a

---

sièges qu'il détenait. Il n'y a donc aucun affaiblissement du sentiment national taïwanais, au contraire.

1. C'est à l'empire mandchou que Taïwan a appartenu de 1644 à 1911. Mais il y a peu de chances que les autorités chinoises utilisent cet argument historique !

jamais renoncé à utiliser la force contre Taïwan. Ce qu'elle souhaiterait seulement, si elle décide d'attaquer, c'est que cette décision soit traitée par le monde comme une affaire interne, comme on traite l'intervention de la Russie en Tchéchénie. Les deux pays, qui ont quelque raison de se méfier l'un de l'autre, s'entendent parfaitement sur ce point.

Les arguments de la Chine sur Taïwan ont assez peu varié avec le temps. Sous la présidence Nixon, quand il était question d'un rapprochement entre la Chine et les Etats-Unis, Chou En-lai avait coutume d'énumérer sur ses doigts les conditions requises. On y trouve déjà des variations sur le thème unique de Taïwan : le gouvernement de la République populaire de Chine est le seul gouvernement légal qui représente le peuple chinois. Taïwan est une province chinoise. Sa libération est un problème intérieur chinois. Aucune intervention étrangère ne peut être admise. Dire que le statut de Taïwan n'est pas réglé est absurde et erroné, puisque cette province a, dès la fin de la guerre avec le Japon, en 1945, été rendue à sa patrie. Le statut a été réglé alors une fois pour toutes. La Chine est fermement opposée à la « politique des deux Chine », une Chine continentale, une Chine de Taïwan, ou toute manœuvre similaire. La Chine est également opposée au mouvement pour l'indépendance de Taïwan, fabriqué de l'extérieur et manipulé par l'étranger. Les Américains doivent retirer de

Taïwan et du détroit de Taïwan toutes leurs forces armées et leurs installations militaires. Le traité de défense entre les Etats-Unis, Taïwan et les Pescadores, passé en 1954 par Dulles et Chiang Kai-shek après la Conférence de Genève, est illégal et non avenu. La Chine ne sera pas membre de l'ONU tant que l'on soulèvera cette question des deux Chine.

La rhétorique à laquelle tous les pays occidentaux se sont pliés depuis le remplacement à l'ONU de Taïwan par Pékin introduit une ambiguïté majeure : si Taïwan fait partie de la Chine, comment contester qu'une agression de l'île ait un caractère strictement intérieur ? C'est la raison pour laquelle Pékin a toujours tenu pour cruciale cette reconnaissance, et c'est pourquoi elle demande à tout dignitaire étranger non de se prosterner devant l'empereur de Chine, comme aux temps anciens, mais d'ânonner, si possible dès l'aéroport, quelque phrase sur l'unicité de la Chine. Bien que ce propos ait de moins en moins de rapport avec la réalité, chacun se plie volontiers au rituel. Il n'est pas sûr que la paix y gagne. Car le divorce entre les déclarations diplomatiques et la réalité est dangereux, et si Taïwan était reconnu comme un Etat souverain, tout coup de force serait assimilé à une attaque condamnée par l'ONU. La communauté internationale aurait donc de bien meilleurs atouts pour la prévenir. En 1966, l'Italie avait lancé l'idée que la Chine pourrait être doublement représentée à l'ONU par la Chine et par Taipei. Malheureusement, c'est une proposition albanaise [1], proposant le remplacement de Taipei par Pékin, qui l'a emporté, et ce fut chose faite en 1971. Depuis 1977, Taipei a tenté d'obtenir le même statut que les deux Allemagne ou les deux Corée – pourquoi pas en effet ? –, mais plus personne ne veut revenir sur l'accord de Shanghai signé en 1972 par Richard Nixon.

La France a joué un rôle pionnier dans cette affaire. C'est Edgar Faure, après une mission en Chine, qui a prôné dès 1964 le remplacement de Taipei par Pékin au Conseil de sécurité de l'ONU. Raymond Aron remarquait alors que les risques de l'opération auraient été moins grands si les relations avec l'Amérique avaient été meilleures. Du moins le général de Gaulle, dans sa conférence de presse du 31 janvier 1964, soulignait-il que les vies humaines et les valeurs fondamentales n'étant pas respectées en Chine, il fallait tenter d'éviter la rupture avec Taipei. Celle-ci est intervenue cependant, et la France a avoué qu'elle se contentait de voir « le monde tel qu'il est », formule d'autant plus ambiguë que le monde, c'est bien connu, peut être décrit de plusieurs façons. La vérité a été plus directement décrite en 1965 par Jean de Broglie : le gouvernement français ne reconnaît que les Etats, une attitude qui se fonde

1. Dans le monde communiste, l'Albanie était dans le camp pro-chinois.

sur le principe de la continuité de l'Etat et qui veut que les changements internes soient sans influence sur la condition internationale d'un Etat. C'est au nom de ce principe que la France n'a pas jugé bon – jusqu'à Jacques Chirac en 1995 – de reconnaître les crimes de Vichy, qui auraient marqué une *discontinuité* de l'Etat français. On pouvait faire siéger Pékin au Conseil de sécurité sans approuver sa politique [1]. Après tout, c'était déjà le cas pour l'URSS. Mais en 1964, la France s'abstint sur la question du siège chinois, et le général de Gaulle était fort tenté par la théorie des deux Chine.

Depuis, on est allé beaucoup plus loin. Le communiqué de 1994 acceptait l'exclusivité des compétences de Pékin. Dans ces conditions, la France renoncerait-elle à condamner une agression? On peut se poser la question. Surtout que dix ans plus tard, le 26 janvier 2004, Jacques Chirac reprochait à Taïwan de « rompre le statu quo par une initiative unilatérale déstabilisatrice » et de prendre « une lourde responsabilité pour la région ». Pire, des manœuvres navales chinoises se déroulaient en mer Jaune avec la participation de la France à cinq jours des élections. Certes, elles étaient prévues de longue date, mais compte tenu des échéances politiques, on ne pouvait guère se plaindre que chacun ait vu là une « manipulation de la France par Pékin ». C'était

1. La Chine communiste est entrée au Conseil de sécurité en 1971.

bien de cela qu'il s'agissait et Chen Sui-bian n'a pu manquer de comparer les manœuvres en question aux tirs de missiles chinois de 1996, qui avaient aussi un but d'intimidation. La France feint d'ignorer l'évolution démocratique de Taïwan et donne quitus à Pékin sur les droits de l'homme. La Chine est volontiers désignée comme un « acteur majeur et responsable » dont on vante la montée en puissance « pacifique », malgré l'ampleur de ses préparatifs militaires [1]. Et une des premières déclarations du président de la République lorsqu'il pose le pied sur le sol chinois en octobre 2004 est une invective contre Taïwan. Or, plus Pékin aura le sentiment qu'elle peut agir impunément, plus le risque de conflit sera grand. La pire des erreurs serait de croire que les Etats-Unis n'interviendraient pas dans pareil cas. Ce type de malentendu sur Washington est un des plus fréquents parmi ses adversaires. C'est l'erreur que Saddam Hussein a commise en 1990, et qu'il a répétée en 2003. C'est l'erreur que Milosevic a commise en 1999. C'est une erreur que Pékin peut commettre à son tour, surtout si elle pense pouvoir diviser les Etats-Unis et l'Europe sur cette question vitale pour elle.

On parle souvent en la vantant de la patience chinoise. Mais le trait distinctif des dernières

1. L'expression « montée en puissance pacifique » est une des plus fréquemment utilisées par la diplomatie chinoise pour rassurer ses voisins et le reste du monde pendant la période où elle construit sa puissance.

années est précisément l'impatience de la Chine, le sentiment qu'elle doit bientôt toucher au but, et l'arrogance qui accompagne cette croyance. Une crise est d'ores et déjà attendue par certains observateurs en 2007 ou 2008, dernière ligne droite avant les Jeux olympiques et fin de la présidence de Chen Sui-bian. Celui-ci a promis une plus grande autonomie pour Taïwan avant la fin de son mandat : ce sera le dernier moment pour en apporter la preuve. La proximité des Jeux olympiques en Chine peut permettre de croire qu'une déclaration ou un changement dans la constitution de Taipei – par exemple la clause sur la souveraineté – pourrait se faire à un moment où Pékin serait comme paralysée. La Chine fait déjà tout son possible pour isoler Taipei et remporter des victoires symboliques ou juridiques contre l'île. Il pourrait ainsi s'agir d'une seconde crise, après celle de 1996 dans le détroit de Taïwan, qui a immédiatement conduit les Etats-Unis à déplacer un porte-avions. Ce fut la seule épreuve de force réelle à laquelle se soit risqué le président Clinton pendant ses deux mandats. En fait, la période 2008-2010, où les Etats-Unis auront un nouveau président que la Chine cherchera à tester, paraît plus dangereuse, surtout si l'économie chinoise, dont la surchauffe est si souvent dénoncée, connaît des difficultés susceptibles de multiplier les troubles sociaux. Ceux-ci sont fortement sous-estimés en Occident où l'on ne comprend pas que la corruption des uns et la misère des autres sont de moins en moins supportables. Dans un contexte de tensions internes, la Chine peut prendre des initiatives dangereuses à l'extérieur. Contrairement à ce que l'on prétend, Pékin manque souvent de subtilité dans sa politique étrangère et peut même commettre de graves erreurs. Elle en a donné une illustration en mars 2005 avec l'adoption, au plus mauvais moment, d'une loi autorisant l'épreuve de force avec Taïwan dans des conditions mal définies.

La région tout entière se prépare à une crise grave depuis des années. En septembre 1997, une clause a été ajoutée au Traité de sécurité américano-japonais afin de permettre au Japon de passer d'une « défense passive » à une « participation active » dans les « affaires régionales ». Grâce à cette clause, les forces défensives de l'archipel auront la possibilité de fournir une aide logistique à l'armée américaine en cas d'événement « risquant d'influencer gravement la stabilité et la paix autour du Japon ». Taïwan fait naturellement partie des scénarios qui répondent à ce critère. Ceci s'est produit dans un contexte où le Japon modifiait les limites de sa politique de défense. Après les attentats du 11 septembre, une nouvelle étape a été franchie : le Japon a adopté trois lois antiterroristes qui autorisent l'envoi de troupes à l'étranger dans les zones de conflit. La décision de Tokyo de dépêcher des hommes en Afghanistan et en Irak pour contribuer à la reconstruction témoigne de sa détermination à prendre part aux efforts de maintien de la paix, mais aussi à retrouver une posture de défense normale cinquante ans après la fin de la guerre. Plus récemment, le directeur de l'Agence de défense, Shigeru Ishiba, a souligné qu'il serait « absurde d'écarter Taïwan des discussions sur la sécurité de l'Asie du Nord-Est ». C'était la première fois qu'un membre du cabinet japonais s'exprimait aussi clairement en faveur de Taïwan sur cette question délicate, ce qui montre l'importance qu'accorde le Japon à la stabilité dans le détroit. En janvier 2003, un officier de réserve a été nommé au bureau de représentation du Japon à Taïwan, ce qui a permis de relever le niveau des échanges militaires bilatéraux. En février 2005 enfin, une déclaration nippo-américaine a affirmé publiquement la protection conjointe de Taïwan contre une agression chinoise éventuelle. Tokyo ne pourrait en effet rester passif dans cette hypothèse : un blocage des voies maritimes entre le Moyen-Orient et le Japon serait catastrophique pour ses approvisionnements.

Taïwan est un pays démocratique (trois élections présidentielles au suffrage direct et une alternance pacifique, 80 % de participation aux élections de mars 2004, 99 partis politiques enregistrés), qui démontre que les valeurs asiatiques ne s'opposent en rien au développement des libertés civiles. La liberté d'expression et de culte, la tenue d'élections libres, les réformes politiques, tout cela a été progressivement conquis par les Taïwanais. L'idée que la Chine et

Taïwan ne sont séparées que par l'économie et le niveau de vie, comme on aimerait parfois nous le faire croire, est absurde. Ce qui sépare le plus profondément la Chine de Taïwan, c'est la politique. Mais on a parfois le sentiment, ici comme en Ukraine, que la France craint les démocraties plus qu'elle ne les soutient, et que le « bon choix » est finalement celui des pays autoritaires, qu'il s'agisse de la Russie ou de la Chine. Il y a là une longue tradition française, dont on aimerait que l'Europe nous débarrasse définitivement. Car le mépris de Pékin pour les droits de l'homme et pour la vie humaine, qui avait fait dire à Fernand Braudel : « L'homme vaut si peu en Chine », a des incidences évidentes en matière de sécurité. Le pouvoir ne reculera pas devant le sacrifice de millions d'hommes, si ce sacrifice est jugé nécessaire à ses ambitions ou à sa survie.

Comment donc aborder la question de Taïwan en préservant toutes les chances d'un règlement pacifique ? Si la question est d'abord politique, c'est sur ce terrain qu'il faudrait se placer. Un bon début serait de cesser de répéter la propagande de Pékin. La république de Chine est *de facto* un pays souverain et aucun des deux côtés du détroit n'appartient à l'autre. « Une seule Chine » est donc une définition unilatérale de Pékin, qui a de surcroît un caractère abstrait : les Taïwanais n'accepteront jamais la formule « un pays deux systèmes », comme Hong Kong, surtout après le raidissement politique imposé progressivement à ce territoire, contrairement aux accords qui avaient été conclus. Si le référendum est dangereux pour Pékin, c'est uniquement parce qu'il faut maintenir la fiction que seule une minorité de Taïwanais souhaite l'indépendance. L'équilibre né de l'accord de Shanghai risquerait d'être remis en cause. Cette politique incohérente, qui néglige la réalité des évolutions de l'île, encourage les erreurs d'interprétation des principaux acteurs dont il a déjà été question. Washington a intérêt à sortir de l'ambiguïté en rappelant régulièrement à Pékin qu'elle interviendrait en cas d'usage de la force, mais elle doit aussi ramener Chen Sui-bian à la raison : « Ne croyez pas que la Chine n'interviendra pas. Souvenez-vous de 1989 et du mouvement étudiant. »

Eviter de pousser les deux partenaires à bout, comme ce fut le cas de la France et de l'Allemagne avant 1914, est la première des recettes. La crainte de la réalité – l'existence de deux Chine – empêche les chancelleries de voir une évidence : l'absence de reconnaissance diplomatique risque de pousser Taïwan à prendre des initiatives dangereuses dans un sens que la Chine peut interpréter comme un mouvement vers l'indépendance. Compte tenu de la nouvelle loi anti-sécession votée à Pékin en 2005, nul ne sait où cette interprétation peut conduire si la Chine juge que les conditions sont mûres pour attaquer Taïwan. Au contraire, la reconnaissance de Taipei serait pour l'île l'équivalent d'une déclaration d'indépendance, mais interdirait l'ouverture d'hostilités. Il en ressortirait une crise diplomatique avec Pékin qui ne pourrait pas prendre la forme d'un conflit armé. Pour aider les deux pays à sortir de l'impasse dans laquelle ils se trouvent, cette voie révolutionnaire dans la forme mais pacifique dans les faits mérite un examen. Elle ne paraît audacieuse qu'à ceux qui mesurent pas l'effroyable prix d'un conflit sur cette question et dans cette zone. La Première Guerre mondiale a été déclenchée « par une sorte de “mécanisme” *face auquel les hommes d'Etat se sont trouvés impuissants* [1] ». La troisième – ou le dernier acte de la seconde – pourrait présenter les mêmes caractéristiques. L'Europe a une responsabilité morale en la matière car elle connaît mieux que personne la logique fatale qui conduit aux affrontements suicidaires. Elle pourrait prendre l'initiative d'une campagne de reconnaissance de Taïwan, d'autant que les arguments juridiques de Pékin pour réclamer l'île ont toujours été très fragiles et n'ont été renforcés que par la reconnaissance de la puissance relative des deux entités, une donnée qui n'a rien à faire avec le droit. Mais elle prend pour le moment la voie très exactement inverse, en faisant à Pékin une cour absurde et dangereuse [2].

---

1. Jean Baptiste Duroselle, *L'Europe de 1815 à nos jours*, PUF.

2. Lors de son voyage officiel à Pékin en mai, le Premier ministre français a cautionné la loi anti-sécession adoptée par la Chine contre Taïwan.

On peine à comprendre pourquoi la Grèce, membre de l'Union européenne, s'est abaissée à tolérer l'an dernier que les athlètes taïwanais qui avaient gagné une médaille d'or n'aient droit ni à leur drapeau, ni à leur hymne. Quelle indication cela donne-t-il pour les prochains Jeux olympiques, qui se tiendront à Pékin ? On a plus de mal encore à comprendre pourquoi le couple franco-allemand a cru devoir prendre la tête d'un mouvement en faveur de la levée de l'embargo sur les armes. L'Allemagne dit à qui veut l'entendre qu'elle ne vend pas d'armes et la France n'a cessé de répéter que cette mesure ne changerait rien à la situation actuelle. Dans ces conditions, pourquoi se démener de façon frénétique pour finalement échouer ? Pourquoi en outre rebrousser chemin sous la pression des Etats-Unis, au lieu de changer d'opinion en tenant compte des graves problèmes de sécurité qui agitent l'Asie orientale ? Tant que cet exercice ne sera pas fait, la question des ventes d'armes sera reposée chaque année. Il est donc indispensable de faire cette analyse et de considérer les arguments avancés par les promoteurs de la levée de l'embargo.

Ils sont aussi nombreux que peu convaincants, ceci expliquant sans doute cela. Il s'agirait tout d'abord d'une mesure caduque, quinze ans après la répression de Tienanmen, et sa portée serait surtout politique, car aucune vente d'armes n'est en fait envisagée par les Européens. Manifestement, Pékin n'a pas du temps la même conception que Paris. La crainte de manifestations lors du décès en 2004 du seul homme politique chinois à s'être opposé à l'utilisation de chars contre des étudiants manifestant pacifiquement a donné lieu à un tel déploiement de forces de police sur la place Tienanmen que les événements semblaient plutôt avoir eu lieu hier et non il y a seize ans pour les autorités de Pékin. La Chine n'a jamais accepté de revenir sur son interprétation des événements de 1989, ni de condamner la répression féroce qui s'est abattue sur les manifestants. Rien de *caduc* donc, bien au contraire. Beaucoup de ceux qui ont protesté sur la place Tienanmen sont toujours en prison, et Jiang Yanyong, le médecin militaire qui avait brisé le silence sur l'épidémie meurtrière du SRAS, a été arrêté le 1er juin 2004 pour avoir soutenu que la répression déclenchée le 3 juin 1989 n'était pas une réponse à un complot « contre-révolutionnaire », mais plutôt le massacre d'étudiants désarmés. La confirmation officielle de son sort après son arrestation donne une bonne image des progrès des droits de l'homme en Chine : « Jiang Yanyong a récemment violé le code de conduite des armées. Les militaires s'emploient à l'aider et à parfaire son instruction. » On se croirait presque revenu aux heures de la révolution culturelle. Des témoignages comme ceux de Harry Wu indiquent d'ailleurs non une diminution mais une extension du goulag chinois. Les chrétiens et les ONG sont toujours persécutés. Rien de tout cela n'est jamais dénoncé par la Commission des droits de l'homme des Nations unies qui siège à Genève, à cause de la motion de non-action utilisée chaque année par Pékin ou du désintérêt des capitales occidentales. Doit-on dire à ceux qui sont persécutés en Chine que l'Europe des « valeurs » se fiche de ce qui leur a été infligé autant que de ce qu'ils deviennent ?

Le deuxième argument utilisé est l'importance croissante de la Chine sur la scène internationale. Avec la fascination malsaine qui entoure la puissance, celle-ci est utilisée pour justifier la levée de l'embargo, alors même qu'elle devrait inciter à la prudence. La formule : « on ne peut traiter la Chine comme le Zimbabwe », qui a été beaucoup utilisée, ne veut strictement rien dire. Car dans le cas d'espèce, la différence entre la Chine et le Zimbabwe, c'est que ce dernier ne menace pas ses voisins, et n'a surtout aucune chance de déclencher une guerre mondiale. On pourrait en déduire qu'il faut être beaucoup plus vigilant avec la Chine.

Le troisième argument est tout aussi étrange. Il faudrait « moderniser » les rapports avec la Chine [1]. Soit. Mais pourquoi la modernisation de

1. La France a remis aux parlementaires en mars 2004 un texte intitulé « Réflexions sur l'avenir des relations entre l'Union européenne et la Chine » selon lequel un « partenariat stratégique implique de sortir d'une logique fondée sur les récompenses et les sanctions ».

ces relations devrait-elle passer par des ventes d'armes ? On a du mal à le saisir, à moins qu'il ne s'agisse de la modernisation de l'armée chinoise. Le progrès de cette région au moyen de ventes d'armes à la Chine est tout de même beaucoup plus contestable que « l'imposition de la démocratie de l'extérieur », dont on se gausse pourtant quand il est question du Moyen-Orient [1]. Mieux vaudrait se souvenir du propos de Montesquieu, qui rappelle que « c'est une expérience éternelle que ceux qui ont du pouvoir sont portés à en abuser : ils vont jusqu'à ce qu'ils trouvent des limites ». En effet, c'est très exactement le problème de la Chine au XXIe siècle et il y a là une excellente raison de ne pas lui fournir les éléments de haute technologie qui manquent à son avionique ou à ses capacités satellitaires. Car ces limites, il est préférable qu'elle les trouve en temps de paix.

Le quatrième argument est rarement présenté publiquement, mais il est connu de tous ceux qui s'intéressent au dossier : il faudrait rééquilibrer les ventes d'armes des Etats-Unis à Taïwan avec des ventes d'armes européennes à la Chine. Outre qu'il présente une curieuse conception de l'alliance avec les Etats-Unis, voire des intérêts européens en cas de conflit sino-américain, cet argument ignore les réalités stratégiques de la région. Plus de 600 missiles M9, M11 et DF21

1. Surtout que le texte qui a fait l'objet d'une fuite en février 2004 était un document de travail utilisant largement des statistiques du rapport de l'ONU sur le monde arabe.

étant pointés sur Taïwan dans quatre provinces chinoises, on se demande de quel type de rééquilibrage il peut s'agir. Toute défense anti-missiles, même performante, serait en effet vite saturée par un tel assaut, ne laissant pas même aux Etats-Unis et au Japon le temps d'intervenir dans le scénario le plus pessimiste. Enfin, le dernier argument montre le degré d'hypocrisie atteint dans cette affaire : il vaudrait mieux vendre des armes à la Chine que de la voir en produire. Outre que ce pays est de notoriété publique passé maître dans l'art de la copie et du pillage technologique, c'est là un argument contradictoire avec celui qui consiste à dire que la levée de l'embargo ne changera rien puisqu'on ne vendra rien. Enfin, les Européens n'ayant pas la moindre idée de ce qu'ils feraient en cas de conflit au sujet de Taïwan, cette discussion a lieu entre irresponsables.

Une autre politique est-elle possible ? Certes. L'Europe pourrait commencer par faire un bilan complet de l'embargo sur les armes tel qu'il est pratiqué depuis 1989. Ce bilan commencerait par établir la liste de ce que les différents pays européens ont vendu en fait de matériel militaire à la Chine à partir de cette date. Il n'y a jamais eu d'accord entre les nations européennes sur ce qui était interdit à la vente, et la seule mesure collective était une consultation des partenaires pour des biens et équipements déjà refusés par l'un d'entre eux. La liste pourrait donc révéler des surprises. Pékin prétend qu'il s'agit là d'une « relique de la guerre froide » mais les armes qu'elle convoite sont plutôt des armes d'avenir.

En second lieu, puisque Pékin déclare que la communauté internationale ne doit compter que des pays qui « respectent l'histoire » et qui « assument leur responsabilité devant l'histoire [1] », l'Europe pourrait encourager la reconnaissance des crimes que le pouvoir communiste a commis envers le peuple chinois depuis 1949. Il est plus que temps d'engager cet effort de mémoire dû aux dizaines de millions de morts qui n'ont jamais reçu l'attention qu'ont obtenue leurs compagnons de malheur du Goulag russe. En outre, on voit mal comment on pourrait obtenir des autorités chinoises un traitement plus humain des mineurs ou des centaines de milliers de personnes qui ont été victimes d'un effroyable commerce du sang dans les années 1990 [2], si elles continuent de faire peser une chape de plomb sur le passé.

Il faudrait aussi essayer de comprendre pourquoi tant de pays sont inquiets des évolutions qui se produisent en Chine. Pour cela, il suffirait d'engager un dialogue stratégique sur les questions de sécurité en Extrême-Orient avec les Etats-Unis, mais aussi avec le Japon, l'Inde, l'Indonésie et l'Australie. On découvrirait peut-

---

1. Ce sont des propos tenus par le Premier ministre chinois, Wen Jiabao, et réservés au Japon.

2. Voir Pierre Haski, *Le Sang de la Chine. Quand le silence tue*, Grasset, 2004.

être ainsi les raisons pour lesquelles des pays si divers s'interrogent sur les évolutions qu'ils constatent à Pékin. Le 29 avril 2005, l'Inde et le Japon ont décidé d'ouvrir des discussions sur la sécurité régionale et l'ont annoncé publiquement. Ce pourrait aussi être l'occasion de mesurer les conséquences de troubles majeurs en Asie pour le continent européen. Enfin, il serait normal non seulement de cesser de répéter à toute occasion que Taïwan est une province chinoise sans tenir compte de l'histoire, mais aussi de soutenir cette Chine démocratique qui fait la démonstration que les valeurs qui sont les nôtres ont leur place dans cette partie du monde. Inversement, il est dangereux de laisser croire à Pékin qu'il peut tout se permettre, par exemple en tolérant des scènes de vandalisme à l'égard de biens japonais. Le Japon risque en effet de ne pas être la seule victime du nationalisme chinois. Il le sait mieux que quiconque, car l'ambition de la Chine aujourd'hui est celle du Japon au début du siècle dernier. La seule différence est l'ampleur de la vision, liée à l'image que la Chine a d'elle-même comme centre absolu.

Pour conclure ce chapitre, on donnera la parole à un journaliste qui a de sa profession une noble image. Il s'agit de Francis Deron, qui a écrit un article remarquable sur l'année de la Chine dans *Commentaire* au printemps 2004 : « En janvier 2004, un pic de délire a frappé Paris. En honneur du Nouvel An chinois, la tour Eiffel fut illuminée en rouge, la Chine populaire ayant décrété avec succès une sorte de monopole mondial sur cette couleur autrefois communiste, sans qu'on se souciât d'y voir pourquoi. Sur les Champs-Elysées se déroula un défilé sponsorisé par la municipalité de Pékin. Ce défilé était une lointaine revanche sur le bicentenaire de la Révolution française, le 14 juillet 1989, quand des opposants chinois fuyant la répression du soulèvement de Tienanmen avaient en ce même lieu battu tambour à la gloire des droits de l'homme. Plus incongru encore, la façade de l'hôtel Meurice fut, elle aussi, illuminée en rouge, au motif qu'y résidait la délégation du premier des hiérarques de Pékin, Hu Jintao. Personne n'eut droit à une explication sur les raisons qui avaient poussé le chef nominal du régime de Pékin à occuper ainsi l'ancien siège de la Kommandantur allemande durant l'occupation. Pour couronner le tout, Jacques Chirac décréta, à la surprise générale, que Taïwan, le seul espace chinois vivant plus ou moins sous une règle démocratique, n'avait aucunement le droit de conduire, sur son territoire peuplé de 22 millions d'habitants, un référendum [1]. » Ce n'est pas ainsi qu'on se fait respecter.

---

1. Voir Francis Deron, « L'Année de la Chine », publié dans *Commentaire*, n° 105, printemps 2004, p. 61.

CHAPITRE III

# *Le chantage nord-coréen*

> « En politique, plus que partout ailleurs, le commencement de tout réside dans l'indignation morale. »
>
> MILOVAN DJILAS.

Le problème avec les régimes totalitaires, c'est qu'il leur arrive de durer longtemps. Avant de s'effondrer, ils peuvent causer d'inimaginables malheurs chez eux comme dans le reste du monde. Et quand ils se présentent sous une forme aussi surprenante que le régime de Kim Jong Il, toutes les prévisions sont futiles. Le seul jugement sensé consiste à souligner à quel point la situation dans laquelle le monde accepte de se trouver depuis 1992 à l'égard de Pyongyang est aberrante. Elle témoigne d'une faillite complète des élites politiques, en permettant à un petit pays ruiné qui martyrise sa population d'exercer un chantage permanent sur le reste du globe. Un jour, c'est une déclaration sur le retraitement de combustible nucléaire pour acquérir du plutonium. Le lendemain, il est question de la détention d'armes nucléaires. Le surlendemain, de la fin du moratoire des essais balistiques. Puis c'est d'un essai nucléaire qu'il est question. Et enfin, de la vente d'armes nucléaires à des organisations terroristes. Chaque fois, les commentaires pleuvent, sans noter que la même menace a parfois été utilisée à plusieurs reprises.

Deux questions méritent d'être posées : le régime a-t-il enfin atteint les limites de ce que peut faire la gériatrie politique ? et surtout que deviendrait la menace nord-coréenne si la Chine abandonnait Pyongyang ? La première question est la plus difficile. Des indices convergents montrent que Kim Jong Il est en difficulté et qu'il pourrait vivre ses derniers jours. Le 30 janvier 2005, le *Sunday Times* rapportait que « la population qui vivait dans la terreur ose maintenant parler de s'échapper du pays » et que « le régime a presque renoncé à les en empêcher ». Mais les témoignages divergent sur la situation réelle du pouvoir ubuesque qui sévit en Corée du Nord, et l'on s'est souvent trompé sur la capacité de survie du pouvoir en place. En revanche, il est simple de répondre à la seconde question, car sans la Chine, il est évident que le régime s'effondrerait.

La Corée est parfois comparée à la Pologne, victime comme elle des grandes puissances qui l'entourent. Avant de devenir un enjeu majeur entre l'URSS et les Etats-Unis, puis entre la Chine et le Japon, la péninsule coréenne a été convoitée par Moscou et par Tokyo. Ce fut même un des principaux enjeux de la guerre russo-japonaise de 1904-1905. Après l'attaque surprise des Japonais à Port-Arthur, les Russes sont vite défaits sur mer car leur flotte d'Extrême-Orient est affaiblie, tandis que celle de la Baltique est immobilisée dans les glaces ; mais elle l'est aussi sur terre, après la défaite de Moukden en février 1905 qui leur coûta 90 000 morts. C'est alors que les Japonais débarquent en Corée où la Russie devra reconnaître au Japon la liberté d'action dans le traité de Portsmouth. Dès novembre 1905, le Japon prend le contrôle de la péninsule et le gardera jusqu'à la fin de la Seconde Guerre mondiale. Après la défaite du Japon en 1945, la Corée n'aura guère le temps de jouir de la liberté retrouvée. L'avance des troupes soviétiques au nord conduit les Etats-Unis à accepter à Yalta un accord sur la division du pays le long du 38e parallèle. La détérioration des relations Est-Ouest dès 1947 va avoir pour conséquence l'instauration de deux régimes rivaux, contrôlés par les nouvelles super-puissances puis l'ouverture d'un conflit meurtrier quand Kim Il Sung décide d'envahir le sud en juin 1950, avec l'accord réticent de Staline. En 1953, quand la guerre sera finie et que les morts se compteront par millions avec les civils, la partition du pays se retrouvera à peu près là où elle était au début des hostilités.

Un des éléments les plus intéressants dans ce conflit où les troupes ennemies ne cessent les unes comme les autres d'avancer très rapidement puis de se replier sur leurs positions antérieures, est le nombre d'erreurs d'appréciation qui a eu lieu de tous côtés. Staline était convaincu que les Etats-Unis n'entreraient pas en guerre. C'est la raison pour laquelle, après une quarantaine de télégrammes de Kim Il Sung, il a fini par donner son accord à l'attaque et au plan d'attaque. Pourquoi n'y crut-il pas ? Parce qu'il interprétait la victoire de Mao en Chine comme un signe de la faiblesse de l'Amérique. Mao ne croyait pas davantage à l'intervention américaine : prendre de tels risques pour un territoire aussi petit que la Corée lui paraissait absurde ! Et Washington de son côté – Dean Acheson comme Truman – n'a jamais cru que la Chine serait assez folle pour intervenir un an après la révolution et l'installation du nouveau pouvoir à Pékin. Quant au général MacArthur, il voulait attaquer le territoire chinois et même utiliser l'arme atomique ! Ces excentricités ont fini par conduire à son remplacement. Quant à Kim Il Sung, le père du potentat actuel, il était persuadé d'être accueilli avec des fleurs au sud de la péninsule et ce fut un de ses arguments auprès de Staline. Bref, tout le monde s'est trompé dans cette première confrontation Est-Ouest qui a fait craindre à beaucoup d'observateurs, encore hantés par la Seconde Guerre mondiale, qu'un troisième conflit allait éclater – en Asie cette fois. Si le conflit ne s'est pas généralisé, son coût humain a été effroyable. Et c'est au cours de cette guerre que l'on a un premier aperçu de la constitution des camps de concentration en Corée du Nord, qui commencent seulement à présent – cinquante ans plus tard – à faire parler d'eux. Un diplomate français, secrétaire d'ambassade, a en effet été fait prisonnier par les Nord-Coréens de 1950 à 1953, pendant toute la durée de la guerre, et a laissé un récit de sa captivité dans un rapport de mission adressé à Georges Bidault en juillet 1953 [1].

Depuis l'armistice signé le 27 juillet 1953 sans qu'un traité de paix lui fasse suite, la Corée est restée divisée. En 1990, quand l'Allemagne a été réunifiée, quelques regards se sont tournés vers la « dernière partition de la guerre froide en Asie ». C'était encore l'époque où personne ne croyait sérieusement – les Etats-Unis en tout premier lieu – que la Corée du Nord pourrait résister longtemps à l'esprit du temps et à la gestion catastrophique du pays. La mort de Kim Il Sung en 1994 fut l'occasion de nouveaux paris sur la durée de vie de Pyongyang : l'accord de gel du programme

1. A sa libération, le ministère des Affaires étrangères a refusé à ce diplomate de lui verser le salaire de ses années de captivité au motif qu'il avait été nourri et logé. Cette décision fut annulée par le Conseil d'Etat et porte le nom, célèbre désormais, d'arrêt « Perruche », du nom du diplomate.

nucléaire d'octobre 1994 entre Pyongyang et les Etats-Unis a été signé avec la conviction ferme à Washington qu'il n'y aurait plus de Corée du Nord dix ans plus tard. La promesse de fournir des réacteurs nucléaires était donc tenue pour peu conséquente. Force est de constater que cette attente a été trompée. La raison en est simple. Pour des motifs très divers, personne ne souhaite vraiment une réunification trop rapide de la péninsule : la Corée du Sud en raison de son coût, incomparable avec celui de la réunification des deux Allemagne, le Japon à cause de la concurrence d'un nouveau voisin et de la crainte d'une vague d'immigration sans précédent, les Etats-Unis parce qu'il faudrait poser la question du stationnement des troupes américaines sur le sol coréen, et la Chine parce qu'une réunification ne serait acceptable qu'à ses conditions, c'est-à-dire quand Pékin pourra avoir la certitude qu'elle ne se fera pas au bénéfice des Etats-Unis.

Cette condition paraissait presque impossible à remplir il y a dix ans, mais le sentiment anti-américain est si fort dans la jeunesse sud-coréenne, qui n'hésite plus à faire parfois connaître son admiration pour la façon dont Kim Jong Il tient tête à Washington, que le temps pourrait bien jouer pour Pékin. De ce point de vue, l'arrivée en Corée du Sud d'un nombre inusité de défecteurs en 2004 (environ 500) [1] en provenance

---

1. Il y a environ 5 000 réfugiés en Corée du Sud, dont la plupart sont arrivés depuis 1999.

du Vietnam, n'est pas nécessairement le prélude d'une prochaine réunification, comme une analogie trop rapide avec l'Europe orientale de 1989 pourrait le suggérer. Comme on vient de le souligner, non seulement la Chine et la Corée du Nord ne veulent pas en entendre parler, mais elles sont aidées par la Corée du Sud qui craint l'effet que 23 millions de Nord-Coréens dans la misère pourraient avoir sur leur économie, dont profitent aujourd'hui 48 millions de Sud-Coréens [1].

Parfois cependant, le nationalisme coréen se réveille dans l'ensemble de la péninsule aux dépens de la Chine. L'unité de Pyongyang et de Séoul s'est faite en 2004 quand Pékin a décidé de réécrire l'histoire de l'ancien royaume de Koguryo, fondé il y a plus de deux millénaires dans le bassin de la rivière Tongge en Corée du Nord et qui, au moment de son apogée, incluait une grande partie de la Mandchourie. La question posée par les révisionnistes chinois était de savoir si ce royaume était chinois ou coréen. Cette réécriture du passé, soutenue par le ministère des Affaires étrangères chinois, préparait l'avenir. En cas de réunification soudaine, le spectre d'une modification des frontières serait une pression

1. Un dialogue intercoréen, dont même les Etats-Unis ne savent pas grand-chose, se développe depuis plusieurs années avec la bénédiction de la Chine. Séoul a en effet compris que la réunification des deux Corée était impossible sans l'accord de Pékin, et qu'elle n'aurait pas la chance de l'Allemagne, dont la réunification a été acceptée par Moscou, alors qu'il était évident qu'elle tomberait dans le camp occidental.

supplémentaire exercée sur les Coréens, qui n'ont pas les moyens de s'opposer à Pékin [1].

La péninsule est pour la Chine une arrière-cour dont elle ne doit jamais perdre le contrôle. C'est aussi une carte dans le jeu majeur qui l'oppose à Washington et qui a nom Taïwan. Le lien qui unit ces deux questions est presque aussi vieux que le régime communiste chinois. Peu après la révolution de 1949, quand il s'est agi de prendre position sur la question de la guerre de Corée, Chou En-lai s'est déclaré réticent en raison de la jeunesse du nouveau régime et de l'absence de soutien de Staline. Mao Tse-tung, au contraire, n'a pas eu la moindre hésitation : si la Chine n'intervenait pas aux côtés de Pyongyang, elle n'aurait aucune chance de récupérer Taïwan. Aujourd'hui, la situation a considérablement évolué mais les deux Corée sont toujours séparées tandis que Taïwan a conservé son autonomie. La détermination de Pékin de tout mettre en œuvre pour « récupérer » Taïwan s'est plutôt affermie ces dernières années. La raison de la tolérance chinoise à l'égard de son turbulent petit voisin n'a pas d'autre explication : c'est une épine dans le pied de Washington et de Tokyo avec ses missiles et ses armes non conventionnelles dont elle menace régulièrement l'un et l'autre. Cela permet de tester Washington et

1. En 1992, de la même façon, la Chine a rendu publique une nouvelle loi sur les eaux territoriales qui attribuait unilatéralement à la Chine les quatre cinquièmes de la mer de Chine du Sud, considérés comme des « eaux historiques ».

Tokyo à intervalles réguliers. Comment vont-ils réagir à la nouvelle provocation ?

Le jeu devient dangereux, précisément, quand Pyongyang a les moyens balistiques et nucléaires de jouer dans la cour des grands. Une des leçons principales de la crise des missiles de Cuba est que le péril essentiel est venu non de Moscou mais de Fidel Castro, qui était prêt à vitrifier la planète plutôt que d'accepter un compromis. Ce serait une excellente raison de discipliner Kim Jong Il avant qu'il ne devienne tout à fait incontrôlable. Une partie des experts chinois des questions de défense sont conscients de ce dilemme. Mais les autorités de Pékin n'exercent pas pour autant de pression sérieuse sur Pyongyang. Les liens de ce pays avec Islamabad, les relations balistiques de la Corée du Nord avec la plupart des pays du Moyen-Orient, la menace en mai 2005 de vendre des armes nucléaires aux terroristes, donnent à ce petit pays un pouvoir infiniment supérieur à ce qu'il représente en fait sur la scène internationale. De ce point de vue, Pyongyang fournit une des meilleures illustrations possibles des déséquilibres auxquels le XXI^e^ siècle est confronté, dans un contraste saisissant avec le célèbre équilibre des blocs de la guerre froide. La Corée a sans doute été une victime en 1905, mais elle est devenue un siècle plus tard un perturbateur majeur, surtout si la perspective d'une Corée nucléaire réunifiée n'est plus un fantasme. Les révélations embarrassées de Séoul sur des expériences non déclarées dans les années 1980, interdites par ses engagements internationaux, montrent que la curiosité scientifique n'était pas la seule motivation de ces tests. La réalité des activités nucléaires qui ont été conduites par la Corée du Sud a été sous-estimée dans les rapports de l'AIEA, peut-être sous pression américaine, mais il s'agissait, notamment dans le domaine de l'enrichissement, d'un programme impressionnant.

Quant à la Corée du Nord, il est absurde de croire qu'un pays qui se comporte d'une façon aussi brutale avec ses citoyens peut tenir sa parole à l'égard du reste du monde s'il reçoit un peu d'encouragement du monde occidental [1]. Kim Jong Il, comme son père, est un de ces individus qui peuvent faire mentir tous ceux qui prétendent qu'il vient toujours un moment où les tyrans se lassent de leur tyrannie. Son seul problème est d'éviter toute possibilité de « perestroïka » qui puisse mettre fin à la dynastie des Kim. Sa crainte des réformes n'a d'égal que son sens du rituel. En veut-on un exemple ? La façon dont se déroule une visite de Kim Jong Il à un dignitaire étranger présent à Pyongyang est éloquente. On viendra d'abord choisir le salon parmi les quarante pièces du palais réservé aux étrangers dans laquelle se rendrait le Cher Leader. Puis, juste avant la visite, un véhicule militaire arrive avec une équipe de

1. Voir le chapitre III de la première partie.

soldats spécialement entraînée pour retirer du salon l'ensemble du mobilier, y compris les tapis. Un deuxième véhicule arrive alors avec un mobilier de remplacement, le bureau personnel de Kim Jong Il, ses affaires personnelles et des corbeilles de fleurs. Dans ce cadre, le Cher Leader échange des propos aimables pendant dix minutes, se retire, et les deux véhicules reviennent pour retirer le mobilier et remettre en place l'originel.

Même Staline n'a pas d'histoires de ce type dans sa biographie. Il faut croire qu'il était moins aimé des siens que Kim Jong Il. Plus l'amour qu'on vous porte est grand, plus la prudence s'impose. Et pour un personnage dont la légende dorée raconte aux enfants du pays qu'il a réussi en un seul coup à loger sa balle dans cinq trous lors de sa première tournée sur un green de golf, on peut tout de même changer le mobilier de temps en temps. On peut même demander à la population de réserver un linge spécial pour épousseter ses photos et celles de son père ! Lors de l'explosion du train qui a fait des centaines de morts le 22 avril 2004, la propagande nord-coréenne a publié des articles dans lesquels on osait raconter que des mères s'étaient jetées dans les flammes pour sauver les fameux tableaux plutôt que de récupérer leurs enfants !

Les réformes économiques engagées ne l'ont été qu'avec la promesse formelle de Pékin que son régime ne serait pas en danger s'il suivait l'exemple de la Chine. Ces réformes ne donnent aucun des résultats escomptés et n'ont eu jusqu'à présent pour seul effet que de provoquer une inflation qui accroît encore les malheurs de la population. Une étude comparative sur les conditions physiques des citoyens des deux Corée, soutenue par une fondation coréenne, est arrivée à la conclusion que les conditions alimentaires n'ont pas permis aux Coréens du Nord de connaître l'augmentation de taille que l'on observe au sud dans la seconde moitié du XX<sup>e</sup> siècle. On observe pendant cette période dans l'ensemble du monde occidental une élévation de la taille d'un centimètre par décennie en raison de la nutrition, de l'élimination des épidémies, de l'amélioration des services médicaux et de l'urbanisation. Dans le cas de cette étude, les mesures ont été délicates compte tenu de l'impossibilité d'accès à la population vivant en Corée du Nord. Il a fallu se contenter de travailler avec les données fournies par la population nord-coréenne qui s'est échappée au sud. Ceux-ci appartiennent le plus souvent à la partie la mieux éduquée des Coréens du Nord. Les conclusions sont impressionnantes [1] : entre vingt-cinq et trente-cinq ans, la différence est de six centimètres entre les deux populations.

---

1. L'étude, intitulée *The Biological Standards of Living in the Two Koreas*, a été réalisée en 2004 et a porté sur 2 384 adultes et 283 enfants et adolescents.

Encore s'agit-il là de ceux qui sont en liberté. Le jour où la Corée du Nord s'effondrera, on découvrira un des univers concentrationnaires les plus impitoyables de l'histoire, avec des survivants dont les récits feront honte au monde libre. Et l'on s'interrogera alors sur les raisons pour lesquelles les informations disponibles n'ont pas conduit à rompre les relations diplomatiques et à demander des comptes à Pyongyang. La diffusion des documents disponibles sur les camps, qu'il s'agisse d'images satellites ou de témoignages d'anciens prisonniers ou gardes, devrait recevoir plus d'attention que le chantage de Pyongyang sur ses armes supposées. Ce chantage a payé : le régime a obtenu des vivres, des crédits et du fuel lourd pendant des années et est à nouveau en passe à l'été 2005 de devoir sa survie à une aide massive de la Corée du Sud [1]. Il s'est assis à la même table que les Chinois, les Russes, les Américains, les Japonais et les Sud-Coréens pour des discussions qui n'ont jamais donné d'autre résultat que des occasions de chantage supplémentaire. Pendant ce temps, les camps continuaient de martyriser ou de tuer des prisonniers politiques – arrêtés sur trois générations – ou d'anciens évadés sur le sol chinois remis aux autorités de Pyongyang. La presse occidentale a trop publié sur ce sujet pour

1. Voir l'article de Kang Chol-hwan « Moon over Pyongyang », *Wall Street Journal*, 13 juillet 2005, où l'auteur, ancien détenu des camps nord-coréens, fait une critique féroce de cette politique d'aide qui ne bénéficie qu'au régime.

qu'il soit encore possible de prétendre les ignorer.

La Corée du Nord joue – on l'a souligné – un rôle ambigu dans la stratégie chinoise. Sans la complicité de Pékin, son chantage serait impossible, car le pays survit grâce à l'aide chinoise et seulement grâce à elle. Dans un article récent de la *Far Eastern Economic Review*, un chercheur chinois proche du pouvoir affirme, contredisant la version officielle de Pékin, que la détention d'une arme nucléaire par Pyongyang ne serait pas un problème stratégique pour la Chine. En effet, Pékin ne sera jamais la cible de son protégé, mais en cas de conflit avec les Etats-Unis, Pékin pourrait utiliser la Corée du Nord contre le Japon comme il utilise le Pakistan contre l'Inde. La voie à suivre est donc exactement contraire à celle qui a été choisie jusqu'à présent. Il faut augmenter l'isolement diplomatique de Pyongyang, qui n'est un interlocuteur possible que pour des voyous et des criminels, et contraindre Pékin à prendre en charge le problème nord-coréen ou à payer le prix des conséquences régionales du chantage de plus en plus insupportable de Kim Jong Il. Une victoire contre Pyongyang serait une façon de diminuer les risques de conflit en Extrême-Orient et de réduire les inconnues d'un conflit sur la question de Taïwan. Enfin, personne ne paraît redouter, en cas de mort subite de Kim Jong Il, une mise en alerte immédiate des moyens militaires du Japon en raison du caractère imprévisible de l'armée nord-coréenne. Celle-ci pourrait y voir une provocation à laquelle elle répondrait de son côté par des tirs de missiles. La suite d'un tel scénario, qui n'a rien d'invraisemblable, est laissée à l'imagination du lecteur.

CHAPITRE IV

# *Le choix des peuples*

« Nous, les peuples... »

Charte des Nations unies.

L'ordre du XX^e siècle était injuste et oppressant. Il reposait dans toute une partie du monde sur l'hypertrophie de l'Etat. Au nom de la Realpolitik, cet *ordre* soumettait une grande partie des peuples de l'Europe, de l'Asie, de l'Afrique et de l'Amérique du Sud à des régimes qui reniaient tous les principes fondateurs des sociétés démocratiques. A cause de la stabilité, maître mot de la diplomatie de la guerre froide, les pays qui attendaient de l'aide derrière le rideau de fer ont dû se contenter de l'indifférence. L'Occident a préféré l'injustice au désordre. Il a fallu attendre 1989 pour découvrir que Prague était à une heure d'avion de Paris et pour apprendre qu'il y eut une période où l'ambassade de France en Pologne interdisait toute relation avec Lech Walesa ou ses partisans. Les soutiens n'ont pas manqué non plus aux dictatures et aux régimes autoritaires de l'autre camp, au nom de la lutte contre le communisme. Cette conception politique aurait dû mourir après la chute de l'URSS. Mais c'est elle qui a encore conduit les Occidentaux, fidèles à leurs habitudes, à ne poser de questions à Moscou ni sur l'absence d'enquête après les explosions suspectes de 1999, ni sur la nature du gaz utilisé dans le théâtre en 2003, ni sur la performance désastreuse des forces spéciales à Beslan à l'été 2004 [1], où l'école remplie d'enfants a été *libérée* au char d'assaut et au lance-flammes. C'est toujours elle qui explique la complaisance à l'égard de Pékin dont les étrangers en général et les pays occidentaux en particulier sont les seuls à croire que les droits de l'homme ont progressé ailleurs que sur le papier. C'est elle enfin qui explique l'échec du « partenariat en Méditerranée », dit processus de Barcelone, dont on fête le dixième anniversaire en 2005 : malgré un apport financier de 21 milliards d'euros sur cette période, les résultats sont inexistants, largement parce qu'on a toujours misé sur les gouvernements et non sur les sociétés.

En 1989, au moment du massacre de Tienanmen, la protestation des gouvernements avait permis d'espérer un changement d'attitude en

1. Les autorités hollandaises constituent une heureuse exception.

faveur des peuples. Un vent de liberté soufflait alors en Europe, quelques mois avant la chute du mur de Berlin, et les peuples avaient pris l'avantage avec une série de manifestations pacifiques. C'est alors qu'intervint à Pékin un massacre d'étudiants aussi effroyable qu'inutile, tant leurs demandes étaient timides. Les autorités voulaient montrer au reste de la Chine et au monde qu'on ne pouvait s'opposer au pouvoir de Pékin. La réaction internationale a été forte et unanime – à l'exception de pays comme la Birmanie qui réglait des comptes semblables avec ses propres étudiants. C'est alors qu'on a vu des dissidents chinois défiler sur les Champs-Elysées au nom des droits de l'homme le 14 juillet pour le bicentenaire de la Révolution française. Comme ceci paraît lointain ! Pour effacer ce mauvais souvenir, la municipalité de Pékin a organisé en janvier 2004 un autre défilé au même endroit, dont elle a écarté tout élément non étroitement contrôlé, avec le soutien des autorités françaises. Il s'agissait d'inaugurer l'Année de la Chine et non celle des Chinois. Il n'était plus question du peuple ou de droits de l'homme : les deux Etats se congratulaient. On en est toujours là. Les manifestations populaires ne cessent de se multiplier dans les provinces chinoises pour protester contre la corruption et l'arrogance des fonctionnaires, dans un pays où beaucoup de paysans ont à nouveau faim. Les pétitions au gouvernement central augmentent de 50 % par an, mais seulement 1 % des cas sont traités à la satisfaction des demandeurs. En novembre 2004, 100 000 paysans de la province de Sechuan ont pris possession des locaux de la municipalité avant d'en être délogés par des forces paramilitaires. Des incidents à répétition affaiblissent progressivement les autorités locales mais aussi le gouvernement chinois, un phénomène dont l'extérieur ne tient aucun compte. Il faudra sans doute une crise économique sérieuse et des troubles sociaux d'une tout autre ampleur pour que l'on commence à s'intéresser aux Chinois. A ce moment-là en effet, les intérêts financiers occidentaux seraient touchés en Chine et les phénomènes sociaux pourraient avoir de graves conséquences stratégiques régionales. La baisse des investissements étrangers qui en résulterait précipiterait encore la crise. L'économie chinoise est le seul domaine qui fasse l'objet d'un suivi sérieux en Europe. C'est pourquoi les articles qui commencent à paraître depuis quelques années sur les nombreuses incertitudes qui pèsent sur la croissance chinoise ont plus de chances de faire réfléchir les hommes politiques que toute répression ouvrière ou paysanne, même massive.

Dix ans plus tard, en 1999, ce sont les opinions publiques des pays occidentaux qui ont obligé les gouvernements à intervenir pour protéger les populations civiles du Kosovo. L'idée que des limites devaient être apportées au pouvoir des dirigeants a fait du chemin et la « responsabilité de protéger » fait à présent partie de beaucoup de discours diplomatiques. Dans les faits cependant, comme le montre la tragédie du Darfour, les pays occidentaux refusent d'intervenir dans les zones à risque quand leurs intérêts de sécurité ne sont pas directement menacés, une conception contradictoire avec la reconnaissance du caractère « transnational » des menaces contemporaines. En clair, ils ne veulent pas intervenir en Afrique. Le besoin d'ordre continue à être perçu comme un objectif supérieur au besoin de justice et la survie des Etats est toujours plus urgente que celle des populations dont ils ont la charge. Si le peuple est plus important que l'Etat, comme le proclame aussi la Charte des Nations unies – dont les premiers mots sont « Nous, les peuples » –, quels Etats sont prêts à en faire un principe de relations internationales ? Raymond Aron avait essayé de réconcilier le réalisme politique et le souci des peuples en affirmant que la prudence ne signifiait pas toujours la modération ou l'indifférence au régime des Etats. Les gouvernements sont encore largement souverainistes cependant, et parmi les pays européens ceci est peut-être particulièrement vrai de la France. On a pu le voir dans la façon dont le drame du peuple algérien a été négligé au profit de la relation à Alger, qui avait sa part dans les massacres ; dans la gestion de la tragédie du Rwanda, où les enjeux de l'influence française et de la francophonie l'ont emporté sur la protection des populations ; ou dans la réaction à la crise ukrainienne, qui montre que l'on continue à penser que si ce n'est plus à Moscou de faire la loi à Kiev, Kiev de son côté ne saurait s'opposer à Moscou, qu'il ne faut pas *humilier*.

En principe, un Etat qui ne remplit pas le plus élémentaire de ses devoirs, protéger ses citoyens, perd de ce fait sa souveraineté. Et l'ordre n'est une valeur que dans la mesure où il est une condition de la justice. Saddam Hussein et Milosevic ne pouvaient se réclamer du droit international. Le premier s'en était joué pendant douze ans et devait répondre du massacre de ses sujets kurdes et chiites comme de l'utilisation d'armes chimiques prohibée par le droit international. Le second avait mis les Balkans à feu et à sang pendant huit années. Tous deux sont actuellement en prison. Quant au désordre – voire la guerre – il est parfois nécessaire pour rendre la justice possible. Cette vérité fait partie de l'histoire européenne. Personne ne pourrait reprocher au III$^{e}$ Reich ou à la Russie de Staline de ne pas aimer l'ordre. Mais comment justifier la collaboration que ces deux régimes ont reçue à l'extérieur de leurs frontières ? Plus récemment, seuls les bouleversements du début des années 1990 en Europe ont permis la réunification du continent. Au lieu donc de privilégier systématiquement la stabilité, il faudrait accepter, à moins de manquer de sens historique, que le soutien des dictatures a un prix très élevé dans le domaine de la sécurité et que la chute de positions vermoulues, celle d'Erich Honecker peu avant la fin de l'Allemagne de l'Est par exemple, devait être encouragée.

L'idée d'un lien entre la sécurité et les droits de l'homme a une plus longue tradition, mais c'est la Seconde Guerre mondiale qui en a le mieux montré la force. Le 6 janvier 1941, Franklin Roosevelt, dans son discours sur l'état de l'Union, proclame les quatre libertés : d'expression, de culte, d'être à l'abri du besoin et de vivre sans peur. Elles devaient devenir quelques années plus tard des principes fondamentaux de la Charte des Nations unies. Les fondateurs des Nations unies reconnaissent l'interdépendance entre la sécurité des hommes, celle de l'Etat et la sécurité internationale. La connexion se fait dans les deux sens : les événements internationaux ont des effets sur les sociétés et les individus et les événements sociétaux ont des conséquences internationales. Au fil des années, les principes fondamentaux de la Déclaration universelle des droits de l'homme sont devenus des principes de droit international coutumier ou des principes généraux du droit international, et sont considérés comme tels par la Commission des droits de l'homme. La Déclaration universelle fut réaffirmée en 1966 par l'adoption de deux pactes internationaux juridiquement contraignants, l'un sur les droits civils et politiques, l'autre sur les droits économiques, sociaux et culturels. Aujourd'hui, 140 pays ont accepté d'être liés par ces deux pactes. Ces deux instruments et la Déclaration universelle constituent la Charte universelle des droits de l'homme et sont la base du droit international relatif aux droits de l'homme. Ce droit s'applique à tous et en tout temps.

De nombreuses menaces peuvent aussi peser sur la sécurité des populations sans pour autant concerner les Etats, qu'il s'agisse des gouvernants de ces populations ou des Etats voisins. C'est le cas de la misère, de la pollution, de la santé. La Commission internationale de l'intervention et de la souveraineté des Etats a réitéré cette idée avec force : « La perception traditionnelle, étroite, de la sécurité, fait abstraction des préoccupations les plus élémentaires et légitimes de tout un chacun quant à sa sécurité dans la vie de tous les jours. Elle détourne aussi vers les armements et les forces armées des quantités considérables de ressources nationales matérielles et humaines, empêchant ainsi les pays de protéger leurs citoyens contre des formes chroniques d'insécurité telles que la faim, la maladie, la pénurie de logements adéquats, la criminalité, le chômage, les conflits sociaux et les risques environnementaux [1]. » L'Europe est cependant de plus en plus consciente qu'en l'absence d'une politique d'aide plus ciblée et plus conditionnelle à l'égard des pays en développement, surtout quand ils bordent son territoire, il lui faudra faire face à des troubles

1. Il s'agit du rapport *La Responsabilité de protéger*, publié en 2002 par la Commission internationale de l'intervention et de la souveraineté des Etats, que le Secrétaire général des Nations unies a encore utilisée pour les propositions qu'il présente aux Etats en septembre 2005.

politiques et à une immigration qu'elle aura du mal à contenir dans les prochaines décennies.

Pendant quarante ans, les grandes puissances s'en sont remises à un équilibre des forces entre les Etats pour garantir la sécurité de leur population et, d'une certaine façon, celle du monde. Elles ont négligé la protection des personnes au profit de cette attention extrême portée à l'Etat. Ceci était vrai à l'Ouest comme à l'Est. L'Occident était porté à la prudence et au réalisme, et le monde communiste n'a jamais reposé sur l'idée de justice. Comme l'a souligné Leszek Kolakovski, Marx n'avait aucune approche morale des problèmes sociaux. Il ne prétendait pas que la société capitaliste devait être condamnée parce qu'elle était injuste ou que la lutte révolutionnaire avait pour objectif la justice. C'étaient les lois historiques qui devaient mettre fin au capitalisme, pas les injustices. Le premier des droits de l'homme en URSS était ainsi le droit de travailler, et c'est même ce qui a justifié l'ouverture du Goulag, avec une perverse rationalisation.

La dénonciation des dictatures devrait faire partie de la routine politique de l'après-guerre froide. Mais tel n'est pas le cas. Une plus grande attention continue d'être portée aux Etats qu'aux régimes, et aux gouvernements qu'aux peuples. C'est que les dictatures posent aux démocraties des questions troublantes, la première d'entre elles étant leur capacité de résistance et de réponse efficace au cynisme politique et à la force brute. L'expérience historique du XX^e siècle, riche en matière de dictatures, n'a pas mis fin à la maladresse légendaire des régimes démocratiques devant les formes les plus aberrantes du pouvoir politique. Les dictatures sont des régimes d'un autre âge et de tous les âges. Face à elles, les démocraties ne cessent d'oublier qu'elles portent en elles la reconnaissance de l'unité du genre humain par-delà les nations.

CHAPITRE V

# *L'unité du camp occidental*

« Toutes les fois que ma pensée se fait trop noire, et que je désespère de l'Europe, je ne retrouve quelque espoir qu'en pensant au Nouveau Continent. »

PAUL VALÉRY.

Voilà une phrase que l'on n'entendrait guère aujourd'hui. Ecrite en 1938, à un moment où Valéry pensait que « la fureur de la guerre » pourrait faire disparaître la culture européenne, les villes, les musées, et les universités européennes. L'idée que le Nouveau Monde – comme il l'appelle encore – pourrait faire revivre « les malheureux Européens » d'une nouvelle existence de l'autre côté de l'océan avait quelque chose de consolant. Il ne devinait pas que la dette des Européens serait beaucoup plus grande, que d'innombrables exilés devraient la vie à leur départ outre-Atlantique, et que l'entrée en guerre de l'Amérique serait décisive pour la victoire. Il ne parle pas non plus de la façon dont, après avoir tant fait pour la libération de l'Europe, l'Amérique a assuré le relèvement du vieux continent, avant de garantir sa sécurité pendant près d'un demi-siècle. A un moment où les relations transatlantiques traversent une période difficile, faite d'incompréhensions que l'on a tendance à croire toutes neuves, on oublie que les mésententes ont commencé très tôt après la Seconde Guerre mondiale. L'évocation actuelle des relations transatlantiques pendant la confrontation Est-Ouest fait parfois penser à celle que les vieillards ont de leur lointaine jeunesse. Tout y est embelli. On rappelle que la stratégie mise en place en 1945 avait pour but de répondre au déclin de l'Europe et à la montée en puissance de l'Amérique, que le « bloc » occidental devait être susceptible de faire face aux intempéries à venir. On parle de l'ennemi commun, des grandes heures de l'OTAN et de l'amitié transatlantique. C'est oublier combien cette alliance a été difficile, discutée, contrariée, et combien de crises majeures – comme celle de Suez en 1956 – ont été traversées. C'est oublier aussi l'importance des partis communistes en France et en Italie qui faisaient la politique de Moscou, les partis pacifistes en Allemagne qui compliquaient la défense de l'alliance, et les alliés réticents ou même difficiles, comme l'ont toujours été les Français. L'union n'a jamais été aussi forte, aussi permanente ou aussi universelle qu'on le prétend aujourd'hui.

Les discours des premières années du XXIe siècle sur l'empire américain reprennent de vieilles rengaines des années 1970 et 1980. Il suffit de relire les critiques que Raymond Aron et Kostas Papaïoannou ont pu faire des nombreux discours sur « l'empire américain » dans les années 1970 pour s'en convaincre. En les consultant, on se demande si la situation a vraiment beaucoup évolué, et si la disparition de la peur que représentait la menace soviétique a eu des effets aussi importants qu'on le prétend. Si l'Europe ne se sent plus menacée à présent et veut jouir des dividendes de la paix, des portions entières de l'opinion européenne n'ont jamais été convaincues de la menace en question pendant la guerre froide, du moins de celle qui venait de Moscou et du Pacte de Varsovie. Déjà, pour beaucoup, la menace principale était celle de Washington ! De même, trouve-t-on aujourd'hui un nombre important d'Européens pour préférer Vladimir Poutine à George Bush. Les Européens ont eu pendant la guerre froide des peurs contradictoires : ne pas être en mesure de se défendre contre Moscou (d'où la crainte du retrait américain), être entraînés dans une confrontation entre Washington et Moscou (d'où le pacifisme) et se trouver lésés par une entente entre les deux super-puissances (d'où le discours sur le « condominium »).

Ce qui est plus incontestable, c'est que l'Europe n'est plus le centre de gravité des affaires stratégiques mondiales. Celui-ci se trouve désormais en Asie et il y a là un bouleversement majeur. On peut s'en réjouir puisque c'est ce qui a permis à l'Europe de faire son unité après des décennies de division, mais aussi parce que le théâtre d'opérations principal n'est plus sur le territoire européen. Un conflit majeur, si par malheur il éclatait, ne se déroulerait pas – en premier lieu du moins – sur le sol de l'Europe. Mais loin de la pousser à prendre une sorte de retraite historique (les « dividendes de la paix »), cette chance devrait lui permettre d'assumer à nouveau ses responsabilités dans le monde. Des deux priorités reconnues par les Etats-Unis dans leur politique de défense : le terrorisme international et l'Asie, la première est une menace pour l'Europe et la seconde, malgré la myopie stratégique des Européens à son endroit, ne tarderait pas à avoir des conséquences pour les nations européennes au cas où une crise importante viendrait à éclater. Si l'on prend au sérieux la mondialisation, il faut accepter ses effets dans le domaine de la sécurité. La difficulté de contenir les conflits est plus grande encore qu'elle ne l'était au siècle dernier, qui a pourtant montré sa capacité de mondialiser les guerres.

Les analyses divergent sur ces deux questions. Dans le cas du terrorisme international, après une unanimité exceptionnelle au soir du 11 septembre 2001 tant au Conseil de sécurité qu'à l'Assemblée générale des Nations unies, et à l'OTAN comme à l'Union européenne, les positions diffèrent souvent. La volonté de s'unir pour réduire l'anarchie qui menaçait la sécurité du monde a d'abord semblé bien réelle. Mais quatre ans plus tard et malgré les attentats du 11 mars 2004 à Madrid et du 7 juillet 2005 à Londres, l'Europe est toujours convaincue qu'elle est moins menacée que Washington [1], et les gouvernements, à l'exception notable du gouvernement britannique, n'ont pas engagé l'effort d'explication nécessaire. La dignité des Londoniens lors des attentats de juillet 2005 résultait de la préparation psychologique lancée par le gouvernement depuis plusieurs années sous le nom de *resilience*.

Dans la plupart des pays européens on se demande si l'évaluation de la menace n'est pas fonction des budgets consentis pour y faire face plutôt que l'inverse. A cette aune en effet, les Européens peuvent soutenir que l'Amérique exagère la menace. Mais peut-être la sous-estiment-ils de leur côté. Pour ce qui est de l'Asie, l'Europe n'a toujours pas inscrit cet immense territoire, avec lequel elle a pourtant une continuité territoriale, sur son radar stratégique. Il n'y a aucune réflexion sur ce que les Européens

1. Même si la *Stratégie européenne de sécurité* publiée en décembre 2003 reconnaît que l'Europe est tout à la fois une cible et une base d'opération pour le terrorisme.

pourraient faire en cas de conflit dans la péninsule coréenne, bien que certaines nations européennes, dont la France, soient parties prenantes à l'armistice de 1953. Il n'y en a pas davantage sur ce que ferait l'Europe en cas de conflit entre les Etats-Unis et la Chine au sujet de Taïwan. Les Allemands voient dans la Chine un grand marché, les Français un des acteurs principaux du monde multipolaire, et les Britanniques ont longtemps limité ce pays au problème de Hong Kong. Dans la *Stratégie européenne de sécurité* publiée en décembre 2003, l'Asie n'est présente, tout à la fin du document, qu'au sein d'une évocation générale des « partenariats stratégiques » de l'Union, où l'on trouve pêle-mêle la Chine, le Japon et l'Inde. C'est dire si la réflexion est limitée : aucun de ces trois pays ne pose à l'Europe de problèmes de sécurité comparables, aucun n'a d'ailleurs avec elle un partenariat stratégique digne de ce nom. Le texte est vide de sens, malgré l'ouverture qu'il contient sur les « défis globaux ».

Au tournant du siècle, les Etats-Unis ont produit une impressionnante étude sur l'Asie en 2025 et les conséquences qu'il faudrait tirer des évolutions démographiques, énergétiques et militaires de ce pays. Elle fournit différents scénarios en insistant sur les nombreuses possibilités de surprises stratégiques que cette partie du monde pourra présenter. L'incompréhension de ces problèmes en Europe est totale. Sans une discussion euro-américaine et euro-japonaise (qui pourrait donner de la substance au partenariat stratégique dont il a été question) sur la montée en puissance de la Chine, il sera difficile d'avoir une solidarité occidentale au XXI^e^ siècle. Certains observateurs de part et d'autre de l'Atlantique s'inquiètent de l'apparition de « deux Occidents [1] ». C'est à la fois parce que le pouvoir américain, qui protégeait la faiblesse européenne, l'inquiète à présent, parce que l'Europe a conscience de devenir un pôle économique considérable sans avoir la volonté de jouer un rôle dans les affaires stratégiques, et parce que les analyses respectives des menaces qui pèsent sur les deux parties de l'Atlantique ne se recoupent que partiellement.

Ces différences de jugement reposent sur une crise plus profonde qui tient au fait que l'apogée du pouvoir américain coïncide historiquement avec la réunification de l'Europe. Celle-ci devrait aller de pair avec un changement de statut stratégique, mais ne correspond en fait nullement à une augmentation de puissance, pour l'excellente raison que la plupart des Européens n'en veulent pas. Le problème est celui de l'ouverture sur le monde que l'Europe n'a cessé d'avoir tout au long de son histoire et qui a fait d'elle une des civilisations les plus riches de l'humanité. Cette histoire semble oubliée au moment même où l'unité territoriale est achevée. Au contraire, les

1. Voir Simon Serfaty, « One West or Two ? », *Défense*, n° 108, novembre-décembre 2003.

Etats-Unis, dont l'intérêt pour le monde est récent puisqu'il date de la fin du XIX^e siècle, au moment où la guerre avec l'Espagne leur donne la maîtrise de Cuba et des Philippines, n'ont cessé d'élargir leur horizon. Nécessité a fait loi. Deux guerres mondiales, suivies d'une confrontation éminemment dangereuse où Washington avait pour la première fois la responsabilité stratégique principale à l'Ouest, ont eu un effet que l'Amérique n'a pas cherché mais qui l'a amenée à se battre à trois reprises dans des conflits dont elle est sortie trois fois victorieuse.

Soixante ans plus tard, le 11 septembre, l'Amérique a reçu un nouveau choc en provenance du monde extérieur, mais cette fois la menace se rapproche dangereusement. Ce qui en a résulté, c'est un sentiment d'urgence, la reconnaissance qu'on ne pouvait pas se contenter de soutenir l'ordre établi ni de faire reposer la sécurité des Etats-Unis sur le confinement. Le soutien américain à des régimes qui ne cherchent qu'à durer est devenu un danger potentiel plutôt qu'un gage de stabilité. Les pensées des Européens ont suivi un autre cours. Les bouleversements qu'ils ont connus sur leur territoire depuis 1989 sont si nombreux qu'ils ne rêvent que de stabilité dans le reste du monde. Le débat sur le projet de Constitution aura même montré qu'ils n'ont toujours pas accepté l'élargissement, perçu non comme une formidable réussite après des décennies de séparation douloureuse, mais comme l'arrivée de nouveaux Etats qui troublent la vie économique de l'Europe de l'Ouest.

L'Amérique est aujourd'hui, pour la plupart des observateurs, le premier représentant de l'Occident. Il y a un siècle seulement, l'Europe occupait cette première place. L'erreur serait de croire qu'une telle rétrogradation la protège. Dans l'esprit des adversaires de l'Amérique, la distance qui la sépare de l'Europe n'est pas aussi importante qu'on le prétend. Les Anglais parlent avec ironie de l'océan Atlantique en évoquant la mare (*the pond*). Les Européens et les Américains se plaisent à commenter la distance qui sépare leurs choix politiques, sociaux et militaires. Mais les plus dangereux adversaires de l'Amérique perçoivent, eux aussi, l'Atlantique comme une mare, où vivent de part et d'autre des « infidèles » ou tout simplement des « Occidentaux ». Ceci ne signifie pas qu'ils ne cherchent pas, en bons tacticiens, à séparer les deux rives. Après tout, même Hitler a bien signé un pacte avec Staline. Mais l'univers occidental, que nous refusons souvent de reconnaître, est bien perçu comme *un* univers par les adversaires de l'Amérique, qui s'attaquent aussi volontiers à l'Europe [1]. C'est une des leçons des attentats du 11 septembre 2001, du 11 mars 2004 et du 7 juillet 2005, mais aussi des attentats contre des touristes allemands en Tunisie en 2002 et

1. Il faut lire Ian Buruma et Avishai Margalit, *Occidentalism. The West in the Eyes of its Enemies*, New York, The Penguin Press, 2004.

contre des intérêts français au Yémen et au Pakistan en 2003. C'est aussi la leçon des trois avertissements reçus par la France de la part d'al-Qaïda : en novembre 2002, au moment de l'adoption de la loi sur le voile, puis en octobre 2004. Ceci devrait mettre un terme aux illusions des *retraités de l'histoire* dans la peau desquels les Européens se glisseraient volontiers. Comme le disait Léon Trotski, qui a quelques bonnes formules : « Peut-être ne vous intéressez-vous pas à la guerre, mais elle s'intéresse à vous. »

Les Etats-Unis ont une politique qui ressemble à celle de l'Europe dans le passé – intervenir dans les affaires du monde pour le façonner – et l'Europe à celle de l'Amérique autrefois – rester chez soi pour développer un modèle. Chacun est ainsi irrité par l'image de soi que l'autre lui présente. Les deux interlocuteurs auraient besoin l'un de l'autre pour faire face aux défis du siècle, et le monde aurait besoin de leur contribution commune. Le paradoxe est que l'Europe n'a plus en son sein que des pays démocratiques, proches des valeurs qui sont celles de l'Amérique. Le document publié par l'Union européenne en décembre 2003 sous le titre de *Stratégie européenne de sécurité* traduit une vision provinciale du monde, avec les Balkans, la Russie et la Méditerranée comme seules zones vraiment pertinentes. Même à l'égard de ces trois zones, qui concentrent suffisamment de problèmes, il n'y a pas de stratégie de l'Union. L'Europe n'ignore pourtant pas qu'en cas d'attaque sur son territoire ou ses intérêts stratégiques (le pétrole par exemple), ni ses moyens propres ni l'ONU ne peuvent la défendre.

Pendant ce temps, l'Amérique court le monde, souvent sans le connaître. Elle n'a pas la même vision que nous de l'avenir occidental ? C'est à voir. La première grande épreuve le montrera. A ce moment-là, l'unité se refera peut-être. La question est de savoir s'il ne sera pas trop tard, parce que les moyens et les doctrines militaires auront évolué de façon trop disparate pour travailler efficacement ensemble. La comparaison des guerres du Golfe, du Kosovo, d'Afghanistan et d'Irak manifeste une évolution très importante de la doctrine de défense américaine, avec une mise en œuvre exceptionnellement rapide et efficace de la révolution des affaires militaires. Les technologies de l'information sont utilisées à des niveaux qualitatifs et quantitatifs qu'aucun pays européen ne prétend atteindre. On affirme que nous n'avons pas besoin de suivre cette route. C'est possible, mais la vérité est aussi que l'on n'en a pas les moyens avec les budgets de défense qui sont consentis en Europe. Le risque est donc de ne plus pouvoir se battre ensemble, même si l'on décidait que cela est nécessaire.

L'accord entre les deux rives de l'Atlantique est un gage de succès comme l'a montré l'unité retrouvée au moment des élections ukrainiennes. Il n'a pas été possible pour Moscou, comme il le souhaitait, de se lancer dans la dangereuse aventure de contre-manifestations, qui aurait pu donner lieu à des affrontements violents. De même, à la même période, la résolution franco-américaine du Conseil de sécurité (1559) sur le retrait des troupes syriennes du Liban a porté ses fruits en quelques mois. En avril 2005, les troupes syriennes et les services secrets syriens se sont retirés du territoire libanais. Plus généralement, les responsabilités mondiales des deux Occidents sont écrasantes et ne peuvent être assumées qu'ensemble. Les deux approches doivent donc être harmonisées, avec la conviction qu'il n'est pas nécessaire de tout faire ensemble ou de la même façon, mais qu'il est indispensable de travailler aux mêmes buts. L'Europe ne forme plus avec les Etats-Unis ce qu'on appelait le *monde libre* pendant la guerre froide, mais elle continue de partager avec eux des objectifs très voisins.

En temps de paix, les liens ont tendance à se distendre, et c'est ce qui se passe aujourd'hui. Compte tenu des moyens dont l'Europe disposera dans les deux prochaines décennies pour sa défense, elle ne pourra faire face à une menace sérieuse. Washington n'a jamais cherché à se reposer sur la bonne volonté des autres nations pour assurer sa sécurité. Il a toujours considéré qu'il devait être prêt à agir seul [1]. Ce qui a consti-

1. A preuve la phrase de John Quincy Adams en 1793, qui

tué une véritable révolution au XX^e siècle pour la sécurité de l'Amérique, c'est la reconnaissance que les événements qui se produisaient en Europe avaient un impact sur la sécurité des Etats-Unis. La possible mainmise sur l'Europe d'une puissance unique était une menace considérable. Theodore Roosevelt le pensait déjà et tant sa diplomatie que sa politique navale avaient pour ambition de la prévenir. Plus tard, après la Première Guerre mondiale, Woodrow Wilson croira que la menace venait de l'absence de démocratie. Aujourd'hui, comme l'a souligné Pierre Hassner, les Américains sont tout aussi proches de Wilson que de Roosevelt. Mais la grande différence avec les Européens, c'est qu'ils ont beaucoup plus de choix potentiels que l'Europe, dont les possibilités ont au contraire tendance à se restreindre.

Des deux côtés de l'Atlantique, l'Occident est perçu par le reste de la planète comme vivant le problème historique d'un monde en déclin. Ceci est plus vrai du vieux continent européen qui a joué pendant des siècles un rôle exceptionnel dans l'histoire de l'humanité, mais paraît fatigué de sa longue histoire. L'Amérique conserve ce talent exceptionnel de puiser dans l'avenir l'essentiel de son énergie, mais est en passe d'étendre trop largement sa puissance sur le reste du monde. Ce serait donc pour des raisons inver-

---

est allé fort loin dans cette direction : « Une véritable indépendance exige une séparation de tous les intérêts européens et de toutes ses politiques. »

ses – retrait d'un côté, extension de l'autre – que le déclin menacerait l'une et l'autre rive. La conviction qu'elles déclinent toutes deux cependant rend les attaques contre le monde occidental tout à la fois probables et dangereuses, car c'est toujours dans les périodes de déclin que les masques des adversaires tombent. Dans ce combat, l'Europe ne devrait pas oublier que la force de l'Amérique lui est propre, tandis que sa faiblesse nous est commune.

## CHAPITRE VI

# *Repenser le nucléaire*

> « La prochaine fois, nous n'aurons pas cette chance. »
>
> NIKOLAI S. LEONOV,
> responsable des affaires cubaines au KGB,
> lors de la crise des missiles de 1962.

Dans le domaine nucléaire, le pessimisme de quelques froids observateurs des années 1950 a fait davantage pour la paix que toutes les thèses sur l'avènement progressif des idées libérales dans le monde. C'est la crainte de la destruction et elle seule qui a mis du plomb dans les cervelles des dirigeants et donné à la dissuasion un rôle majeur dans la prévention d'un nouveau conflit mondial. Mais le succès de l'entreprise [1], mani-

1. Non sans difficultés. Outre la crise des missiles de Cuba, les superpuissances, inquiétées par de fausses alarmes ou par des perceptions erronées, ont plusieurs fois (novembre 1979, juin 1980, septembre 1983) frôlé l'anéantissement nucléaire.

feste à la fin de la guerre froide, a dilapidé le principal acquis : l'échange nucléaire ne s'étant pas produit, la notion de survie a perdu beaucoup de sa force et de son urgence. La nécessité absolue de maîtriser la violence entre les Etats a reculé dans les esprits. L'humanité n'apprend pas grand-chose des événements *qui n'ont pas eu lieu*. Elle a besoin de commettre des erreurs, et même parfois de vivre des catastrophes, car ce sont eux qui la contraignent à emprunter de nouvelles voies. Fort bien donc pour le passé. Mais qui va garantir aux nouvelles générations une chance aussi phénoménale que celle de la guerre froide ? Après tout, le non-emploi d'une arme disponible dans les arsenaux est plutôt l'exception que la règle. Le maintien de cette chance au-delà de cinquante ans requiert une telle combinaison de facteurs favorables qu'elle ne paraît guère probable. L'emploi du nucléaire, pour être moins présent dans les discours, est d'ailleurs devenu moins impensable dans les faits. La dissuasion repose sur la centralisation de la décision nucléaire que la diffusion du pouvoir propre à la mondialisation remet en cause. La multiplication du nombre des détenteurs augmente les risques d'emploi, et des facteurs qualitatifs doivent aussi être pris en compte. Les nouveaux arrivants donnent le sentiment de ne pas saisir qu'entre pays dotés de l'arme nucléaire, ce ne sont pas seulement les conflits nucléaires qui doivent être proscrits, mais toutes les formes de conflits, la meilleure façon de risquer un usage nucléaire étant encore en effet de perdre le contrôle d'un conflit classique[1]. Et comme il est beaucoup moins coûteux d'acquérir des armes nucléaires que des armements conventionnels sophistiqués, la tentation de répondre à la révolution des affaires militaires par une révolution de la violence et l'acquisition d'armes de destruction massive est très forte.

Il faut donc rappeler qu'un usage nucléaire se ferait désormais dans des conditions très différentes de 1945, où il n'y avait qu'une puissance dotée et où les missiles de longue portée n'existaient pas encore. Il se produirait même dans une situation peu comparable à celle de 1953, date de l'article clé de Robert Oppenheimer, alors que la prolifération nucléaire et balistique n'avait pas commencé. L'avertissement principal de cet article, qui porte sur la survie de l'humanité et la poursuite de l'histoire, reste d'une saisissante actualité. Gageons que s'il pouvait parler du monde contemporain, où des individus sans scupules vendent au moyen de réseaux clandestins tous les éléments nécessaires à la fabrication d'une arme nucléaire, il ne chercherait pas à rassurer. Sans doute proposerait-il plutôt – comme Schopenhauer – d'imaginer le monde que l'on prépare aux générations futures

1. Le conflit qui a éclaté en 1999 entre l'Inde et le Pakistan dans la zone de Kargil, un an après les essais nucléaires des deux pays, est une illustration convaincante de cette réalité car, sans l'intervention de Bill Clinton auprès de Nawaz Charrif pour lui faire respecter la ligne de contrôle entre les deux pays, une catastrophe était devenue possible.

en prenant le risque d'une multiplicité d'acteurs nucléaires, particulièrement dans des régions de tension permanente, comme le Moyen-Orient, l'Asie du Sud ou l'Extrême-Orient.

Le fait d'avoir quitté le sol européen comme épicentre d'un échange nucléaire, loin de supprimer le problème, se contente de le *déplacer* et de le *compliquer*. Car la fin de la centralité de ces armes dans l'équilibre stratégique mondial, loin de mettre un terme à la menace qu'elles représentent, a modifié des éléments cruciaux de la dissuasion. Parmi eux se trouvait le partage du monde, qui était représenté de façon certes odieuse par le rideau de fer, mais avait l'immense avantage de donner une image claire des limites séparant les deux camps en présence. Rien de cela n'existe dans les trois régions dont il a été question, d'où le statu quo est partout absent. Pour l'une des trois régions, les deux frontières nord de l'Inde, avec le Pakistan et la Chine, ne sont mêmes pas fixées et demeurent encore des *lignes de contrôle*. Au Moyen-Orient, plusieurs nations ne reconnaissent pas Israël et ont entre elles des différends territoriaux. En Extrême-Orient, ce sont les deux réunifications coréenne et chinoise qui alimentent les tensions et les passions. Personne ne peut faire aujourd'hui de paris raisonnables sur la façon dont l'une et l'autre question seront résolues, mais il y a de fortes chances pour que le prix soit très supérieur à celui de la réunification de l'Allemagne. En outre, l'Occident avait peut-être tort de croire qu'il comprenait le monde soviétique, mais on serait bien en peine de trouver sur la Corée du Nord ou l'Iran des ouvrages de la qualité de ceux qui ont été produits sur la stratégie soviétique. La méconnaissance des adversaires est toujours grave, mais elle risque vite d'être fatale quand il s'agit d'armes nucléaires. Enfin, personne ne sait comment gérer un monde où le Moyen-Orient pourra compter quatre ou cinq acteurs nucléaires dans vingt ans, et le continent asiatique un nombre comparable [1].

Tout emploi du nucléaire, où qu'il se produise, serait une remise en cause d'un tabou observé depuis 1945, et les conséquences dans l'escalade de la violence sont encore plus imprévisibles qu'elles ne l'étaient pendant la guerre froide. L'équilibre de la terreur a disparu pour faire place à son exact opposé [2]. L'on découvre ainsi que les situations de déséquilibre peuvent introduire dans les esprits des craintes tout aussi vives en répandant un sentiment général de vulnérabilité.

---

1. Pour le Moyen-Orient, il s'agirait d'Israël, de l'Iran, de l'Arabie Saoudite, de l'Egypte, de la Turquie et éventuellement de la Syrie. Pour l'Asie, de l'Inde, du Pakistan, de la Chine, du Japon, de Taïwan et de l'Indonésie. Pour un certain nombre de ces pays, le Japon par exemple, ou Taïwan, des essais pourraient être faits sur des ordinateurs très puissants, permettant ainsi d'éviter d'attirer l'attention du monde sur des réalisations contraires aux engagements internationaux qui ont été pris. Une succession de crises non résolues avec la Corée du Nord pourrait avoir ce résultat dans les deux pays en question.

2. Voir Thérèse Delpech, « The Imbalance of Terror », *Washington Quarterly*, hiver 2001.

L'attaque surprise, qui était la pire crainte de la guerre froide, celle que toutes les mesures diplomatiques et militaires étaient destinées à contrer, est à nouveau présente dans les esprits, mais avec des adversaires qui ne permettent parfois aucun dialogue politique, comme c'est le cas de Pyongyang. Si ce sentiment est à ce point présent à un moment où les causes qui le justifient ne font qu'apparaître, qu'en sera-t-il dans vingt ans en l'absence d'une inversion de tendance ? Mais cette inversion, il faudrait encore l'engager, car la paix ne se préserve pas toute seule. Si la fin de l'URSS n'était guère imprévisible – quelques bons esprits ont assez tôt souligné que l'on surestimait considérablement la puissance de l'adversaire – elle était rarement tenue pour *possible*. Comme s'il y avait encore, jusqu'à la fin des années 1980, une forme de soumission volontaire à un système qui était pourtant contraire à tout ce que les sociétés occidentales pouvaient représenter. Nous faisons face aujourd'hui à un problème comparable avec la Chine, le seul grand pays avec qui il faut craindre une crise nucléaire au XXIe siècle.

La guerre froide a connu *une* grande crise nucléaire, en 1962. Elle est à présent si bien documentée après la déclassification des principaux textes de référence et les nombreux séminaires auxquels des acteurs américains, russes et cubains ont participé, que des leçons essentielles peuvent en être tirées. On a longtemps tenu cet épisode pour un modèle de la dissuasion, la détermination de John Kennedy ayant fait plier les Soviétiques dans une partie de bras de fer dont la dissuasion est sortie victorieuse. La réalité est plus complexe. On a frôlé la catastrophe non pas à cause de l'hostilité des deux principaux dirigeants, mais d'une initiative cubaine qui a failli déclencher la troisième guerre mondiale. La crise a duré treize jours. Elle a commencé quand le conseiller national de sécurité du président, McGeorge Bundy, a informé John Kennedy que des photographies de l'île de Cuba indiquaient la présence de missiles nucléaires soviétiques. Il s'agissait de missiles de portée moyenne et intermédiaire qui une fois devenus opérationnels pourraient mettre une centaine de millions d'Américains en péril, car ils étaient capables d'atteindre toutes les principales villes de la côte Est.

Ce fut une surprise totale pour les Etats-Unis car des assurances explicites avaient été données la même année par Andreï Gromyko et d'autres officiels soviétiques de haut niveau selon lesquelles l'URSS n'avait pas de missiles nucléaires à Cuba ni l'intention d'en déployer. C'est là la véritable erreur des Soviétiques, ce mensonge à lui seul ayant pu entraîner un échange nucléaire. Le 4 septembre, Kennedy avait en effet déclaré que si un déploiement de missiles soviétiques avait lieu à Cuba « les plus graves conséquences s'ensuivraient ». Il pouvait difficilement se dédire un mois plus tard. Les Soviétiques, jouant sur l'effet de surprise, pensaient que les Américains accepteraient ces déploiements, qui ne changeaient pas vraiment l'équilibre nucléaire entre les deux Grands. Cette erreur de jugement s'explique par le fait que seules cinq ou six personnes étaient au courant à Moscou de l'ensemble des données et que l'analyse de la situation était très rudimentaire pour cause de secret. La décision immédiate du président Kennedy fut d'obliger les Soviétiques à retirer leurs missiles, le problème étant d'obtenir ce retrait en évitant une guerre.

Selon Robert Mac Namara, alors secrétaire à la Défense, les plus importantes décisions prises immédiatement par le président consistaient d'une part à limiter le nombre des hauts fonctionnaires qui seraient au courant du dossier, d'autre part à empêcher toute fuite dans la presse pour éviter la pression de l'opinion et enfin à identifier une série de réponses possibles au déploiement soviétique en indiquant chaque fois le pour et le contre. « Aucune décision ultérieure prise lors de la crise des missiles de Cuba n'a davantage contribué à la prévention du conflit que ces trois décisions prises immédiatement par le président Kennedy [1]. » Deux solutions furent proposées au président : un blocage naval de Cuba pour éviter de nouvelles livraisons et une attaque aérienne. La majorité des conseillers penchaient en faveur

---

1. *Forty Years after 13 Days. Arms Control Today*, novembre 2002. Voir aussi : *13 Jours – La crise des missiles de Cuba* de Robert Kennedy, Grasset, 2001.

d'une attaque aérienne. Le président demanda alors au général Walter Sweeney, chef de l'US Air Force Tactical Air Command, s'il pouvait assurer que tous les missiles seraient détruits par une attaque aérienne. La réponse étant négative, le blocage naval de Cuba commence le 24 octobre. Trois jours plus tard, Moscou n'avait toujours pas fait connaître son intention de retirer les missiles de Cuba.

Un élément fondamental de la crise n'a été connu que bien plus tard. La croyance qui prévalait en 1962 à Washington était que les têtes des missiles n'avaient pas été livrées mais qu'elles étaient sur le point de l'être – or elles s'y trouvaient déjà : 162 têtes tactiques et stratégiques [1]. C'est dans ces conditions que Kennedy menace d'attaquer et d'envahir Cuba et que Khrouchtchev propose un compromis : si les Etats-Unis n'envahissent pas Cuba, les missiles seront retirés par les Soviétiques. La crise pouvait être tenue pour close. Mais le lendemain, un U2 Américain est abattu à la demande de Castro en contradiction avec les ordres de Khrouchtchev. Ce troisième joueur se révèle décisif. En janvier 1992, lors d'une conférence à La Havane, Fidel Castro a d'ailleurs déclaré qu'il n'aurait pas hésité à lancer une guerre nucléaire en cas d'invasion, alors que la présence des têtes n'était pas connue des Etats-

---

1. L'idée à Moscou était d'annoncer leur présence en novembre 1962. Toute découverte des missiles avant cette annonce ouvrait une crise majeure sans dissuasion possible.

Unis, et donc que la dissuasion ne pouvait pas fonctionner – même si la conséquence évidente eût été la destruction de Cuba. C'est là l'élément de réflexion principal pour l'avenir car nous avons peut-être affaire davantage aujourd'hui à des Fidel Castro qu'à des Kennedy ou à des Khrouchtchev.

Ce que montre en outre cet épisode crucial de la guerre froide, c'est le danger d'avoir non pas deux mais trois acteurs dans une crise nucléaire. Si deux d'entre eux se conduisent sagement et que le troisième commette une folie, la guerre peut éclater même si le troisième est – des trois – l'acteur mineur. L'introduction d'armes nucléaires à Cuba, qui réduisait le temps de lancement des Soviétiques à sept minutes, empêchait tout délai nécessaire pour évaluer les alertes nucléaires. L'ampleur de l'attaque anticipée, l'impossibilité de déterminer avec précision quand elle interviendra et l'absence de retenue du troisième acteur ont mis en un temps très bref la vie de millions d'hommes en danger. Voici la conclusion de Nikolai S. Leonov, qui était en 1962 le chef du département des affaires cubaines au KGB, telle qu'il l'a présentée lors d'un colloque qui a eu lieu au début du siècle sur la reconstitution de la crise : « Une seule erreur au mauvais moment en octobre 1962 et tout aurait pu être perdu. Je peux à peine croire que nous sommes ici aujourd'hui pour discuter de cette crise. C'est presque comme si une intervention divine avait eu lieu pour nous sauver de nous-mêmes, mais avec cet avertissement : il ne faut jamais plus s'approcher aussi près de la catastrophe. La prochaine fois, nous n'aurons pas cette chance. »

Ce propos reçoit un assentiment spontané de la part de ceux qui ont suivi les péripéties de la saga nucléaire iranienne, le chantage nord-coréen ou encore la tension dans le détroit de Taïwan. Le péril nucléaire est réel au Moyen-Orient et en Extrême-Orient. Il l'est aussi entre l'Inde et le Pakistan. Les armes nucléaires sont, certes, moins nombreuses et elles ne règlent plus les rapports stratégiques. Mais la dissuasion nucléaire a fonctionné parce qu'il y avait une claire division du monde et qu'on ne lui demandait pas grand-chose : la seule préservation du statu quo. Rien de cela n'existe dans aucune des trois zones qui ont été nommées. L'autre condition de la dissuasion était naturellement la vulnérabilité réciproque. Dans le cas majeur d'une confrontation éventuelle entre les Etats-Unis et la Chine, cela est-il toujours vrai ? Les pays occidentaux, y compris l'Amérique, ne pourront pas « encaisser » ce que la Chine peut absorber. Mao était déjà très conscient de cette vérité quand il tenait des propos provocateurs sur la capacité d'absorption d'une frappe nucléaire par la Chine, avec le mépris pour la vie humaine qu'il a toujours manifesté. En un sens, il n'y a plus de vulnérabilité réciproque et c'est un énorme bouleversement. Le risque nucléaire est aussi beaucoup plus diversifié dans un domaine où la maîtrise des événements est un élément essentiel de la stabilité et du non-emploi. L'Iran et la Corée du Nord sont des acteurs dont on ne sait presque rien. Le premier a toujours trois ou quatre politiques différentes et le second n'est reconnaissable qu'à ses coups de théâtre.

A la question : le péril nucléaire est-il derrière ou devant nous ? Derrière nous, répondent les stratèges de la guerre froide. Devant nous, rétorquent ceux qui suivent les progrès de la dissémination de l'arme. Les premiers peuvent soutenir que jamais plus les armes nucléaires ne joueront un rôle aussi important dans les affaires du monde qu'entre 1949 et 1989. C'est en effet peu probable. Mais les seconds démontreront sans trop de mal que le nombre et la nature des nouveaux acteurs modifient les conditions du succès de la dissuasion jusqu'à les rendre méconnaissables. Il n'est plus impensable aujourd'hui par exemple d'imaginer une Corée réunifiée au profit de la Chine, avec l'arme nucléaire. Celle-ci pourrait être utilisée par Pékin comme l'arme pakistanaise l'est vis-à-vis de l'Inde, ce que les Etats-Unis refusent de reconnaître, persuadés qu'ils partagent sur cette question les mêmes intérêts que la Chine : une péninsule coréenne dénucléarisée [1].

---

1. D'ores et déjà, un double jeu sud-coréen vis-à-vis des Etats-Unis est probable. Séoul envoie des soldats en Irak mais se rapproche de Pékin, qui tient les rênes de la réunification coréenne comme Moscou tenait celles de l'Allemagne. Séoul et Pékin sont d'accord sur un point fondamental : la réunification doit prendre du temps.

En réalité, ceux qui soutiennent que l'arme nucléaire ne jouera plus un rôle aussi important dans les relations internationales qu'au XX^e^ siècle ont raison. Mais ceux qui prétendent que le risque d'emploi est plus grand sont loin d'avoir tort.

Les premiers rappellent des faits qu'il faut garder en mémoire. L'apparition de la nouvelle arme en 1945, quand il s'agissait de mettre fin à la guerre avec le Japon dans le Pacifique et d'impressionner Staline, dont on se demandait déjà à cette époque combien de temps il resterait dans le camp des Alliés, doit continuer à être perçue comme un événement bouleversant [1]. Cinquante ans plus tard, un des grands dangers est en effet l'habitude que l'on a prise de vivre dans un monde nucléarisé dont on ne mesure plus les dangers, parce qu'on pense les connaître trop bien. L'arme nucléaire, si la dissuasion est maintenue, peut encore protéger le monde de violences plus nombreuses et plus grandes que celles dont nous sommes aujourd'hui témoin [2]. Il y a à cela des conditions : ne tolérer ni chantage nucléaire – qu'il s'agisse de la Chine à l'égard de Taïwan ou de la Corée du Nord vis-à-vis du Japon et des Etats-Unis

1. Les propos américains à Potsdam sur une arme nouvelle de puissance inégalée n'ont guère impressionné Staline, qui connaissait le détail des travaux poursuivis dans le cadre du projet Manhattan par ses espions.

2. En 1999, par exemple, la présence d'armes nucléaires en Inde et au Pakistan a conduit les Etats-Unis et la Chine à exercer des pressions sur le Pakistan pour qu'il cesse son agression dans la région de Kargil.

–, ni violation du Traité de non-prolifération nucléaire. N'accepte-t-on pas l'un et l'autre ?

C'est la raison pour laquelle le second camp pourrait être plus proche de la réalité historique de ce siècle que le premier. La préservation de la paix nucléaire est largement entre les mains des cinq puissances qui siègent à titre permanent au Conseil de sécurité. Ce sont elles qui sont responsables, que cela leur plaise ou non, de l'avenir nucléaire. Il s'agit là des pays officiellement détenteurs, entre qui tout conflit a potentiellement une dimension nucléaire. La rivalité Etats-Unis - Russie a fait place à une relation sino-américaine faite d'un mélange de coopération et de confrontation. La vérité éclatera dans une vingtaine d'années, quand Pékin aura modernisé son armée. Le privilège des membres du Conseil de sécurité va de pair avec une double obligation : ne pas aider de nouveaux pays à acquérir la bombe et répondre aux violations éventuelles du Traité de non-prolifération, dont trois d'entre eux sont dépositaires.

Le 26 octobre 1962, au moment où le monde a failli basculer dans une troisième guerre mondiale, Khrouchtchev envoie à Kennedy une lettre remarquable. Il y compare les relations entre les adversaires en temps de crise aiguë à celle de deux individus qui tiennent chacun le bout d'une corde au centre de laquelle se trouve un nœud : « Si les peuples ne font pas preuve de sagesse, alors en dernière analyse ils finiront par s'affronter comme des taupes aveugles, et l'extermination réciproque commencera. Si vous n'avez pas perdu tout contrôle de vous-même, alors Monsieur le Président nous ne devons ni les uns ni les autres tirer sur le bout de corde sur laquelle vous avez formé le nœud de la guerre, parce que plus vous et moi tirerons, plus le nœud sera serré. Et un moment viendra où ce nœud sera si serré que même celui qui l'a formé n'aura plus la force nécessaire pour le dénouer. Et à ce moment, il n'y aura aucune autre solution que de le rompre [1]. » Ce texte explique ce qui s'est passé en 1914 et qui peut encore se reproduire. L'expérience que Khrouchtchev avait eue de la Seconde Guerre mondiale au moins a probablement joué un rôle décisif dans sa volonté de prévenir un échange nucléaire. Cette expérience est à présent perdue. En 2005, au moment où l'on commémore le soixantième anniversaire d'Hiroshima et de Nagasaki, il serait précieux de la retrouver.

1. Cité par Robert Mac Namara dans les minutes d'un colloque qui a réuni en 2002 certains des acteurs de la crise de Cuba.

ÉPILOGUE

# *L'âme humaine mise en pièces*

> « La conscience semble un miroir d'où tantôt le ciel, tantôt le fond, viennent vers le spectateur. »
>
> PAUL VALÉRY.

Ce que notre époque a de plus singulier est la conviction que le mal est installé au cœur de l'histoire et le refus frénétique de ce constat. L'homme du XXI^e^ siècle présente ainsi une étrange ressemblance avec l'homme primitif qui cherche à repousser le mal au-delà du monde connu et à le transformer en tabou. Pour lui comme pour nous, le mal porte malheur. Il faut s'en détourner. Mais notre monde n'a plus de frontières au-delà desquelles il serait possible de rejeter ce qu'on ne veut pas voir, et l'expérience du mal a une telle force dans les consciences contemporaines, le désordre des esprits et des choses est si manifeste, que l'urgence est plutôt de redonner vigueur à ce qui peut tempérer l'angoisse partout présente. La peur du lendemain et l'incapacité de supporter l'adversité ne menacent pas seulement la paix des esprits, elles renforcent aussi l'instabilité des choses. Les interrogations les plus douloureuses sur l'avenir sont ainsi celles que produisent les époques troublées, qui ont connu des cataclysmes naturels ou politiques, et qui sont dans l'attente de métamorphoses ou d'apocalypses. C'est très exactement ce que l'on peut lire dans les regards de nos contemporains : l'attente de quelque chose qui n'est pas encore nommé, et qui, comme en 1905, a des liens secrets avec la mémoire refoulée et l'anticipation de l'avenir. L'histoire du siècle passé, cet *hortus inclusus* dont nous sommes les prisonniers involontaires, contient tant de malheurs à méditer que l'on sent parfois le poids des morts, fauchés par les guerres et les révolutions, comme des fantômes errant dans nos villes en demandant justice. Quant à l'avenir, il paraît si profondément déstructuré que les desseins sont tous vulnérables, comme la paix est précaire.

La promesse d'avenir est ce qui fait le plus défaut au monde contemporain, dont la conscience a un caractère crépusculaire. L'Occident devrait comprendre mieux que toute autre partie de la planète ce qui est en cause dans ce crépuscule, car il connaît les signes du déclin et possède des catastrophes une expérience séculaire. Ayant longtemps contribué à donner au monde sa forme intellectuelle, il ne peut ignorer que le chaos des idées est plus alarmant encore quand on le voit à l'œuvre dans les sociétés occidentales. Celles-ci ne constituent plus un modèle pour le reste du monde, et ont même perdu leur rôle plus modeste d'inspiratrices. Etant elles-mêmes pleines de confusion, comment pourraient-elles le remplir ? Prôner la modération, l'argumentation et un retour de l'activité rationnelle est une tentation légitime, qui n'est pas sans mérite. On peut craindre cependant que cet appel ne soit voué à l'échec pour au moins deux motifs. Le premier vient de la façon dont la raison a été disqualifiée parce qu'elle a permis de tout justifier, y compris l'injustifiable, et dont le mensonge a prospéré sous tous les cieux. Les idéologies ont été le produit d'hypertrophies de l'activité rationnelle, dont on voit les premières aberrations au XVIII^e^ siècle, et c'est elle qui a donné naissance aux monstres clairement annoncés un siècle plus tard par des esprits visionnaires comme Nietzsche.

Le second motif est d'un tout autre ordre. Ce qui frappe le plus dans les expressions de la conscience contemporaine, ce n'est pas tant l'exigence rationnelle que le besoin de faire à nouveau une place à l'irrationnel, composante essentielle du psychisme humain. Carl Jung s'était inquiété d'une évolution qui condamnait les individus au déséquilibre en frustrant ce qu'il appelait « le côté mythique de l'homme » et en interdisant l'expression de ce que l'esprit ne peut saisir rationnellement. Au moment où la religion fait un retour fracassant sous des formes violentes et destructrices, ce serait un immense progrès de s'interroger sur le vide spirituel qui mine nos sociétés, et sur les déséquilibres psychiques qui accompagnent ce phénomène. Si l'on ne parvient pas à trouver une harmonie nouvelle entre le rationnel et l'irrationnel, les excès de l'un comme de l'autre – à présent, plus probablement ceux de l'irrationnel – peuvent à nouveau produire des catastrophes collectives.

Quant à la raison, il lui faudrait retrouver le fil d'une pensée perdue. Les questions qui ont agité l'humanité pendant des siècles sur la liberté humaine, le sens de l'histoire, la responsabilité politique, sont toutes devenues suspectes. Elles n'ont pas pour autant disparu, mais depuis la fin du XIX^e^ siècle, la politique semble n'avoir d'autre but qu'elle-même – c'est-à-dire l'exercice du pouvoir – ou le développement de l'économie. Adam Smith avait annoncé les périls qui guettent les nations où priment les intérêts économiques : « Les intelligences se rétrécissent, l'élévation d'esprit devient impossible... et il s'en faut de peu que l'esprit d'héroïsme ne s'éteigne tout à fait. » Il conclut, comme nous pourrions le faire : « Il importerait hautement de réfléchir aux moyens de remédier à ces défauts. » En effet. Car il vient un moment où la faiblesse de l'intelligence et de la volonté ne permet plus de saisir non seulement les responsabilités que l'on a dans les affaires du monde, mais encore ses propres intérêts de sécurité. On ne s'étonne pas assez de cette évolution. Car dans toute l'histoire de l'humanité il n'est pas d'époque où les dangers de la politique et les limites de l'économie aient été l'objet de démonstrations aussi brutales. Il n'en est guère non plus où l'éthique ait été présente de façon plus évidente au cœur de l'action publique. La question centrale posée par le totalitarisme était celle de la liberté humaine, de la négation de l'individu, de la capacité de résistance à la terreur et du meurtre de masse. C'est aussi celle que pose le terrorisme, qui nie la liberté avec toute la violence dont il est capable. Dans un monde sans direction, qui va à vau-l'eau et *travaille dans le vide,* la liberté humaine n'a peut-être pas grand sens. Mais si l'on évoque le paroxysme de violence des nouveaux terroristes ou l'excès de cupidité de réseaux clandestins vendant au plus offrant tous les composants de l'arme nucléaire, chacun comprendra que l'on s'interroge sur le monde qui est ainsi en préparation, mais aussi sur ce qui l'a conduit sur ces dangereux rivages.

Les sociétés contemporaines sont parcourues par la crainte de l'inconnu, car les hommes ne reconnaissent plus le destin de l'espèce dans le processus historique. Sans cette reconnaissance, comment bâtir un projet d'avenir ? Le sens de la continuité historique paraît avoir été perdu. Les rescapés de la guerre froide ressemblent à ceux de la Révolution française, qui avaient conscience de se trouver « au milieu des débris d'une grande tempête » mais craignaient leurs souvenirs et parlaient rarement d'eux-mêmes. Balzac leur fait dire qu'ils s'étaient « oubliés ». Cet oubli, plus accablant en 2005 qu'il ne l'était au début du XIXe siècle, fait partie de l'ensauvagement des consciences contemporaines. Il les protège d'une crise morale sans précédent qu'elles traverseraient toutes, mais qui serait particulièrement vive dans des pays comme la Russie, la Chine ou le Cambodge, dont les tragédies passées sont les moins supportables. On reconnaîtra sans doute un jour qu'une partie essentielle des relations internationales se trouve précisément dans ce que cet oubli recouvre.

Les manifestations qui ont eu lieu dans les villes chinoises en avril 2005 ont donné une image violente des mauvais rêves de l'Empire du milieu. Les souvenirs de la Seconde Guerre mondiale risquent d'être suivis par d'autres plus récents, les tragédies du Grand Bond en avant et de la Révolution culturelle. Il faudra alors solder les comptes du passé intérieur chinois et une autre aventure commencera, où l'action du parti communiste sera directement mise en cause [1]. Au Cambodge, il faudra revivre le massacre du tiers de la popu-

1. Les autorités chinoises craignent suffisamment cette critique pour interdire non seulement la circulation en Chine de la nouvelle biographie de Mao par Jung Chang et Jon Halliday, mais la publication de tout compte rendu la concernant. Voir l'article de Jonathan Mirsky, « Maintaining the Mao Myth », *International Herald Tribune*, 6 juillet 2005.

lation, en quatre ans seulement, dans l'indifférence presque totale de l'opinion internationale. Et la Turquie finira par comprendre que le génocide des Arméniens ne peut être traité avec des commissions d'enquête. Ceux qui ne mesurent pas la puissance explosive des émotions collectives enfouies dans la mémoire et qui pensent que tous ces malheurs seront surmontés avec la vieille recette de Casimir Perier : « Enrichissez-vous ! », remise à l'ordre du jour par la mondialisation, ne connaissent ni la force de l'inconscient, ni celle du refoulement, ni surtout celle de la vérité quand elle finit par triompher.

Après avoir vécu une période d'ajustement à présent terminée, il faut nettoyer la lentille du télescope dirigée vers le passé, avant de la tourner vers l'avenir pour comprendre ce qui se profile à l'horizon. On y perçoit le poids de conflits qui n'ont pas été résolus au siècle dernier et qui sont devenus plus complexes en prenant de l'âge, la rapidité d'événements qui rend leurs conséquences difficilement prévisibles, et l'exceptionnelle interconnexion des destins à l'échelle mondiale, sans comparaison avec ce que connaissaient nos ancêtres il y a cent ans. Le plus grave danger cependant vient de messages que le XX^e^ siècle a légués sans avoir jamais été reçus. Il y a là tant de sujets d'éducation historique qu'on ne sait trop par où commencer. En voici quelques-uns : la régression politique, culturelle et morale fait désormais partie de notre horizon politique ; la déshumanisation dont nous sommes les héritiers est une menace pour notre survie ; la mémoire des crimes est une condition de la sécurité internationale. Mais aussi : la résistance à la terreur n'est pas condamnée d'avance, et au siècle du mensonge, il arrive que la vérité relève la tête.

Les philosophes et les scientifiques se sont retrouvés pour considérer que la nature du temps était la question la plus importante à résoudre. Comment quelque chose d'aussi profondément contradictoire peut-il former le socle de notre monde et celui de l'existence humaine ? Cette question a hanté les esprits sous des formes multiples avec d'incessants travaux sur les genèses, les généalogies, l'évolution, le sens de l'histoire ou la théorie de la relativité. Il y a dans cette obstination une recherche manifeste de sens, qu'il s'agisse de l'ordre du monde ou de la signification de l'existence humaine, à un moment où la religion ne fournit plus de réponse à ces questions. Ce que l'humanité éprouve aujourd'hui à l'égard du temps, c'est l'effroi que décrivait Pascal en contemplant l'immensité de l'espace. Nous avons peur de ce dont nous sommes capables. Plus encore que la limitation des ambitions et l'égocentrisme des sociétés occidentales, c'est leur profonde détresse qui frappe. La *tristesse du cœur* continue de définir notre époque. Si le changement est devenu l'ennemi public, c'est en raison de l'attente de nouvelles catastrophes, de la *grande hache* de l'histoire qui est dans toutes les consciences, mais surtout peut-être dans celles des Européens.

La violence et l'appel au meurtre se logent dans le vide béant qui se trouve au cœur de la modernité et qui peut accueillir de nouvelles utopies [1]. Les émotions et les craintes que suscitent les images de violence et de destruction peuvent avoir pour effet de faire basculer à nouveau l'humanité dans une période de troubles où la raison, l'argumentation et l'équilibre sont dépassés par l'exaspération des passions. Les individus les plus adaptés à ces périodes spécifiques sont aussi les plus dangereux et les nouvelles formes de terrorisme peuvent donc être interprétées comme un avertissement. Freud était convaincu qu'il y avait au cœur de la civilisation quelque chose qui défiait toute volonté et toute possibilité de réforme. Peut-être avait-il raison. Mais les grands artistes ont toujours proposé une autre réponse à l'énigme historique, que Mozart a exprimée simplement en disant que l'homme était sur terre non pour régresser, répéter ou se morfondre sur ses crimes, mais « pour aller toujours plus loin ».

---

1. Cf. ce jugement de Nicolas Berdiaev : « On connaissait mal les utopies et on a trop gémi sur l'impossibilité de leur réalisation. Mais les utopies se sont révélées bien plus réalisables qu'on ne le croyait. Maintenant, la question se pose d'éviter leur réalisation définitive. Les utopies sont plus réalisables que ce que voulait une politique réelle et qui n'était qu'un calcul rationnel d'hommes de cabinet. »

Pour que ce soit possible, il faut sortir la question éthique de l'engourdissement où elle se trouve plongée. Plus le monde devient violent, chaotique et incompréhensible, plus le besoin de résoudre cette question s'affirme dans les consciences. Certes, la violence et la désorientation de l'époque peuvent être les signes d'une forme d'arriération et le prélude de nouveaux malheurs. Ils témoignent aussi de l'urgence d'un renouvellement. Diderot a eu sur ce sujet une pensée profonde : « Il semble en vérité que toute chose, le bien comme le mal, ait son temps de maturité. Quand le bien atteint son point de perfection, il commence à tourner au mal; quand le mal est complet, il s'élève vers le bien [1]. »

La crainte qu'avait exprimée Tocqueville pour le XXe siècle n'était ni le désordre ni l'injustice, mais le péril que l'égalité ferait courir à la grandeur humaine [2]. Celle que l'on peut avoir en 2005 concerne aussi la grandeur humaine et donc toujours la liberté, mais sous une forme plus dramatique encore. Les enjeux moraux ont en effet gravi un nouvel échelon, plaçant très haut la barre en matière d'exploration du mal. Et en raison des crimes impensables commis tout au

1. *Correspondance*, Roth éd., tome XI, p. 21.

2. « J'avoue que je redoute bien moins, pour les sociétés démocratiques, l'audace que la médiocrité des désirs ; ce qui me semble le plus à craindre, c'est que, au milieu des petites occupations incessantes de la vie privée, l'ambition ne perde son élan et sa grandeur. » (*De la démocratie en Amérique*, Gallimard, Folio Histoire, 1961, tome II, pp. 340-341.)

long du siècle dernier, celui-ci demeure, à bien des égards, *un siècle sans pardon.*

C'est de ce fond obscur, toujours accessible au souvenir, qu'il faut repartir pour trouver à nouveau la promesse d'avenir, sans laquelle il n'est pas de survie possible. Si le monde se façonne à l'image de l'esprit, c'est la capacité de retrouver la croyance en son pouvoir qui est en cause. Lors du procès de Nuremberg, le procureur général français, François de Menthon, avait compris qu'il devait juger « un crime contre l'esprit, [...] une doctrine qui, niant toutes les valeurs spirituelles, rationnelles ou morales, sur lesquelles les peuples ont tenté depuis des millénaires de faire progresser la condition humaine, vise à rejeter l'humanité dans une barbarie [...] consciente d'elle-même et utilisant à ses fins tous les moyens matériels mis à disposition par la science contemporaine ». Cinquante ans plus tard, ce propos ne bouleverse pas seulement parce qu'il rappelle les atrocités qu'évoque le procureur français. Il bouleverse surtout par l'étrangeté des mots utilisés, et par le côté profondément démodé de l'expression « crime contre l'esprit », dont on ne comprend plus ce qu'elle désigne : la perte de ce qui fait l'humanité même.

Le sentiment de n'avoir plus prise sur les événements, générant l'angoisse du changement, de l'avenir et du temps, est lié à cet oubli, et condamne les événements à avoir une dangereuse avance sur ce que nous pensons. La relation de la conscience au monde a perdu son axe : la liberté humaine. Sans elle, on ne peut rien construire, rien défendre, et le courage manque pour faire face à ce que l'histoire réserve. La redécouvrir ne rendrait pas l'avenir nécessairement plus serein, mais celui-ci se jouerait du moins avec des êtres responsables. Comme l'écrivait Gottfried Benn : « On sait bien que les hommes n'ont pas d'âme, si seulement ils avaient un peu de tenue. »

Mais l'avenir n'est pas davantage écrit en 2005 qu'il ne l'était en 1905. Certes, l'humanité détient aujourd'hui, plus encore qu'au XXe siècle, la capacité de servir le côté le plus destructeur de la psychologie humaine. Elle peut aussi prévenir la combinaison fatale entre les moyens technologiques dont elle dispose et les penchants nihilistes qui sont issus de la détresse contemporaine. C'est à ce choix qu'il faut réfléchir et c'est lui qui doit guider l'action politique.

## TABLE

*RETOUR À 2005*

*Cet ouvrage a été imprimé par*

FIRMIN DIDOT

GROUPE CPI

*Mesnil-sur-l'Estrée*

*pour le compte des Éditions Grasset*
*en septembre 2005*

*Imprimé en France*

Dépôt légal : octobre 2005
N° d'édition : 13962 - N° d'impression : 75716
ISBN : 2-246-67741-6